D1328533

Literatur und Geschichte

Eine Schriftenreihe

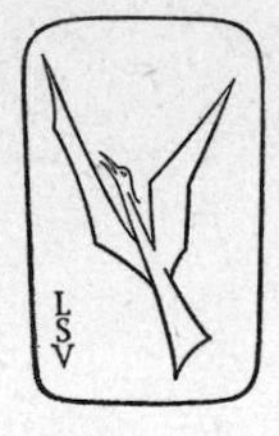

Band 3

Jost Hermand

Unbequeme Literatur

Eine Beispielreihe

Lothar Stiehm Verlag · Heidelberg 1971

Printed in Germany 1971
Gesamtherstellung: Graphische Werkstätten Kösel
Kempten im Allgäu

Inhaltsverzeichnis

Kategoriale Vorüberlegungen

Man hat einmal zynisch gesagt, daß nur schlechte Bücher gut genug seien, sich die Gunst des breiten Publikums zu erringen. Wie so manches Aperçu ist auch diese Behauptung wahr und falsch zugleich. Denn wäre ein Buch lediglich schlecht, hätte es kaum eine Chance, zu einem Hit, einem Knüller oder Bestseller zu werden. Es muß schon auf eine ganz besondere Art schlecht geschrieben sein, um in diese ominöse Kategorie aufrücken zu können. Doch vielleicht ist in diesem Zusammenhang das Wort ›schlecht‹ sowieso ein wenig irreführend. Denn was man damit meint, braucht nicht unbedingt etwas Minderwertiges zu sein. Ganz im Gegenteil. Viele dieser Bücher, deren Auflagenhöhe uns in ein ungläubiges Staunen versetzt, sind recht brillant erzählt und lassen den Leser – nach beendigter Lektüre – durchaus mit einem gewissen Gefühl des Wohlbehagens zurück, das sich bei einem ›guten‹ Buch nicht unbedingt einzustellen braucht. Auf jeden Fall ›zerstreuen‹ sie uns. Und das ist als Unterhaltungseffekt gar nicht so gering zu schätzen. Wer wäre versnobt genug, mit ehrlichem Gewissen zu behaupten, daß er sich immer nur mit Proust befriedigen kann? Jene Schlechtigkeit liegt also auf einem ganz anderen Gebiet.

Denn eins gelingt diesen Büchern fast nie: ihre Leser wirklich zu erregen. Dafür sind sie nicht widersprüchlich genug. Die meisten von ihnen gleiten an uns ab wie ein lauwarmes Bad: erfrischend, aber letztlich doch etwas fade. Kaum hat man sich abgetrocknet, sind sie schon wieder vergessen. Wie jedes gute Konsumprodukt soll man sie auf der Stelle verzehren, und zwar so intensiv, daß kein Restchen von ihnen übrigbleibt. An solchen Werken gibt es nichts herumzurätseln, sondern nur zu verbrauchen oder zu genießen, was bestenfalls miteinander identisch ist. Man bezahlt und geht. Es wäre daher fast ein bißchen undankbar, sie lediglich mit dem diffamierenden Attribut ›schlecht‹ abzustempeln. Bei aller Fairneß einer wahrhaft demokratischen Literaturverfassung sollte man ihnen lieber den ironischen Ehrentitel einer ›bequemen Literatur‹ verleihen.

Doch wie läßt sich ein solcher Bequemlichkeits-Effekt eigentlich erreichen? Anders gefragt: was muß man als Autor anstellen, um eine Ware zu liefern, die bei den breitesten Leserschichten Anklang findet und somit mühelos die Fünfzig- oder Hunderttausendergrenze überschreitet? Es gibt da bereits eine Reihe von Rezepten, die nicht nur von den jeweiligen Marktforschern und Werbepsychologen, sondern auch von gewissen Literaten auf das genaueste studiert werden. Was diese Leute auf jeden Fall vermeiden, ist das Entlegene, Weltfremde oder Intellektualistisch-Versponnene. Nun, ein solches Postulat sollte man eigentlich immer beherzigen, auch bei den sogenannten ›guten Büchern‹. Denn ein wirklicher Lesereiz läßt sich nur mit aktuellen Problemen erzwingen. Doch in diesem Punkt beginnt sofort die Schwierigkeit der hier als bequem definierten Literatur. Fatalerweise haben nämlich diese aktuellen Stoffe meist einen Zug ins Kontroverse, schon weil sie neu und ungewohnt sind. Kontrovers darf jedoch ein idealer Bestseller niemals sein, da er sonst unweigerlich in den Geruch eines exklusiven Avantgardismus gerät, der den Denkschablonen der breiten Lesermassen diametral zuwiderläuft. Ein wahrer Hit auf dem Büchermarkt muß daher so aktuell und zugleich so unaktuell wie möglich sein. Genau betrachtet, muß er eine Aktualität vortäuschen, die er eigentlich gar nicht besitzt, um den potentiellen Leser anzureizen, aber nicht zu irritieren. Sein Autor kann sich ruhig einmal ins Riskante vorwagen, aber immer nur bis zu einer gewissen Grenze. Politisches, Soziales, Erotisches: alles darf bloß als harmloser Papiertiger erscheinen, dessen Anblick ein wohltuendes Gruseln hinterläßt. Falls er es einmal wagt, seinem Stoff eine wirkliche Aktualität zu geben, muß er diese soweit verschleiern, daß sie nie in unverhüllter Objektivität zutage tritt. Kurz gesagt: er muß sich wie ein Animiermädchen verhalten, dem es durch ein vielverheißendes Lächeln gelingt, seine auf Wirklichkeit drängenden Verehrer in illusionsbesessene Konsumenten umzuwandeln, ohne sich dabei irgendeine seelische oder körperliche Blöße zu geben.

Doch mit dieser mehr oder minder raffinierten Verschleierungstechnik, die vieles andeutet, aber nur weniges enthüllt, wird selbstverständlich bloß eine Form dieser ›bequemen Literatur‹ etwas näher umrissen. Man kann es zweifellos auch ganz anders machen. So versuchen es manche mit dem wesentlich komplizierteren Trick, eine ganze Reihe von aktuellen Stoffen aufs Tapet zu bringen, um auf möglichst vielen Stühlen zugleich zu sitzen. Ihr Motto lautet: ein Gewürz aus diesem, ein anderes aus jenem Topf, solange es nur bei dem rechten, breiigen Mittelmaß bleibt. Denn bei einer solchen Mixtur entsteht leicht die Gefahr, daß das Ganze zu überpfeffert wirkt und bloß noch auf die völlig Abgebrühten einen Lesereiz ausübt. Doch das wichtigste Rezept ist auch hier, jeder kritischen Analyse der behandelten Stoffe, Fakten und Handlungen sorgfältig aus dem Wege zu gehen. Und so haben derlei Bücher meist einen recht buntscheckigen Revue- oder Starparade-Charakter. Sie vertrauen immer noch auf die banale Maxime, daß man vieles bieten muß, wenn man alle und jeden ansprechen will. Nicht das ›Eigentliche‹ fassen sie ins Auge, ganz gleich, was man darunter verstehen mag, sondern lediglich den farbigen Abglanz des Lebens. Denn der nach Unterhaltung und Zerstreuung ausschauende Leser will ja alles auf der Stelle konsumieren. Nichts liegt ihm ferner, als zu umständlichen Denkoperationen angeregt zu werden, die ihm nur den Spaß an der Sache verderben. Anstatt sich mit den Problemen, Krisen und Widersprüchen seiner Zeit auseinanderzusetzen, hat er sich längst damit abgefunden, daß er als kleines Einzel-Ich auf diese Dinge sowieso keinen Einfluß hat. Er fühlt sich nicht dazu aufgerufen, mitzulieben oder mitzuhassen, sondern nur mitzuleben. Anstatt irgendeinen politischen, sozialen oder ideologischen Standpunkt zu vertreten, der im Gegensatz zur herrschenden Meinung steht, akzeptiert er nur. Als momentane Erholung ist eine solche Attitüde nicht absolut zu verurteilen. Doch als Dauerhaltung hat sie etwas Gefährliches. Denn auf diese Weise bildet sich eine konservative Trägheit heraus, die das Gegebene stets für das Vernünftige hält, und zwar ungeachtet der Tatsache, welche Form diese jeweilige Gegebenheit annimmt. Die Vertreter dieser Weltanschauung sind daher die wahren Bestseller-Leser und zugleich die idealen ›Stützen der Gesellschaft‹. Auf solche Leute kann man bauen, wenn man sich anschickt, eine Diktatur des Geschmacks oder auch eine politische Diktatur zu errichten.

Es wäre deshalb ein absoluter Trugschluß, die Behauptung aufzustellen, im Bestseller manifestiere sich der ›Geist der Zeit‹. Fast jeder große Bucherfolg hinkt den Problemen seiner Epoche um mindestens eine Generation hinterdrein. Mit einem Buch, das bloß die Jugend interessiert, gerät man finanziell notwendig ins Hintertreffen. Ein wahrer Bestseller läßt sich daher nur als ein Werk definieren, das durch seine veraltete Gesinnung und zugleich modische Einkleidung auch den älteren Lesern das beruhigende Gefühl verleiht, noch auf der Höhe der Zeit zu stehen, ohne an ihren inzwischen fixierten Denkschablonen und Bezugssystemen eine wirkliche Korrektur vornehmen zu müssen. Einmal ganz kraß gesagt, handelt es sich bei diesen Büchern weitgehend um eine Literatur des falschen Bewußtseins, die den Status-quo-Gefühlen der bereits Arrivierten zu schmeicheln versucht. Inwieweit das bewußt oder unbewußt geschieht, spielt bei solchen Vorgängen nur eine untergeordnete Rolle. Die Wirkung eines Bestsellers beruht fast nie auf seiner subjektiven Intention, sondern hängt weitgehend von den gesellschaftlichen Rezeptionsmöglichkeiten ab. Auch der ästhetische Rang übt auf diese Vorgänge keinen erheblichen Einfluß aus. Ansonsten wären Clauren, die Marlitt oder Ganghofer nie zu dem geworden, was das bürgerliche Lesepublikum des 19. Jahrhunderts in ihnen gesehen hat.

Doch beschränken wir uns nicht nur auf diese Niederungen. Auch der Sensationserfolg von Gustav Freytags *Soll und Haben* (1855), der als erster deutscher Roman die Auflagen eines Scott oder Balzac erreichte, beruht weniger auf seiner erzählerischen Qualität als auf dem hier dargestellten Milieu. In diesem Buch sah sich ein kleinbürgerliches Massenpublikum widergespiegelt, das wie der gute Anton Wohlfart eben begann, durch Sparsamkeit, emsigen Fleiß und geschickte Heiraterei aus den kleinbürgerlichen Verhältnissen der Biedermeierzeit in die ›gutbürgerliche‹ Etappe der ›realistischen‹ Ära hinüberzuwechseln. Und zwar wird dabei den Lesern jeder liberale oder atheistische Schock erspart. Mit nachrevolutionärer Behutsamkeit geht Freytag allen wirklich erregenden Fragen seiner Zeit sorgsam aus dem Wege und beschränkt sich auf das Betuliche, Familiäre und Arbeitsame, ja schmeichelt seinen auf bürgerliche Ehrbarkeit bedachten Lesern sogar noch mit dem antisemitisch gefärbten Gegenbild eines ›undeutschen‹ Krämertyps, der in Fragen des Geldes und der Moral skrupellos über Leichen geht. Und so offenbart sich dieses ›bürgerlich-progressive‹ Buch bei näherem Zusehen als ein noch tief im biedermeierlichen Patrimonialdenken verhaftetes Werk, mit dem sich beide Schichten, die Jungen und die Alten, identifizieren konnten, – was sie dann auch jahrzehntelang weidlich taten.

Ähnliche Beobachtungen lassen sich an Thomas Manns *Buddenbrooks* (1901) anstellen, dem nächsten überragenden Bestseller nach Freytags *Soll und Haben*. Obwohl es seinen Vorgänger ästhetisch weit überragt, war auch für den Millionenerfolg dieses Buches weniger die künstlerische als die sozialpsychologische Komponente von ausschlaggebender Bedeutung. Nicht den Naturalisten oder Impressionisten mit ihren wesentlich ›moderneren‹ Werken fiel dieser Ruhmeskranz zu, sondern einem betont altmodisch schreibenden Künstler, der sich an die besten Traditionen eines Storm und Fontane anzuschließen versuchte. Hier hatte das inzwischen arrivierte Mittel- und Großbürgertum endlich seine ›Geschichte‹ gefunden, die sich durchaus neben den großen Romanleistungen der Franzosen, Engländer und Russen sehen lassen konnte. Obendrein war diese Saga der deutschen Bourgeoisie im Ton recht artig und manierlich geschrieben, verzichtete auf alle modernistischen Mätzchen und verstieß nirgends gegen die moralische Schicklichkeit der guten Stuben und Salons. Daß ihr ›Geist‹ eigentlich noch im bürgerlichen Denken der siebziger und achtziger Jahre verhaftet war, als das gehobene Bürgertum gerade anfing, Wagner und Schopenhauer zu entdecken, wurde nicht als altmodisch, sondern als durchaus modern empfunden. Denn schließlich lebten die ersten Leser dieses Buches politisch, geistig und moralisch noch ganz in diesen Jahrzehnten, während sie das Getue und Gehabe der jungen Jugendstil-Poeten und dann der Expressionisten als etwas merkwürdig Abseitiges betrachteten.

Und so zeigt sich gerade an diesen beiden Paradebeispielen der deutschen Bestseller-Literatur, wie günstig es für den Erfolg eines Buches ist, wenn man sich geistig etwas verspätet. Denn nur so umgeht man die dringende Forderung, sich in die Widersprüche seiner eigenen Zeit einzulassen, was notwendig zu einer persönlichen Stellungnahme verpflichten würde. All das soll selbstverständlich nicht bedeuten, daß auch solche Werke einen hohen geistigen oder ästhetischen Rang besitzen können. Wer würde nicht seine *Buddenbrooks* loben? Doch sollte man sich hüten, sie als Dokumente für den ›Geist ihrer Zeit‹ zu interpretieren. Die wirklich entscheidenden Antriebskräfte des Geschichtlichen sind immer mit der Qualität des ›Neuen‹ ausgezeichnet. Geschichte ist nicht das, was eine Generation später in modisch modifizierter Form die Massen erreicht, sondern was sich mit dem Recht des dialektischen Widerspruchs gegen den überwältigenden Schutt der Vergangenheit und ihrer Traditionen aufzulehnen versucht.

Das sieht auf den ersten Blick so aus, als würde damit einem einseitig modernistischen Konzept der Avantgarde das Wort geredet. Weit davon entfernt. Denn was bedeutet dieser ominöse Ausdruck eigentlich? Falls seine Vertreter das Neue bloß um des Neuen willen propagieren und sich lediglich auf den gewollten Affront versteifen, sollte man sie als unhistorisch disqualifizieren. So gesehen, wäre ihr prätentiöses Revoluzzertum nur eine subjektive Marotte. Eine echte Avantgarde muß schon in einem tieferen, dialektisch-antagonistischen Verhältnis zu ihrer Zeit stehen, um von den Zeitgenossen und den späteren Historikern wirklich ernst genommen zu werden. Für eine solche These, die lediglich die absolute Geschichtlichkeit aller Dinge betont, braucht man weder Hegel noch Marx herbeizubemühen. Hier geht es um ein viel allgemeineres Konzept. Auch Gottfried Keller sagt einmal: »Neu ist in einem guten Sinne nur das, was aus der Dialektik der Kulturbewegung hervorgeht.« [1]

Und so sieht man denn, wie sich die wahren Vertreter ihrer Zeit oft nur aus kleinen Gruppen oder ein paar versprengten Einzelnen zusammensetzen, die das, was ist und werden soll, früher erkennen als die Epigonen und Durchschnittstalente, deren Denken noch völlig im Banne der bereits abgelaufenen Epochen steht.[2] Die Sonderstellung dieser wenigen Einzelnen widerspricht daher keineswegs dem allgemeinen Charakter der Zeit, wie man häufig angenommen hat. In den meisten Fällen läßt sich geradezu das Gegenteil behaupten. Nicht sie sind die Vorhut, sondern die anderen sind die Zurückgebliebenen. Unter einer solchen Perspektive betrachtet, ist der Begriff ›Avantgarde‹ eigentlich höchst irreführend. Denn bei einem konsequent historischen Denken gibt es gar keine ›outsider‹, wie sich manche Künstler in ihrem Affekt gegen die Zurückgebliebenen gern bezeichnen. Jeder steht in einem direkten oder indirekten Verhältnis zu seiner Epoche, und es ist geradezu rangentscheidend, wie er diese Dialektik in sich selbst, seinen Überzeugungen oder seinem Werk auszutragen versteht. Zu einem wahren Zeitgenossen wird man daher nur dann, falls man sich im Gegensatz zu den Tucholskyschen »Affen der Zeit«,[3] die sich von jeder kommerziell kreierten Mode mitreißen lassen, darüber klar geworden ist, was absterben muß und den Klischees von gestern und heute eine neue Ideenperspektive entgegensetzt.

Ob jedoch dieser Widerspruch wirklich ›zündet‹ und damit auch einem wahrhaft zeitgenössischen Werk zu einer breiteren Wirkung verhilft, hängt von einer ganzen Reihe von Faktoren ab. Die ästhetische Qualität spielt dabei wiederum nur eine sekundäre Rolle. Es muß schon historisch oder soziologisch ein günstiger Moment vorhanden sein, um solchen Werken einer wirklichen Zeitbewältigung zu einem durchschlagenden Erfolg zu verhelfen. Und so gibt es denn Fälle, leider viel zu wenige, wo auch die richtungweisende Relevanz eine massive Breitenwirkung nach sich zieht. Doch dazu gehört ein höchst glückhaftes Wechselspiel von Genie und Zeit, das sich nur mit dem Terminus ›Kairos‹ umschreiben läßt. Ein solcher Moment ist wahrscheinlich bloß dann gegeben, wenn sich in politischen oder sozialen Umbruchszeiten eine neu ankommende Gesellschaftsschicht die Aufgabe stellt, die Klischees der Vergangenheit radikal zu durchbrechen und damit jenen berühmten ›Ruck nach vorn‹ zu erzielen, der nun einmal zum Wesen der geschichtlichen Entwicklung gehört. In Zeiten wie diesen eröffnet sich auch für die Literatur die große Chance, die absurden Widersprüche zwischen Alt und Neu in aller Schärfe aufleuchten zu lassen, Fronten zu ziehen und schließlich zu einer neuen Synthese der gewonnenen Positionen vorzudringen. Was in solchen Epochen geschrieben wird, ist in seinen Anfängen erst einmal Kampfliteratur und geht dann allmählich in eine Erfüllungsdichtung über, wie es sich im Bereich des deutschen Schrifttums in exemplarischer Weise zwischen 1770 und 1800 ablesen läßt. Denn ohne einen *Werther*, ohne den *Götz* und die *Räuber*, ist auch ein *Faust* nicht denkbar. Nur da, wo alles aufgewühlt wird, das Geistige, Psychische und Erotische, zeichnet sich die Möglichkeit einer neuen Synthese ab. Goethe war daher nicht nur durch eine ›Schwäche‹ mit seinem Jahrhundert verbunden, wie er einmal kokett behauptet, sondern ein wahrer ›Zeitgenosse‹, jedenfalls bis zum Ausbruch der Französischen Revolution, ja in manchen Fragen sogar bis zum Jahre 1800. Schließlich sagt er an anderer Stelle ja selbst, daß er gerade zu jenem Zeitpunkt achtzehn war, als auch die deutsche Literatur dieses beneidenswerte Jahr erreicht hatte.

Doch diese Gunst fällt nicht allen dialektisch denkenden Dichtern zu. Denn leider gibt es in der Geschichte immer wieder Momente, wo solche fruchtbaren Widersprüche nicht zum Austrag kommen, sondern in sich selbst ersticken. Wie oft passiert es, daß sich Fronten bilden, denen bereits verhärtete Antinomien zugrunde liegen, wodurch die wirklichen Probleme einer Epoche auf lange Zeit in den Hintergrund treten. Anstatt die bestehenden Widersprüche in einer neuen Synthese aufzufangen, können politische Fehlentwicklungen oder Katastrophen einsetzen, aus denen sich ganz neue Polaritäten ergeben. Ja, selbst ein schmählicher Rückfall hinter bereits errungene Positionen ist im Feld der geschichtlichen Möglichkeiten nie ganz auszuschließen. Es gibt daher immer wieder literarische Werke, die trotz ihrer dialektisch-konstruktiven Einstellung zu den Problemen der eigenen Gegenwart von der Kritik überhaupt nicht wahrgenommen werden. Indem sie sich nicht an die gängigen Alternativen halten, sondern nach einem Umschwung des Bestehenden oder zumindest nach einer neuen Synthese drängen, erliegen sie leicht der Gefahr, zwischen jene oft berufenen Stühle zu rutschen, auf denen sich bereits die Auguren der falschen Avantgarde niedergelassen haben.

Und damit eröffnet sich die eigentliche Kategorie der ›unbequemen Literatur‹. Diese Werke sind unbequem, weil sie die Widersprüche ihrer Zeit nicht einfach hinnehmen, sondern nach Möglichkeiten ›dritter Wege‹ suchen. Falls sich die politische Entwicklung diesem Trend anschließt, können gerade diese Bücher die vom Kairos begünstigten Erfüllungswerke ihrer Ära werden. Falls jedoch die Entwicklung anders verläuft oder überhaupt stagniert, wird ihnen meist das unverdiente Schicksal zuteil, sowohl von den Zeitgenossen als auch von den Nachgeborenen als unbequem abgelehnt oder einfach totgeschwiegen zu werden.

Eine solche These bedeutet selbstverständlich nicht, daß jedes vergessene Buch notwendig ein unbequemes ist. Schließlich gibt es ungezählte Werke, die auf völlig verfehlten Alternativen beruhen und damit lediglich zur Literatur des falschen Bewußtseins beitragen. Bei anderen ist es die mangelnde Qualität, das Absurde, Verworrene, Veraltete oder schlechterdings Platte, durch die sie von vornherein in die Kategorie des Ineffektiven geraten. Das gleiche gilt für jene Bücher, die in ihren Konflikten so subjektiv zugespitzt sind, daß sie im Bereich des Privaten und damit Unwichtigen verharren. Es muß daher nicht alles unbequem sein, was zwischen die Stühle der Kritiker fällt. Das meiste hat diesen Durch- oder Reinfall sicher verdient. Auf Grund dieser Prämisse sollte man nur dasjenige wirklich unbequem nennen, was eine historische Relevanz besitzt, die im Moment der Entstehung oder Veröffentlichung leider nicht zum Tragen kam. Da dieser Moment unwiederholbar ist, haben alle diese Werke den Charakter eines traurigen ›Umsonst‹. Schließlich ist die Geschichte immer nur einmal da. Dennoch sind solche Bücher für jeden historisch Denkenden nicht völlig in den Wind geschrieben.

Dazu gehört jedoch eine weltanschauliche Vorentscheidung, die sich dem Gedanken des historischen Relativismus unterstellt. Anstatt ständig nach dem im formalen Sinne ›Gekonnten‹ Ausschau zu halten, sollte man endlich den literarischen Radius so weit ziehen, daß auch die inhaltliche Bedeutsamkeit wieder zu ihrem Rechte käme. Denn für eine wirklich historische Sicht, die sich nicht von einer eingebildeten Kunstautonomie blenden läßt, kann alles von Interesse sein, selbst das Obskure, bisher Vernachlässigte und scheinbar Minderwertige. So gesehen, würden die bisher beliebten Vorstellungen von Blütezeiten und klassischen Perioden plötzlich wegfallen und einem Panorama des Vielgestaltigen Platz machen, das ganz andere Horizonte eröffnet. Damit ist selbstverständlich keine ›wertfreie Wissenschaft‹ à la Max Weber gemeint. Es geht uns nicht darum, das oft zitierte Kind nun nach der anderen Seite aus dem Bade zu schütten. Statt eine absolute Ziellosigkeit zu predigen, wäre es viel angebrachter, seine Werte einmal woanders zu suchen: weder bei der Schönheit noch bei der Ewigkeit, sondern im Rahmen der sogenannten ›entwicklungsgeschichtlichen‹ Momente.

Doch das läßt sich vielleicht nur dann erreichen, wenn man endlich aufhören würde, die Kunst als eine besondere Seinsmodalität zu betrachten und ihr damit einen Wert in sich zu geben. Schließlich ist sie – wie alles Menschliche – nur ein unvollkommenes, wenn auch interessantes Instrument im Rahmen größerer Lebenszusammenhänge, dessen Bedeutung damit steht oder fällt, ob man diesen Lebenszusammenhängen eine Richtung verleiht oder nicht. Auch die Kunst gehört zu jenen historisch-konkreten Phänomenen, die man nicht mit unredlichen Winkelzügen ins Existentielle oder Allgemeinmenschliche transzendieren sollte. Genau genommen, sind selbst die größten Meisterwerke nur kleine Pflastersteine auf den rätselhaften Wegen der Humanität, deren Verlauf oft so windungsreich ist, daß man fast an ihnen verzweifeln könnte.

Wer also immer nur nach dem ›Bleibenden‹ sucht, für den werden die folgenden Studien von geringem Interesse sein. Ist jedoch das Bleibende im Lichte unserer Erfahrung noch eine maßgebliche Kategorie? Läßt sich nicht mühelos nachweisen, daß gerade jene Werke, die bewußt für die Ewigkeit geschrieben wurden, oft besonders rasch veralteten? Wer sich dagegen der ›Forderung des Tages‹ unterwirft, wird oft viel eher vom ›Weltgeist‹ befördert. Denn was zu seiner Zeit lebendig war, indem es sich in das dialektische Widerspiel der modernen Emanzipationsspirale einzuschwingen versuchte, anstatt sich in einer pseudototalen Innenwelt des bloß Dichterischen abzukapseln, wird solange lebendig bleiben, wie es Menschen gibt, denen der Gedanke einer allmählichen Selbstrealisierung der Menschheit nicht ganz unwichtig ist. Schließlich leben wir seit der Französischen Revolution in einer Welt, in der das Entwicklungsprinzip, ob nun biologisch, politisch, ökonomisch oder sozial, alle anderen weltanschaulichen Bezugssysteme weitgehend aus dem Feld geschlagen hat. Wer sich dieser Einsicht zu entziehen versuchte, war eigentlich schon im Jahre 1789 kein wahrhafter Zeitgenosse mehr.

Die acht Essays dieses Bandes bewegen sich daher nicht im Schema der üblichen ›Ehrenrettungen‹. Hier sollen keine Autoren oder Werke vorgestellt werden, welche die zünftigen Germanisten bisher ›ungebührlich vernachlässigt‹ haben. Nicht das Lückenstopfen ist der Sinn dieses schmalen Büchleins, sondern das Exemplarische der hier herausgegriffenen Fälle, deren Reihe sich selbstverständlich mühelos verlängern ließe.

So entfaltet etwa Carl Ignaz Geiger in seinem an Lukian erinnernden Totengespräch *Friedrich II. als Schriftsteller im Elysium* (1789) eine zwingende Dialektik zwischen den traditionellen Tyrannen der späten Barockkultur und einem ›aufgeklärten‹ Despoten wie dem ›Weisen von Sanssouci‹, die so viele Etappen durchläuft, bis von der Monarchie als Institution überhaupt nichts mehr übrigbleibt und die blanke Republik durchzuschimmern beginnt. Daß ein solches Werk allgemein als ›pfäffisch‹ mißverstanden wurde, beweist, wie ›unbequem‹ diese Radikalität den meisten deutschen Aufklärern war, die sich trotz ihrer betont republikanischen Gesinnung nur in wenigen Fällen vom hergebrachten Leitbild des ›guten Landesvaters‹ befreien konnten.

In Jean Pauls Erzählung *Des Luftschiffers Giannozzo Seebuch* (1801) wird der aristokratische Titanismus der Goethezeit mit der zutiefst ›moralischen‹ Gesinnung der bürgerlich-pietistischen Tradition konfrontiert, woraus sich ein Widerspruch ergibt, der im Rahmen der nachjakobinischen Ära um 1800 nur noch ›tragisch‹ aufzulösen war. Jean Paul läßt daher seinen ›Helden‹ schweren Herzens scheitern und gibt damit eine deutliche Warnung vor dem falschen Kurs der deutschen Klassiker, die sich seit Schillers *Ästhetischer Erziehung* geistig, künstlerisch und moralisch immer stärker dem Ideal der großen Einzelseele genähert hatten. Als dieses Konzept dann im Olympierkult des späten 19. Jahrhunderts seine eigentlichen Triumphe erlebte, war Jean Pauls Stimme längst im Leeren verhallt.

Adolf Glaßbrenner stellt sich dieser Dialektik allen historischen Geschehens in seiner Serie *Berlin wie es ist und – trinkt* (1832 bis

1850) auf eine besonders intensive Weise. Hier handelt es sich um einen kleinbürgerlichen Demokraten, der den ›Biedermeiern‹ seiner Ära unbarmherzig die Maske vom Gesichte reißt und auf einen revolutionären Umsturz der bestehenden Verhältnisse drängt. Mit agitatorisch angelegten Dreigroschenheftchen versucht dieser Mann, seine Leser zum Aufstand gegen die preußische Regierung aufzuputschen, wird jedoch 1848 von der siegreichen Reaktion grausam zum Schweigen verurteilt und muß in den nächsten Jahren zusehen, wie sich seine geliebten Vormärzler allmählich in brave Anton-Wohlfart-Typen verwandeln.

Carl Fischers *Denkwürdigkeiten und Erinnerungen eines Arbeiters* (1903–1905) sind als Proletarierbiographie von vornherein mit dem Odium des Unbequemen belastet. Was jedoch dieses Buch doppelt unbequem macht, ist die kaum zu fassende Tatsache, daß die hier geschilderten Unmenschlichkeiten der frühkapitalistischen Arbeitswelt von einem scheinbar frommen und kaisertreuen Manne stammen, dem man keine sozialdemokratische ›Tendenz‹ nachsagen kann. Auf diese Weise entsteht ein höchst erregender Widerspruch zwischen der rührenden Naivität der Erzählweise und der gnadenlosen Grausamkeit der dargestellten Arbeitsbedingungen, der selbst ohne große Propagandathesen einen Umsturz der von Fischer so minutiös beschriebenen Verhältnisse geradezu herausfordert. Doch auch diese Stimme verhallte, da sie den Rechten zu kritisch und den Linken zu unkritisch war.

Eine ganz andere Konfrontation beherrscht den Roman *Der Pojaz* (1905) von Karl Emil Franzos. Hier geht es um den Gegensatz zwischen der orthodoxen Welt des galizischen Judentums und der humanistisch-idealistischen Tradition der ›westlichen Kulturländer‹, wie Franzos sie nennt. Das Unbequeme dieses Buches liegt vor allem darin, daß es im Hinblick auf die Judenfrage sowohl den Teutonismus als auch den Zionismus verdammt und zwischen diesen beiden Extremen einen dritten Weg einzuschlagen versucht: den der kulturellen Assimilation. Da man sich zu diesem Weg nicht entschließen konnte, mußte der *Pojaz* für Juden und Deutsche gleichermaßen ein Ärgernis bleiben, wodurch ein wahrhaft großer Roman in die Kategorie der totgeschwiegenen Literatur verwiesen wurde.

Bei Ernst Tollers *Hoppla, wir leben!* (1927) tritt wiederum der Mechanismus von rechts und links in Kraft. Diesen Mann hätte die Weimarer Republik als einen ihrer repräsentativen Autoren feiern sollen! Denn hier war einer, der sich wirklich um den Sieg der ›Menschlichkeit‹ bemühte und dafür von den Nazis und Kommunisten mit derselben Erbitterung angegriffen wurde. Daß die staatlichen Organe diese Aufgabe nicht begriffen, beweist ihren zutiefst undemokratischen Grundcharakter. Wie verzerrt das Bild Tollers dadurch bis heute noch ist, läßt sich gerade an der Interpretation dieses sehr besonnenen und politisch wohldurchdachten Stückes demonstrieren, das so gar nicht zum Klischee des jünglingshaften Wirrkopfs Toller mit dem ›heilig glühenden Herzen‹ paßt und daher meist als nebensächlich übergangen wird.

In eine ähnliche Richtung weist die *Union der festen Hand* (1931) von Erik Reger, die überhaupt keiner mehr kennt. Dabei handelt es sich hier um den bedeutendsten Industrieroman, den die deutsche Literatur aufzuweisen hat. Aber schon das Etikett ›Industrieroman‹ macht ihn in den Augen vieler von vornherein suspekt. Daß dem Ganzen inhaltlich die Geschichte der Krupp-Werke zwischen 1918 und 1929 zugrunde liegt, tat ein übriges, um dieses Werk in die Totenkammern der Vergessenheit zu befördern. Obendrein begeht sein Autor noch den ›Fehler‹, diese Entwicklung höchst kritisch zu sehen, ja sogar den Sieg der Nazis vorauszusagen – und sich doch nicht dem Kommunismus in die Arme zu werfen. Und so nimmt es nicht wunder, daß dieses Buch nach 1945 weder im Osten noch im Westen eine Auferstehung erlebte.

Den Abschluß dieser Reihe bildet der Roman *Die Aula* (1965) von Hermann Kant, der vielleicht nicht ganz so ›unbequem‹ ist wie manche der hier aufgezählten Werke, und doch die Alt- und Neumarxisten aller Schattierungen mit einem nur schwer zu leugnenden Dilemma konfrontiert. Denn auch dieses Werk enthält eine solche Fülle an Spannungen, Gegensätzen und Antinomien, die sogar im Rahmen des hier geschilderten Bezugssystems eine Dialektik in Gang setzen, die weit über das hinausgeht, was in diesem Roman als offiziöse DDR-Ideologie angeboten wird.

Wie gesagt, diese Beispielreihe ist höchst zufällig entstanden und könnte nach allen Seiten beliebig ergänzt werden, weist jedoch in exemplarischer Verknappung auf eine Reihe von Problemen hin, deren innere Dramatik bis heute nicht zur Ruhe gekommen ist. Wenn dieser Punkt einmal erreicht sein sollte, werden wir zweifellos vor neuen Widersprüchen stehen, deren politische, geistige und soziale Bewältigung uns alle betrifft. Denn solange man die Menschheit als eine sich entwickelnde und damit veränderbare betrachtet, wozu man sich leider erst vor 200 Jahren entschlossen hat, wird dieses Denken in dialektischen Strukturen zwangsläufig weiterbestehen. Und damit ist schon jetzt zu übersehen, daß die Kategorie der ›unbequemen Literatur‹ noch eine große Zukunft hat. Immer wieder werden sich Power-Eliten herausbilden, die sich lieber auf die eingefahrenen Alternativen stützen, als die Möglichkeiten dritter Wege ins Auge zu fassen, die lediglich ihre eigene Machtstruktur in Frage stellen. Wer sich also bemüßigt fühlt, diesem Systemzwang entgegenzutreten, wird auch im Jahre 2084 noch ebenso ›unbequem‹ sein, wie es die ›Aufklärer‹ des 18., 19. und 20. Jahrhunderts waren. Das bedeutet selbstverständlich nicht, das Unbequeme zu einem absoluten Wert zu erheben. Denn damit geriete man in die Gefahr, sich dem fragwürdigen Konzept der ›freischwebenden Intelligenz‹ zu unterstellen. Das oberste Ziel aller geistigen Bemühungen sollte auch hier die ›Erfüllung‹ bleiben, das jedoch mit den Mitteln der Literatur allein nie zu erreichen ist.

Carl Ignaz Geiger:

Friedrich II. als Schriftsteller im Elysium

(1789)

Als Friedrich II. von Preußen 1786 nach sechsundvierzigjähriger Regierungszeit zu Grabe getragen wurde, schien es in ganz Deutschland nur eine Stimme zu geben: die der aufrichtigen Trauer. Allenthalben stößt man auf Beileidsbekundungen und Lobrednereien, die weit über das hinausgehen, was man sonst einem Fürsten an gedruckten Totenkränzen aufs Grab legte. Die ersten waren die preußischen Prediger mit ihren langatmigen und ehrfürchtig gestimmten Gedächtnissermonen. Ihnen folgten die Gräberhymnen und Traueroden der Dichterclique, deren Metaphernreichtum geradezu ›barocke‹ Ausmaße hat. Ja, selbst an den wissenschaftlichen Akademien und Schulen wurde monatelang eine offizielle Lobrede nach der anderen auf den großen ›Verewigten‹ gehalten. Wie erschüttert, ekstatisch oder empfindsam man sich dabei gebärdete, beweisen das *Totenopfer für Friedrich den Einzigen* (1786) von Karl Müchler, die *Rosen auf das Grab Friedrich des Einzigen* (1787) von Lorenz Hübner oder die *Sammlung von Reden, Predigten und Gedichten auf den Tod Friedrich des Großen* (1787), die auf die Initiative von Daniel Ernst Mörschel zurückgeht. Das gleiche gilt für panegyrisch aufgehöhte Biographien wie das *Leben Friedrich des Großen* (1786) von Karl Hammerdörfer oder das *Leben Friedrich des Einzigen* (1786) von E. F. Buquoi. Selbst das Kleinste und Alltäglichste wurde plötzlich herangezogen und zu liebevollen Anekdoten stilisiert, um die innere Größe des verehrten Toten zu dokumentieren. Man denke an Bücher wie Ernst Carl Buris *Anekdoten aus dem Leben Friedrich des Großen* (1787–88) oder Friedrich Nicolais *Anekdoten von König Friedrich II. von Preußen* (1788–92), wo jene Charakterzüge zusammengetragen werden, aus denen sich später die Legende vom gütigen und allwissenden ›alten Fritz‹ entwickelte.

Nun gut, könnte man sagen, ist das nicht alles Höfisches und Bestelltes? Was dachten denn die ›rebellischen‹ Köpfe dieser Jahre, die Aufklärer und Stürmer und Dränger, über den ›aufgeklärten Despoten‹ von Sanssouci? Herrscht hier dieselbe Einhelligkeit der preisenden Verehrung? Merkwürdigerweise: ja. Besonders im Rahmen des ›Sturm und Drang‹ war man fast durchgehend »fritzisch« gesinnt.[1] Klinger, Lenz, Wagner, Leisewitz, Lavater, Moritz, der junge Goethe: alle sahen in Friedrich das Originalgenie, den großen Kerl, den cäsarischen Sieger und Schlachtenlenker. Schubart entblödete sich nicht, ihn in seinen Gedichten auf klopstockisierende Weise als »Friedrich Hermann« und »Friedrich Wodan« zu besingen oder als »Gottesflamme« hinzustellen.[2] Ähnliche Lobeshymnen hört man bei sonst so ›radikalen‹ Autoren wie Rebmann und Wekhrlin. Selbst für sie ist Friedrich II. der gar nicht genug zu verehrende Menschenschätzer und Vertreter der Toleranz, der ›Einzige‹.

Die gleiche Einstellung findet sich bei den sogenannten ›Aufklärern‹. So gab es in Preußen nicht nur Dichter wie Gleim, die Karschin oder Ewald von Kleist, die den Herrscher von Potsdam wegen seiner ›Heldentaten‹ im Siebenjährigen Kriege feierten, sondern auch relativ helle Köpfe, welche dem friederizianischen Staat mit geradezu blinder Verehrung gegenüberstanden[3] und Friedrich als einen ›neuen Mark Aurel‹ bezeichneten.[4] Vor allem Nicolais *Allgemeine deutsche Bibliothek* ist in den Jahren 1786 bis 1788 voller Lobeshymnen auf den toten König. Selbst ›aufrechte‹ Männer wie Engel und Sulzer trugen ihr Scherflein zu diesen Lobhudeleien bei. Nicht minder byzantinisch äußerten sich Gedike und Biester in ihrer sonst recht ›kritisch‹ eingestellten *Berlinischen Monatsschrift*.[5] Und zwar hielt man sich dabei stets an dieselben Sentenzen, die Friedrich II. höchst geschickt als Köder für die Gutgläubigen ausgeworfen hatte: »In meinen Staaten muß jeder nach seiner Façon selig werden können«, »Der Fürst, weit entfernt, der uneingeschränkte Herr seines Volkes zu sein, ist nichts als der erste Diener (Domestique) desselben« oder »Die wahre Politik der Könige ist die Politik des ehrlichen Mannes: – gut und gerecht zu sein«. Ebenso unkritisch verhielten sich die ›illuminierten‹ Wiener unter Joseph II. dem preußischen König gegenüber. So läßt Johann Pezzl seinen *Faustin* (1783), einen deutschen *Candide*, erst durch ›düstere‹ Länder wie Italien, Frankreich, Spanien, England und Amerika reisen, bis ihm in Preußen die Sonne der Aufklärung entgegenstrahlt, da hier ein »Weiser«, ein »gekrönter Philosoph« das Szepter führe.[6] Ähnliche Stimmen tönen in den siebziger und frühen achtziger Jahren von Frankreich herüber, wo man in Friedrich lange Zeit die Erfüllung des Fürstenideals à la Fénelons *Télémaque* erblickte und ihn mit Herrschern wie Cäsar, Gustav Adolf und Karl XII. verglich.[7] Auch hier galt er in aufgeklärten Kreisen als der ›erste Diener seines Staates‹, als der ›roi philosophe‹, ›protecteur des muses‹ oder ›Messie du nord‹, den manche als ›Votre Humanité‹ bezeichneten.[8]

Und so wurde das Bild Friedrich des Zweiten schnell von einem immer üppiger werdenden Legendenkranz umwuchert, ja geradezu zum Mythos erhoben. In den Dramen eines Engel, Plümicke, Fellner und Schöpfel spielt er meist die Rolle eines segenbringenden Deus ex machina.[9] Im staatspolitischen Denken verklärte man ihn als den Gründer einer Landesvaterideologie im Sinne des aufgeklärten Absolutismus, die etwas bewußt Harmonisierendes hat. Die Liberalen feierten den Philosophenkönig hauptsächlich als den Autor des *Antimachiavell*. Die Freidenker stellten ihn als Vorkämpfer einer absoluten Toleranz in allen religiösen Fragen hin. Ihren ersten Höhepunkt erlebte diese Friedrichverehrung anläßlich der Jahrhundertfeier seiner Thronbesteigung, die mit der Friedrich Wilhelms des IV. zusammenfiel. Zu diesem Zeitpunkt gab es wohl kaum noch jemanden, der ihn nicht als das ideale Leitbild eines ›gütigen Königs‹ empfunden hätte. Und zwar berief man sich dabei gern auf Goethe, der in seinen *Aufgeregten* (1793) einmal behauptet: »Es war ihm einer wie der andere, und der Bauer lag ihm am mehrsten am Herzen. Ich weiß wohl, sagte er zu seinen Ministern, wenn sie ihm das und jenes einreden wollten, die Reichen haben viele Advokaten, aber die Dürftigen haben nur Einen, und das bin ich.«[10] Ebenso ›segensreich‹ wurde sein Wirken für die deutsche Literatur hingestellt. Auch hier konnte man sich auf den großen

Weimaraner stützen, diesmal auf den bekannten Satz aus *Dichtung und Wahrheit:* »Der erste wahre und höhere eigentliche Lebensgehalt kam durch Friedrich den Großen und die Taten des Siebenjährigen Krieges in die deutsche Poesie«.[11] Kein Wunder also, daß selbst ein so liberaler Mann wie Hermann Hettner in seiner *Geschichte der deutschen Literatur im 18. Jahrhundert* (1862–70) den gesamten Bereich der Aufklärung als »Das Zeitalter Friedrich des Großen« bezeichnet und den Siebenjährigen Krieg als einen »Kampf der Freiheit und Aufklärung gegen die dunklen Mächte pfäffischer und despotischer Bedrückung« charakterisiert.[12] Überhaupt wurde Friedrichs dynastisches Machtstreben, das wesentlich zum Zerfall des ›alten Reiches‹ beigetragen hatte, in diesen Jahren immer stärker im Sinne der erstrebten ›kleindeutschen Lösung‹ gedeutet, die ihre Erfüllung 1871 im Spiegelsaal von Versailles erlebte. Unter dieser Perspektive betrachtet, sah man im alten Fritzen schließlich einen Vorläufer Bismarcks. Denn das ›neue Reich‹ war ja ebenso norddeutsch, protestantisch, patriarchalisch, militaristisch und auf eine Person zugeschnitten wie der Hofstaat von Potsdam. Die offenkundigen Widersprüche, die sich dabei ergaben, wurden – wie immer – mit Pathos und Mythologie übertüncht. Und dazu gehörte ein sprunghaft anwachsender Hohenzollernkult, der nach 1890, in ›wilhelminischer‹ Ära, geradezu bombastische Formen annahm.

Wohl der erste, der diesen Mythos zu entlarven suchte, war Franz Mehring in seiner *Lessing-Legende* (1893). Nach Jahrzehnten absoluter Verblendung tritt hier endlich jemand auf, der sich nicht durch Friedrichs »Kronprinzenliberalismus« hinters Licht führen läßt, sondern in aller Schärfe zwischen dem »aufgeklärten Despotismus« von Sanssouci und dem »Emanzipationskampf des deutschen Bürgertums« unterscheidet.[13] Sein Hauptzeuge ist dabei Lessing, den die hohenzollernfromme Germanistik aus einem ›bösen‹ Aufklärer in einen ›guten‹ Preußen umgetauft hatte. Doch gerade dieser Lessing behauptet in einem Brief vom August 1769 an Friedrich Nicolai klipp und klar: »Lassen Sie Einen in Berlin auftreten, der für die Rechte der Untertanen, der gegen Aussaugung und Despotismus seine Stimme erheben wollte, wie es itzt sogar in Frankreich und Dänemark geschieht, und Sie werden bald die Erfahrung haben, welches Land bis auf den heutigen Tag das sklavischste Land von Europa ist«. Auf Grund dieser und ähnlicher Äußerungen bezeichnet Mehring die sogenannte ›friederizianische Toleranz‹ als eine hohle Phrase. Denn schließlich waren unter dem ›alten Fritzen‹ nur solche Sottisen erlaubt, die nicht gegen die löbliche Untertanengesinnung verstießen. Jeder, der sich über die Grenzen dieser ›vernünftigen Ordnung‹ hinauswagte, wurde sofort mit aller Strenge des Despotismus wieder zur Raison gebracht. Ist es da noch gerechtfertigt, ein solches System als ›aufgeklärt‹ zu bezeichnen? Mehring neigt dazu, diese Frage grundsätzlich zu verneinen.

Zu einem so entschiedenen Standpunkt drangen jedoch um 1900 nur wenige vor. Dazu war man allgemein zu ›reichsbewußt‹ und ›deutschtümelnd‹ eingestellt. Doch gerade dieser gesteigerte Nationalismus brachte zwangsläufig eine Friedrich-Kritik ins Rollen, an die man bisher gar nicht gedacht hatte, nämlich die Kritik von rechts, vom chauvinistischen Standpunkt aus. Schließlich konnte man von den Bismarck-Anhängern nach 1871 nicht erwarten, sich für den ›Französling‹ Friedrich zu erwärmen, dessen Privatbibliothek kein einziges deutsches Buch enthielt, da er die »halbrohen Tudesquen« von vornherein als geistig subaltern empfand.[14] Wohl den besten Beweis für diese Einstellung liefert seine kleine Schrift *De la littérature allemande* (1780), deren dilettantische Unkenntnis für einen ›Beschützer der Musen‹ geradezu haarsträubend ist.[15] Klopstock, Wieland, Lessing und Herder werden überhaupt nicht erwähnt. Die einzigen, die Friedrich wirklich zu kennen scheint und relativ ›erträglich‹ findet, sind Gellert, Geßner und Canitz.[16] Als bestes Theaterstück lobt er die Komödie *Der Postzug* (1769) von Cornelius von Ayrenhoff.[17] Die Shakespeareschen Dramen und Goethes *Götz von Berlichingen* werden dagegen als lächerliche Farcen abgetan. Um so überschwenglicher preist er die Franzosen, vor allem Boileau, Racine und Voltaire, die im Zentrum seines ›temple du goût‹ stehen.[18] Sie findet er selbst den griechisch-lateinischen Dichtern »unendlich weit überlegen«.[19] Voltaires *Henriade* (1739) erscheint ihm als Epos von einer solchen »Vollkommenheit«, daß es sogar die berühmte *Eneide* des Vergil mit großem Abstand hinter sich lasse.[20] Bezeichnenderweise erstreckt sich dieses

Lob nur auf ›gesittete‹ Hofmänner und Royalisten. Alle jene Franzosen, für welche die deutschen ›Aufklärer‹ schwärmten, also Rousseau, Holbach, Diderot und die Enzyklopädisten, sind in seinen Augen lediglich »emanzipationshungrige Schöngeister«, die sowohl dichterisch als auch politisch gegen den ›bon goût‹ verstoßen.[21]

Bei einer so prononcierten Verachtung der deutschen Literatur nimmt es nicht wunder, daß schon die Dichter des späten 18. Jahrhunderts gar nicht so einhellig ›fritzisch‹ gesonnen sind, wie man oft behauptet hat. Mußten solche Thesen nicht alle patriotisch fühlenden Kreise bis zur Weißglut reizen? Das zeigt sich vor allem bei Klopstock, der ihn 1782 in seiner Ode *Die Rache* voller Empörung als einen »Fremdling im Heimischen« bezeichnete, dem das Los der »Deutschen Muse« absolut gleichgültig sei.[22] Ja, er wagt es sogar, sich mit geißelndem Spott über Friedrichs Voltaire-Hörigkeit lustig zu machen:[23]

> Du erniedertest dich Ausländertöne
> Nachzustammeln, dafür den Hohn zu hören:
> Selbst nach Aruets Säubrung,
> Bleibe dein Lied noch tüdesk.

Mit ähnlicher Schärfe zieht Johann Kaspar Riesbeck in seinen *Briefen eines reisenden Franzosen* (1784) über die »Gleichgültigkeit der Fürsten gegen die deutsche Literatur« her.[24] Nicht minder beleidigt fühlte sich Schiller, der in seinem Gedicht *Die deutsche Muse* pathetisch behauptet:[25]

> Kein Augustisch Alter blühte,
> Keines Mediceers Güte
>   Lächelte der deutschen Kunst;
> Sie ward nicht gepflegt vom Ruhme,
> Sie entfaltete die Blume
>   Nicht am Strahl der Fürstengunst.
>
> Von dem größten deutschen Sohne,
> Von des großen Friedrich Throne
>   Ging sie schutzlos, ungeehrt.

Rühmend darfs der Deutsche sagen,
Höher darf das Herz ihm schlagen:
Selbst erschuf er sich den Wert.

Fast der gleiche Tenor kommt in einigen programmatischen Werken dieser Jahre zum Ausdruck.[26] Man denke an das *Schreiben an einen Freund über die deutsche Sprache und Literatur* (1781) von Justus Möser, das sich voller Affront gegen Friedrich II. zu Klopstock, Goethe und Bürger bekennt, die Wendung zum Volkstümlichen verteidigt und obendrein die englische Dichtung weit über die französische stellt. Verwandten Anschauungen begegnet man in Schriften wie *Über die deutsche Sprache und Literatur* (1781) von Johann Friedrich Wilhelm Jerusalem und *Über Sprache, Wissenschaft und Geschmack der Teutschen* (1781) von Johann Karl Wezel, die auf die dichterischen Qualitäten in den Werken Klopstocks, Wielands und Lessings hinweisen und zugleich für eine höhere Wertschätzung der deutschen Sprache eintreten. Doch leider wurden durch diese Schriften, so verdienstvoll sie im einzelnen waren, auch einige aggressive Teutschheitsgefühle geweckt, die sich bis zu den antifranzösisch eingestellten Turnern und Burschenschaftern verfolgen lassen. Ein wahrer Berserker in dieser Hinsicht war Friedrich Ludwig Jahn, der es dem ›alten Fritzen‹ noch 1810 verübelte, daß er keinen rechten Sinn für das teutsche »Volkstum« besessen habe.[27]

Neben diesen patriotischen Affektentladungen gab es jedoch in demselben Zeitraum auch schon eine ›Kritik von links‹, die man bisher meist übersehen hat. Das liegt zum Teil daran, daß sie nicht so offen zutage tritt und daher viel schwerer zu greifen ist. Wie gut sind wir dagegen stets über die konservativen Kritiker informiert! An ihnen haben die Herrschenden selten etwas auszusetzen, da sie letztlich ihren eigenen Interessen dienen. Sich jedoch aus moralischen, politischen oder philosophischen Gründen gegen die Grundfesten des ›aufgeklärten Absolutismus‹ zu wenden, konnte selbst der ›Weise von Sanssouci‹ nicht tolerieren.

Wie absprechend sich Lessing über die ›friederizianische Ordnung‹ geäußert hat, ist seit Mehring kein Geheimnis mehr. Ähnliches gilt in modifizierter Form für Hamann und Winckelmann.[28]

Selbst ein Mann wie Wieland, der so gern für seine Konzilianz gerühmt wird, teilte diese kritische Gesinnung und schrieb am 16. April 1780 an Merck: »Daher ist mir König Friedrich zwar ein großer Mann, aber vor dem Glücke, unter seinem Stocke (sive Szepter) zu leben, bewahre uns der liebe Gott«. Noch schärfer wandte sich Herder gegen die gedankenlos nachgeplapperte Phrase ›roi philosophe‹, dessen Regime er schon in seiner Schrift *Auch eine Philosophie der Geschichte zur Bildung der Menschheit* (1774) als einen »Despotismus der Seelen unter Blumenketten« charakterisiert.[29] Mündlich äußerte er am 13. Oktober 1780 in einem Gespräch mit Georg Müller die Ansicht, daß auch in dem ›aufgeklärten Preußen‹ die ›größte Sklaverei‹ herrsche. Ebenso empört schrieb Friedrich Leopold von Stolberg über die allgemeine Beweihräucherung Friedrichs nach seinem Tode in Berlin: »Jede Zeitung wetzet an dem Griffel, welcher in dauernde Tafeln die Schmach der sklavischen Panegyristen und der Götzen eingräbt, welche man *groß* nannte, weil Millionen ihnen den Schutt zuhäuften, auf welchem sie *hoch* standen.«[30] Auch der trutzige Johann Heinrich Voss machte aus seiner antipreußischen Gesinnung kein Hehl.[31] Ja, selbst der recht konservative Wilhelm Heinse notierte sich in sein aphoristisch angelegtes Tagebuch: »Im Grunde ein unglücklicher erbärmlicher Staat; alles war gezwungen, zu tun, was er wollte.«[32] Einige Zeilen weiter nennt er Friedrich à la Klopstock einen »Fremdling« im »eigenen Lande«, der keine andere Literatur gekannt habe »als die französische«.[33]

Nicht anders verhielt man sich in Frankreich. Auch hier gab es weite Kreise, die Friedrich recht kritisch gegenüberstanden. Schon in den *Memoires pour servir à la vie de M. de Voltaire, écrits par lui même* (1759) finden sich Abschnitte über den ›roi philosophe‹, wie sie unbarmherziger kaum gedacht werden können. Ähnlich zynisch äußerten sich manche der Enzyklopädisten. Doch den eigentlichen Stimmungsumschwung führten in Paris erst die *Merkwürdige Lebensgeschichte* (1782–92) von Friedrich von der Trenck und das politische Pamphlet *De la monarchie prussienne sous Frédéric le Grand* (1788) des Grafen Mirabeau herbei, in denen der friederizianische Staat als eine seelenlose Maschinerie angeprangert wird.

Und so ist denn die Beurteilung Friedrichs ›des Großen‹ in den Jahren nach seinem Tode gar nicht so eindeutig, wie sie auf den ersten Blick erscheint. Sobald man etwas genauer hinsieht, stößt man auf einen Streit der Meinungen, der mitunter recht scharfe Formen annimmt. Als besonders aufschlußreich erweisen sich dabei die vielen ›Totengespräche‹, die sich mit der Figur Friedrichs beschäftigen. Daß dieser Sektor bisher weitgehend im Dunkeln gelegen hat, hängt mit der verbreiteten Unterschätzung der aufklärerischen Zweckformen zusammen. Den Historikern erschien dieses Genre meist zu ›literarisch‹, den Germanisten zu ›historisch‹. Rein typologisch betrachtet, gehört das Totengespräch zu jenen neutralen Gattungen der humanistischen Tradition, die mal zum Satirischen, mal zur hymnischen Beweihräucherung neigen. Nach altem lukianischen Vorbild sind seine Helden jene Schatten, die sich in der Unterwelt langweilen und daher begierig auf jede Neuigkeit von ›oben‹ warten, um sie sofort mit ihren eigenen Schicksalen zu vergleichen. Da sie weder essen noch lieben können, beschränkt sich ihre gesamte Tätigkeit auf Redegefechte, die meist ins Moralische oder Psychologisch-Wertende tendieren. Christlichen Autoren, die angehalten sind, an das ›Jüngste Gericht‹ zu glauben, war eine solche Form natürlich verwehrt. Doch schon in der Renaissance, bei Männern wie Poggio, Erasmus und Pirckheimer, feiert das Totengespräch wieder fröhliche Urständ. Zu einer wahren Modeform wird dieses Genre um die Wende vom 17. zum 18. Jahrhundert, und zwar zuerst in Frankreich bei Boileau, Fontenelle und Fénelon, aber dann auch in Deutschland. So übersetzte bereits Gottsched einige Totengespräche von Lukian und Fontenelle. Wohl sein gelehrigster Schüler auf diesem Gebiet war David Faßmann, der zwischen 1718 und 1740 etwa 240 Totengespräche publizierte, die insgesamt 16 Bände füllen, von denen kaum einer unter 1000 Seiten stark ist. Und zwar sind seine *Gespräche in dem Reiche derer Toten* meist als polyhistorisch-gelehrte »Entrevuen zwischen Personen, so in der Welt einen hohen Rang gehabt« angelegt und »so recht nach dem goût der curieusen Welt gewürtzet«, wie er in der Vorrede zum zweiten Bande schreibt. Faßmann muß einen großen Erfolg mit diesen Werken gehabt haben, denn es gibt ungefähr 50 Autoren, die ihn im 2. und 3. Viertel des 18. Jahrhunderts nachgeahmt haben. Eins ändert sich jedoch in diesen Werken im Laufe der Zeit: der Zug zum Konkreten, zum Zeitgenössischen, zum realistischen Detail.[34] So läßt etwa Christoph Gottlieb Richter in seinen Schriften eine Reihe bekannter preußischer und österreichischer Offiziere auftreten, die sich im Elysium über den Siebenjährigen Krieg unterhalten. Kurioserweise hat auch Friedrich II., wohl auf eine Anregung von Voltaire, an dieser Mode teilgenommen. In einem seiner Totengespräche versucht er, den Grafen Struensee und den Herzog von Choiseul als skrupellose ›Machiavellisten‹ zu entlarven.[35] In einem anderen beschimpft er die Enzyklopädisten als eine »Rotte von Gassenjungen« und »Afterphilosophen«, deren Schriften den »Reden betrunkener Fuhrknechte« gleichen.[36] Überhaupt erscheint ihm das jetzige Zeitalter der »Philosophen« schlimmer als das »frühere Zeitalter der Unwissenheit«. Um die höchste aller Künste und menschlichen Errungenschaften befragt, gibt er schamlos die »Kriegskunst« an.[37]

Kein Wunder also, daß sich dieses Genre auch mit der Friedrich-Gestalt beschäftigt hat.[38] Anläßlich seines Todes herrschten erst einmal die panegyrischen Totengespräche vor. Ein gutes Beispiel dafür bietet Samuel Jakob Schröckhs *Friedrich in Elysium* (1786). Schon wie das Ganze anfängt, deutet auf eine ›barocke‹ Fürstenapotheose hin: »Ich folge dem erhabenen Geist in das Reich der Schatten, wo tausend und abermal tausend seiner in Ehrfurcht warten – wo Minos seinen Thron verläßt und ihm seine Krone entgegenträgt – wo alle seine Vorfahren und Helden ihm mit Frohlocken und Freude empfangen – und aus den entferntesten Gegenden Elysiums alle Schatten der Könige und Weisen und Helden herbeieilen, um Friedrich den Großen zu verehren«. Was darauf folgt, sind »Massenauftritte heterogener Berühmtheiten und geschmacklose Gespräche de omnibus rebus et quibusdam aliis« im Stile Faßmanns,[39] in denen Friedrich als ein Universalgenie brilliert, das sich über jeden Gegenstand der alten und neuen Geschichte zu unterhalten versteht. Fast noch überschwenglicher gebärdet sich August Christian Borheck in seinem Totengespräch *Friedrich II., des Großen und Einzigen Feier in Elysium* (1785), das äußerlich wie ein Drama angelegt ist. Friedrich wird hier als so groß hingestellt, daß er weder aus dem Lethe zu trinken braucht noch das übliche Gerichtsverfahren über sich ergehen lassen muß. Alle, sogar Alexander und Cäsar, verehren ihn als überlegenen Schlachtenlenker, bauen ihm einen bombastischen Tempel und opfern schließlich vor seinem weihrauchduftenden Altar, als sei er ein mit Unsterblichkeit gesegneter Divus. Einen ähnlichen Geist atmen anonyme Schriften wie *Friedrich II. Abholung ins Elysium* (1786), *Friedrichs Aufnahme in Elysium* (1786) oder das *Sendschreiben an die allgemeine hohe Reichsversammlung zu Regensburg von Friedrich II. weiland Preußens irdischem König aus der Geisterwelt* (1787) von Franz Wilhelm Rotthammer, in dem der ›alte Fritz‹ gegen seinen stümperhaften Schüler und Nachahmer Joseph II. ausgespielt wird. Etwas objektiver wirkt das *Gespräch im Reiche der Toten zwischen Maria Theresia und Friedrich dem Zweiten, worinnen dieser hohen Personen Leben und merkwürdige Taten bis zu ihrem Tode unparteiisch erzählt werden* (1786 bis 1787) von Johann Friedrich Gaum, das in seiner langweiligen Weitschweifigkeit an Faßmann erinnert. Schubart veröffentlichte ein solches Totengespräch im 42. Stück seiner *Teutschen Chronik* (1788), in dem sich Friedrich II. und Maria Theresia über den unglücklichen Türkenkrieg Joseph II. unterhalten und nachträglich bedauern, daß sie nicht geheiratet haben, um Deutschland endlich die ersehnte Einheit zu geben. Im *Neuen deutschen Museum* läßt ein Anonymus Friedrich den Zweiten und Lessing ein Totengespräch über das moderne Drama halten, wobei Friedrich für Voltaire, Lessing für Diderot eintritt.[40] Andere konfrontierten ihn mit Cäsar, Mirabeau oder Katharina der Zweiten, ohne jedoch seine staatsmännische Größe in Frage zu stellen.

Um so schärfer zogen dagegen die katholischen Autoren vom Leder, die Friedrich aus ›mönchischen‹ Gründen als Antichristen oder Schänder alles Heiligen verdammten. Und das mit Recht. Schließlich hatte der ›roi philosophe‹ als überzeugter Voltairianer schon zu Lebzeiten den Stand der Priester wiederholt als eine Gruppe von »Quacksalbern« und »Hanswürsten« diffamiert.[41] Geradezu zynisch kommt diese antiklerikale Haltung in seinen *Hinterlassenen Werken* von 1788 zum Ausdruck, die einen solchen Aufruhr erregten, daß sie noch im selben Jahr in Straßburg, Kassel und Augsburg nachgedruckt wurden. 1789 folgten dann die *Œuvres completes* in 25 Bänden und die vierbändige *Korrespondenz mit Voltairen*, die neues Öl in die Flammen der katholischen Glaubenswut gossen. So bezeichnet etwa der Autor der *Gesinnungen eines Theologen über den Schriftsteller Friedrich* (1789) die Briefe an Voltaire, d'Alembert und den Marquis d'Argens als eine »abscheuliche Mißgeburt der zügellosesten Gottlosigkeit«.[42] Ebenso scharf griff der Anonymus der *Gesinnungen eines Rechtsgelehrten über Friedrichs Werke* (1789) den niederträchtigen »Freidenker« von Sanssouci an.[43]

Fast der gleiche Tenor scheint in der Schrift *Friedrich II. als Schriftsteller im Elysium. Ein dramatisches Gemälde* (1789) zu herrschen, deren Autor ein gewisser Carl Ignaz Geiger ist.[44] Und zwar wird Friedrich hier wegen seiner irreligiösen Ansichten von Maria Theresia, dem Papst und dem Großinquisitor vor die obersten Totenrichter gezogen, mit Zitaten aus seinen *Hinterlassenen Werken* der Ketzerei überführt und schließlich in den Tartarus gestoßen. Rein vordergründig betrachtet, sieht das wie eine offenkundige Parodie auf panegyrische Machwerke wie die Totengespräche von Schröckh und Borheck aus. Und so wurde denn diese Schrift von den aufgeklärt-protestantischen Kreisen als ein katholisches Pamphlet aufgefaßt und in diesem Sinne scharf verurteilt. Vielleicht genügen dafür drei Beispiele. Die *Oberdeutsche allgemeine Literaturzeitung* vermutet hinter diesem Büchlein einen jener »Priester der Dummheit, des Aberglaubens und des Fanatismus«, die ständig über den »nahen Untergang der Religion jammern, weil man ihren Götzen keinen Weihrauch mehr opfern will; und ihre Macht, ihre Alleinherrschaft über die Herzen der Menschen einigermaßen abnimmt«.[45] Solche ›Betbrüder‹ können einen Friedrich, dem »jeder Vernünftige Hochachtung und Liebe zollt«, natürlich nur mit »Kot« bewerfen, heißt es hier voller Empörung.[46] Der Rezensent der *Nürnbergischen gelehrten Zeitung* schreibt über diese »Scharteke«: »Gewiß die Hirngeburt eines feisten Mönches, der weiter nichts als Minos zu sein brauchte, um alle nicht im Schoße der alleinseligmachenden Kirche aufgenommene Seelen in den Tartarus hinunterzuurteln!«.[47] Ebenso scharf äußert sich die *Allgemeine deutsche Bibliothek* über dieses »abgeschmackte, injurierende Gewäsch«, das nur von einem katholisch verblendeten »Wiener Skribenten« stammen könne.[48] Auch sie vermutet in dem Autor einen »Mönchskopf«, der »von Jugend auf angewiesen worden, zu glauben, was man ihm zu glauben befiehlt, der nie selbst gedacht, also auch nie die Erfahrung gemacht haben kann, daß just das schärfste Nachdenken und der freieste Gebrauch der Vernunft, immer mehr Zweifel erregt, als aufstößt«.[49]

Liest man jedoch diese Schrift etwas genauer, kommt man zu der Einsicht, daß allen diesen Urteilen ein krasses Mißverständnis zugrunde liegt. Denn schließlich ist ihr Autor kein ›feister Mönch‹, der sich zum Sprachrohr des Papstes und des Großinquisitors macht, sondern einer der radikalsten Republikaner, Aufklärer, Ketzer und Stürmer und Dränger, die Deutschland in diesen Jahren aufzuweisen hat. Aufgewachsen in dem fränkischen Deutschordensstädtchen Ellingen, stieß Geiger schon als junger Magister mit den kirchlichen Ordnungen zusammen. So heißt es in seinem kurzen Lebensabriß, der 1791, in seinem Todesjahr, im *Neuen deutschen Zuschauer* erschien: »Er dachte frei über die Religion« und »verabscheute Mißbräuche und Aberglauben der Pfaffen und spottete unter Freunden, manchmal nach seiner Art ziemlich beißend darüber«.[50] Als daraus ein Stadtgespräch wurde, griff der Pfarrer von Ellingen zur »Ketzertrompete«, während die Franziskaner des Ortes »von ihren Schülern ein Trauerspiel, unter dem Titel *Der Religionsspötter* aufführen« ließen, »worin sie auf die plumpste Art den Denker verhöhnten«.[51] Auf Grund dieser Vorgänge wurde Geiger vom herrschenden Landeskomtur aus Ellingen verbannt und durfte seine Heimatstadt nie wieder betreten. Er irrte daher anschließend in halb Deutschland herum, versuchte sich als Privatdozent und wandernder Deklamator, konnte aber wegen seiner ketzerisch-radikalen Anschauungen nirgends Fuß fassen. 1788 gab er eine *Hexen- und Gespensterpredigt* heraus, in der er sich über den katholischen Aberglauben lustig macht. Ein Jahr später erschien seine *Reise eines Engelländers durch einen Teil von Schwaben und einige der unbekanntesten Gegenden der Schweiz*, die sich vor allem gegen die tyrannische Priesterherrschaft in Augsburg richtet, deren wichtigste Waffen die »Intoleranz« und der »Unsinn« seien.[52] Überall sehe man »Jesuitenknechte«, die den Arbeitern und Arbeiterinnen in den »Kottonfabriken« einzureden versuchten, daß sie ihr materielles Wohl nur durch einen »Übertritt zur katholischen Religion« verbessern könnten.[53] Geiger schließt daraus, daß immer die Städte die »ärmsten« sind, die »den meisten Klerus haben«.[54] Das gleiche gilt für seine *Reise eines Engelländers durch Mannheim, Baiern und Österreich nach Wien* (1790), wo er vor allem den Amuletthandel und die Wallfahrten angreift, hinter denen sich eine planvolle Verdummungspolitik verberge.

Nicht minder antikatholisch wirkt sein utopischer Roman *Reise eines Erdbewohners in den Mars* (1790), in dem eine kühne Montgolfierenfahrt ins Weltall beschrieben wird. Der erste Staat, den die Weltreisenden mit ihrem Ballon besuchen, ist das swiftische ›Papaguan‹, das sich bei näherem Zusehen als ein höchst orthodoxer Priesterstaat entpuppt. Wie bei Voltaire sind hier alle Pfaffen lediglich machtbesessene Heuchler, die am liebsten wieder die Inquisition und Hexenverbrennung einführen würden. Als sich der Regent dieses Landes, der in manchen Zügen an Joseph II. erinnert, gegen diese ›exjesuitische‹ Gewissenstyrannei zu wehren versucht, wird er von der Priesterkaste kurzerhand durch Gift beseitigt. Geigers Reisende sind daher froh, als sie diesen geradezu mittelalterlichen Staat endlich hinter sich haben und in dem aufgeklärten ›Momoly‹ landen, wo man, wie in Mozarts *Zauberflöte* (1791), nur die Sonne anbetet.

Den gleichen Antiklerikalismus finden wir in seinem letzten Werk, der Tragödie *Laster ist oft Tugend oder: Leonore von Welten* (1791), deren Heldin sich für ihren im Gefängnis schmachtenden Vater opfert, indem sie sich dem Fürsten hingibt. Und zwar geschieht dies auf ausdrückliches Zureden ihrer Mutter, die sich vorher bei ihrem Beichtvater vergewissert hat, ob ein solcher Zweck auch wirklich alle Mittel heilige. Dessen Antwort war selbstverständlich im Sinne der ›fürstlichen‹ Moral ausgefallen. Leonore verehrt dagegen als ›aufgeklärte‹ junge Frau nur die Natur und lehrt ihren kleinen Sohn, die Sonne als das »würdigste Bild der Gottheit« zu betrachten.[55]

Daß sich hinter dem Namen Geiger kein ›feister Mönch‹ verbirgt, dürfte auf Grund dieser Schriften wohl klar geworden sein. Doch wo steht dieser Mann eigentlich, wenn er sich in seinem Büchlein über *Friedrich II. als Schriftsteller im Elysium* scheinbar auf die

Seite der katholischen Kirche stellt und den ›aufgeklärten‹ Friedrich in Grund und Boden verdammt?

Schon die Vorrede zu diesem kleinen Pamphlet ist von einer seltsamen Ironie durchzogen. So betont Geiger gleich zu Anfang, daß er bei der Lektüre von Friedrichs *Hinterlassenen Werken* von einer »Vision und Inspiration vom Himmel gewürdigt« worden sei (II). Wie die alten Evangelisten habe man ihn aufgefordert: »Gehe hin ... und verkünde der Welt, was Du gesehen und gehört hast« (IV). Neben einer satirischen Anspielung auf die christliche Theorie der Verbalinspiration verbirgt sich hierin eine Parodie auf Friedrich Oetinger, einen schwäbischen Pietisten und Mystiker, dessen Werke häufig von visionären Anspielungen durchzogen sind. Nach diesen Eingangsfloskeln greift Geiger zur Maske eines einfältigen Dorfpastors und behauptet ironisch verschmitzt: »Nun war ich in Verlegenheit, wie ich es der Welt verkünden sollte: denn ich hatte, außer einem Gebetbüchlein und verschiedenen geistlichen Liedern, mein Schriftstellertalent noch gar nicht versucht; dabei habe ich das unglücklichste Gedächtnis von der Welt. Aber sieh! als ich anfing zu schreiben: da war mirs, als ob einer mir die Worte ins Gehöre flüsterte, und ich sah hier wieder deutlich, daß es höhere Inspiration sein müsse, und ich gebs zum Heil und Frommen aller Christenkinder unserer verderbten Zeiten, an das Licht und wasche meine Hände mit den Worten des Erasmus: ›Non ego, sed Democritus dixit‹ « (IV f.).

In der ersten Szene dieses ›dramatischen Gemäldes‹ trifft Friedrich II. bei seiner Ankunft im Elysium mit Voltaire zusammen, der ihm von der allgemeinen »Gährung in der Unterwelt« berichtet, die er durch seine *Hinterlassenen Werke* bei den abgeschiedenen Schriftstellern, Priestern und Staatsoberhäuptern verursacht habe (3). Es gebe fast niemanden, muß er hören, der sich nicht durch seine arroganten Urteile verletzt fühle. Vor allem die Dichter seien empört darüber, daß sich Friedrich angemaßt habe, die Literatur der Franzosen über die hehren Exempla der Griechen und Römer zu stellen. Als sich Friedrich zu verteidigen sucht, rät ihm Epikur, seine Apologie doch lieber abends im Gelehrtenklub vorzutragen, wo man über seine ›Aufnahme‹ beraten wolle. In der zweiten Szene liest Karl III. von Spanien dem Großinquisitor, Papst Clemens XIII.,

Maria Theresia und Kaiser Franz die wichtigsten ›gottesleugnerischen‹ Passagen aus Friedrichs Schriften vor, und zwar besonders jene, wo er die katholische Kirche der Intoleranz, Maria Theresia des Despotismus und Kaiser Franz der Gewinnsucht am Kriege beschuldigt. Darauf überschlagen sich die Betroffenen geradezu vor Empörung und Rachsucht. Maria Theresia nennt ihn einen »niederträchtigen Verläumder« (15), während der Papst mit apodiktischer Schärfe sein »Anathema sit« verkündet (9). Wenn so windige Charaktere wie Friedrich im Elysium aufgenommen werden, möchte der Großinquisitor lieber »im Tartarus unter Satanassen wohnen« (17). Sie fassen daher den gemeinsamen Entschluß, den Preußenkönig vor den Richterstuhl des Minos zu schleppen und ihn aus den elysäischen Gefilden ausweisen zu lassen.

In der dritten Szene tritt der Gelehrtenklub des Hades zusammen und wirft Friedrich vor, seine politische Macht zu literarischen Zwecken mißbraucht zu haben. Daß er weder Latein noch Griechisch könne und darum aus Unkenntnis die Franzosen zur höchsten Literaturnation erhoben habe, findet man allgemein unverzeihlich. Doch auch sein Französisch und sein mangelhaftes Deutsch werden arg gerügt. Vor allem Homer, Vergil und Horaz greifen ihn an und machen ihm den Vorwurf, alles durch die Brille Voltaires zu sehen, anstatt sich einmal unter historischer Perspektive in den Geist der Zeiten zu versenken. Wohl am schärfsten springt Lessing mit ihm um, der ihn anklagt, ein »unumschränkter Beherrscher seines Landes« und zugleich »Despote des Geschmacks und der Wissenschaften« gewesen zu sein (28). Nach Lessings Meinung kann jede echte Bildung nur vom »bürgerlichen Stande« ausgehen (31). Die Kabinette der Könige stellt er dagegen, wie Holbach, als bloße »Werkstätte der Korruption« hin (31). Aus diesem Grunde lehnt er die Aufnahme eines Fürsten in einen »Gelehrtenklub« entschieden ab. Um seine eigenen poetischen Versuche befragt, kann sich der bestürzte Friedrich auf keines seiner Gedichte besinnen. Darauf meldet sich Lessing und trägt zwei läppische Windspielgedichte vor, die den ›Weisen von Sanssouci‹ um die letzte literarische Achtung bringen. »Und aus diesem Manne macht Ihr solch ein Wunder des Jahrhunderts?«, fragt Cicero verwundert, »Wie weit müssen Eure Zeiten von den unsrigen zurücke gekommen sein« (39). Daß ein Dichter wie Schubart beim Tode Friedrichs ein »jämmerliches Mordgeheul in Versen« angestimmt habe, »als ob er von Sinnen wäre«, findet man allgemein niveaulos (39). Überhaupt wird das »Monströse« der »Geniesprache« als unreif abgelehnt und Lessings Schärfe und Besonnenheit als literarisches Leitbild aufgerichtet (40). Und so endet denn diese Szene mit einer langen Lamentatio, in der Cicero den gegenwärtigen Zustand Deutschlands einer unbarmherzigen Kritik unterzieht: »Teutsches Freiheitsgefühl, teutscher Mut sind bei Euch erloschen, man gab ihnen entehrende Namen – und an ihre Stelle trat allmählich niedriger Sklavensinn, die Rechte der Menschheit wurden gegen Sklavenfesseln vertauscht, denen man prächtige Namen gab – und stolz auf die Ketten, die man Euch anlegte, boget Ihr selbst Eure Nacken gutmütig ins Fürstenjoch. Eure Könige sind itzt Despoten und Ihr – Sklaven... O trauriges Los der armen Erdbewohner, denen Friedrich II. der Einzige ist!« (42).

In der letzten Szene wird Friedrich von Maria Theresia, dem Papst und dem Großinquisitor – wie verabredet – mit Zitaten aus seinen eigenen Werken bei Minos, Radamant und Aeakus, den drei Totenrichtern, angeklagt. Nicht bloß in der Politik, sondern auch in Fragen der Moral und Religion werden ihm in blasphemischer Übertreibung alle nur denkbaren Verbrechen (Delicta atrocia) vorgeworfen. Auf Grund dieser Beschuldigungen, deren Hauptpunkte die »Calumniae, Laesae majestatis, Heterodoxiae und Blasphemiae« sind (60), wird Friedrich schließlich verurteilt und ruhmlos in den Tartarus hinabgestoßen, wo sich nur die Elendesten der Elenden befinden.

Genau betrachtet, schlägt Geigers Satire dadurch nach beiden Seiten aus: indem sie sowohl die Kläger als auch den Angeklagten als nichtswürdiges Gesindel entlarvt. Ob nun Friedrich oder Maria Theresia: beide werden mit den gleichen negativen Farben gemalt. Nicht *ein* Fürst wird hier verdammt, sondern die Fürstlichkeit an sich in Frage gestellt, und zwar gleichgültig, ob sie sich hinter der Maske der Toleranz oder der Orthodoxie verbirgt. Gegenüber aller direkten Parteilichkeit, die nur das Pro und Contra kennt, bedeutet daher Geigers kleine Friedrich-Schrift einen Durchbruch zu einer wesentlich höheren Reflexionsebene und verrät zugleich ein ganz anderes politisches Bewußtsein. Hier wird weder gehaßt noch verklärt, sondern dialektisch ad absurdum geführt.

Eine solche Dialektik war natürlich für naivere Gemüter viel zu raffiniert. Und so mußten Männer wie Nicolai dieses unbequeme Werkchen notwendig mißverstehen, wie die bereits erwähnte, rein negative Rezension in der *Allgemeinen deutschen Bibliothek* beweist. Ebenso irreführend ist das Urteil Stümckes, daß in Geigers *Friedrich II.* eine »fritzische Gesinnung« zum Ausdruck komme.[56] Dann hätten die Berliner an dieser Schrift ja nichts zu kritisieren gehabt! Keiner von diesen Leuten begreift, daß hier das Ideal des ›guten Landesvaters‹, von dem die ›wohlmeinenden‹ Reformisten und Revisionisten träumten, bereits als etwas politisch Antiquiertes empfunden wird. Geiger ist nicht einer jener halben Revoluzzer, die sich vor lauter Vernünftelei mit einer »gemäßigten Freiheit«, einer »guten Erholungslektüre« und einem »gemäßigten Deismus« zufrieden geben, wie es die Nicolaiten taten,[57] sondern ein Demokrat, der nur noch die Staatsform der Republik gelten läßt.

Wer also zwischen den Zeilen zu lesen versteht, merkt genau, daß der Autor des *Friedrich II.* schon auf der Höhe der ›jakobinischen‹ Ideale steht und das Konzept des ›aufgeklärten Absolutismus‹ als absolut ungenügend empfindet. Natürlich war auch er, wie fast alle Liberalen dieser Ära, erst einmal auf die wohlklingenden Reformideale des ›guten‹ Friedrich II. und des ›guten‹ Joseph II. hereingefallen. Dafür spricht seine Schrift *Sind die Kaiserl. Königl. peinlichen Strafgesetze der Politik und dem Staats- und Naturrechte gemäß? Eine Patriotenfrage* (1788), in der Geiger die Fürsten auf gut ›friederizianisch‹ als die »ersten Diener« des Staates bezeichnet, sie aber im gleichen Atemzug ermahnt, nicht nur ihrer »eigenen Einsicht« zu trauen, sondern sich auf alle »klugen Köpfe« ihres Landes zu stützen.[58] Doch mit diesen Maximen hatte er keinen großen Erfolg. Als er sich im selben Jahr einmal bei Joseph II., dem großen ›Menschenschätzer‹, wie er allgemein genannt wurde, um Hilfe bewarb, wurde er einfach aus dem Saal gewiesen.[59] Wenn es schon an diesem Hofe keine Marquis Posas geben durfte, wohin hätte sich Geiger dann wenden sollen? Eine Antwort darauf gibt seine zwei Jahre später erschienene *Reise eines Erdbewohners in den Mars*, in der die Reiche Papaguan, Plumplatsko und Biribi, hinter denen sich Österreich, Preußen und Bayern verbergen, als höchst tyrannische Monarchien und Klerikaldiktaturen hingestellt werden. Wirkliche Zufriedenheit finden seine Reisenden erst in Momoly, einem rousseauistisch gesehenen Amerika, wo es keine »Pfaffen, keine Soldaten und – keine Könige« mehr gibt.[60] Und so erweist sich Geiger als einer der wenigen deutschen Aufklärer dieser Jahre, der auf dem Papier schon das entwirft, was Georg Forster 1793 in die Realität zu übertragen versuchte: den Gedanken einer ›deutschen Republik‹.[61] Den Namen Forster kennt heute jeder, der sich mit dieser Ära beschäftigt. Doch vielleicht sollte man auch jene anderen Autoren nicht vergessen, die sich wie Geiger, bis zur Aufopferung ihres Lebens, für dieses Leitbild eingesetzt haben und dabei auf so wenig Gegenliebe gestoßen sind.

Jean Paul: Des Luftschiffers Giannozzo Seebuch (1801)

Solange man im Bereich des Romans jede inhaltliche Digression als ein Haar in der Suppe empfand, wurde ein Autor wie Jean Paul kaum noch goutiert. Seine Werke sanken daher seit dem Sieg des ›bürgerlichen Realismus‹, mit dem sich die Forderung der formalen Abrundung und epischen Objektivität durchzusetzen begann, immer stärker in die Welt des Obskuren ab. Was man in dieser Ära schätzte, waren höchstens Idyllen wie der *Wuz* oder das *Quintus Fixlein*, die sich als Ausdruck einer rein immanenten Weltanschauung mißverstehen ließen. Ungetüme wie die *Unsichtbare Loge*, der *Hesperus* oder der *Komet* mit ihren vielen Appendizes, Nachschriften und Enklaven galten dagegen als verwirrend, ja geschmacklos, da sie weder eine durchgehende Handlung noch eine einheitliche Stimmung aufweisen können. Erst der Einfluß der nachrealistischen Erzählliteratur, in der Harmonie und Mimesis keine normativen Werte mehr sind, hat dieses Vorurteil etwas ins Wanken gebracht.

Und doch gibt es bis heute noch Werke, bei denen man sich nicht vom ›ausgewogenen‹ Romankonzept des späten 19. Jahrhunderts befreien kann. Hier wäre vor allem der *Titan* zu nennen, der wegen seiner relativen Einsträngigkeit von vielen als Jean Pauls ›chef d'œuvre‹ angesehen wird, während man den ›komischen Anhang‹ dieses Romans, der immerhin zweihundert Seiten umfaßt, häufig verschweigt. Wie weit die Nichtbeachtung dieser scheinbar überflüssigen Zusatzbelustigungen und Supplementgeschichten geht, beweist *Des Luftschiffers Giannozzo Seebuch*, das sich selbst bei ausgesprochenen Jean-Paul-Panegyrikern keiner besonderen Hochschätzung erfreut. Die meisten *Titan*-Interpreten finden diese Geschichte einfach störend, da sie das Ganze als einen goethezeitlichen Bildungsroman betrachten und deshalb ihr Hauptaugenmerk auf den Lebensgang Albanos richten. Daß diese Partien wesentlich abgerundeter wirken als das verworrene Erzählgeflecht im *Hesperus* oder *Siebenkäs*, soll nicht geleugnet werden. Es ist jedoch sehr die Frage, ob das einen Vorteil bedeutet. Schon daß sich Jean Paul bemüht, seinem subjektiv überspitzten Dualismus eine idealistisch harmonisierende Maske vorzubinden, spricht für ein merkliches Abstandnehmen von sich selbst. Man spürt deutlich, wie er sein eigenes Ich: den Hasus, das Einbein, den Kandidaten Richter der Frühwerke in den Hintergrund zu drängen versucht, um nicht aus der hohen Welt der italienischen Landschaften wieder in die niedere Stilhaltung des *Siebenkäs* zurückzufallen. Und doch bleibt er sich treuer, als man gemeinhin behauptet. Die Haupthandlung hält er zwar relativ ›rein‹, aber an den Rändern wuchert es dafür um so üppiger. Denn er war von Anfang an gewillt, dem Ganzen einen langen ›Anhang‹ zu geben, um nicht auf alles Krause und Humoristische verzichten zu müssen, das er in der Welt Albanos nicht recht unterbringen konnte. Gerade diese Partien enthalten daher vielleicht sein Eigenstes.

Trotz dieser klaren Absicht hat es lange gedauert, bis Jean Paul eine Erzählform fand, in der sich diese disparaten Elemente am besten vereinigen ließen. Fest stand lediglich eins, nämlich alle unterdrückten Einfälle und Bemerkungen einer möglichst beziehungsreichen Figur in den Mund zu legen. Es ist daher kein Zufall, daß er anfänglich Gestalten wie Merkur oder Proteus, den Leichtbeflügelten und den Vielgestaltigen, ins Auge faßte.[1] Doch seine Wahl fiel schließlich auf den römischen Maler Giannozzo, der zum Typ des genialischen Menschenverächters gehört. Eine ähnliche Figur wird bereits in der *Unsichtbaren Loge* erwähnt, wo es sich ebenfalls um einen römischen Maler handelt, der sich im Regen unter die Traufe stellt, wie toll lacht und trotzig behauptet: »Einen Hundetod gibts nicht, aber ein Hundeleben« (II, 207). Maler bedeutet in beiden Fällen selbstverständlich Künstler, vielleicht sogar Dichter, wenn man an Jean Pauls ästhetische Lieblingsvokabel des wortreichen ›Abmalens‹ denkt. Auf jeden Fall ist die Nähe zum eigenen Ich unübersehbar, was fast zu einer Gleichsetzung von ›Gian‹ mit ›Jean‹ verführt. Unter einer solchen Perspektive gesehen, wirkt sein Giannozzo wie eine Ersatzfigur für den ichbesessenen Schoppe, der im Zuge der fortschreitenden Stilerhöhung innerhalb der Albano-Handlung immer stärker in den Hintergrund tritt. Alles, was er dort weglassen muß, wird zusehends auf den rein subjektiv urteilenden Giannozzo übertragen, um so die Logik des Hauptgeschehens nicht zu beeinträchtigen. Er schreibt darüber am 23. Januar 1801 an Otto: »Ich bin im komischen Anhang wilder als sonst. Ich lege viele meiner Urteile einem über ganz Deutschland (in der Montgolfiere) wegschiffenden Giannozzo, einem wilden Menschenverächter, in den Mund, der bloß in seinem Namen spricht« (Br. IV, 42). Das Ganze ist also trotz mancher Einkleidungsversuche von vornherein höchst ichhaft konzipiert. Ob man dabei allerdings ›Gian‹ wirklich mit ›Jean‹ gleichsetzen kann, wird sich erst erweisen müssen.

Um auf knappem Raum möglichst viele Einfälle unterzubringen, schickt Jean Paul seinen Helden nach alter Tradition auf die Reise. Über die literarischen Vorbilder dazu – wie Lesages *Le Diable boîteux* (1707), Sternes *Sentimental Journey* (1768), Thümmels *Reise in die mittäglichen Provinzen von Frankreich* (1791–1805) und die *Durchflüge durch Deutschland* (1793–1800) von Jonas Ludwig von Heß – sind wir dank Eduard Berend genügend informiert.[2]

Nicht minder gewichtige Vorstufen zu einer solchen Reise finden sich in Jean Pauls eigenen Werken, was *Habermanns große Tour* aus den ›Teufelspapieren‹ beweist, deren Hauptmerkmal ebenfalls der schnelle Ortswechsel ist. Wie mit Siebenmeilenstiefeln eilt man hier vom Nordpol zur Antarktis, besucht mal den Großmogul in Indien, mal die Kurtisanen in Venedig. So heißt es an einer Stelle: »Mit leichter Mühe begab ich mich von Wien nach Syrien, besonders nach Aleppo« (I, 234). Auch die *Kreuz- und Querzüge* (1793–94) seines geliebten Hippel spielen in diese Geschichte hinein, wie überhaupt alles, was einen kaleidoskopartigen Wechsel der Schauplätze erlaubt, sei es nun die Form des Märchens, des barocken Abenteurerromans, der ›Sentimental Journey‹, des Teufelsflugs oder der schlichten Reisebeschreibung.

Doch selbst der Gedanke einer noch so schnellen Reise erschien ihm auf die Dauer nicht entwicklungsträchtig genug. Er verfiel daher immer stärker auf die Idee einer Fluggeschichte, um seiner digressionssüchtigen Phantasie einen möglichst weiten Spielraum zu eröffnen. An Vorbildern, die zum Teil bis auf Ikaros und Wieland den Schmied zurückgehen, bestand auch hier kein Mangel. Wohl den wichtigsten Einflußbereich bildete dabei die barocke Flugphantasie, deren Zentralmotiv meist die Mondreise ist.[3] Das erfolgreichste Buch dieser Gruppe war der Roman *The Man in the Moon* (1638) von Francis Godwin, den Grimmelshausen 1659 nach einer französischen Übersetzung unter dem Titel *Der fliegende Wandersmann nach dem Mond* ins Deutsche übertragen hatte. Während es sich hier um eine rein phantastische Flugmaschine handelt, die von Wildgänsen in die Luft getragen wird, geht Cyrano de Bergerac in seinem satirischen Mondroman *L'autre monde ou les états et empires de la lune* (1657) schon wesentlich naturwissenschaftlicher vor und beruft sich in seinem Protest gegen die kirchlichen Dogmen der Zeit auf Descartes, Gassendi und Rohault. Beide Romane waren um 1700, wenn auch auf dem Umweg über viele Derivate, noch durchaus lebendig und übten weiterhin einen beträchtlichen Einfluß aus. Man denke an die fliegende Insel Lapatu im 3. Teil von Swifts *Gulliver's Travels* (1726), an die Flugmotive bei Lesage oder den Voltaireschen *Micromégas* (1752), in dem ein Sirius- und ein Saturnbewohner einen kurzen Abstecher auf die Erde machen. Im Zuge der beginnenden Aufklärung werden dabei immer mehr satirische Vergleiche zwischen den ›philosophisch‹ Denkenden und den bloßen ›Narren‹ angestellt, die sich unbelehrbar an die alten Traditionen halten.

In der zweiten Hälfte des 18. Jahrhunderts verbindet sich diese Flugsehnsucht zusehends mit einem konkreten Freiheitsverlangen. Schon in Samuel Johnsons *Rasselas* (1759) stehen die Flugversuche eindeutig im Zeichen einer Flucht aus dem Gefängnis des Immergleichen. Überall liest man plötzlich von Luftschlössern, Wolkenkuckucksheimen, Mondreisen und utopischen Inseln, die nur auf dem Flugweg zu erreichen sind. Beispielhaft für diesen Robinsonaden-Sozialismus ist ein Roman wie *La découverte australe par un homme volant* (1781) von Rétif de la Bretonne, wo man mit Flugmaschinen nach einer Südseeinsel fliegt, um dort den ›besten‹ aller Staaten zu gründen.[4] Einen ähnlich ›aufgeklärten‹ Charakter hat das anonym erschienene Buch *A Voyage to the Moon. Strongly recommended to all Lovers of real Freedom* (1793). Im Bereich der deutschen Literatur sei an die *Reise eines Erdbewohners in den Mars* (1790) von Carl Ignaz Geiger erinnert, die sich gegen den religiösen Aberglauben wendet und als Verlagsort nicht Frankfurt, sondern das ›befreite‹ Philadelphia angibt.[5]

Noch verstärkt wurde dieses beflügelte Freiheitsverlangen durch die Erfindung des Luftballons, die bezeichnenderweise in die Zeit der höchsten revolutionären Unruhe fiel. Den entscheidenden Durchbruch brachte das Jahr 1783, in dem die Brüder Montgolfier die erste mit erhitzter Luft gefüllte Stoffkugel aufsteigen ließen. Kurze Zeit später wurden diese ›Montgolfieren‹ mit ›gaz hydrogène‹ gefüllt und konnten daher viel größere Strecken zurücklegen. 1785 flog man bereits über den Kanal. Auf Grund dieser Flüge wurde ganz Europa von einem »aeronautischen Fieber« ergriffen, wie Walter Muschg behauptet.[6] Allenthalben begegnet man den Namen der neuen ›Helden‹: den Brüdern Montgolfier, dem Professor Charles und dem ›kühnen‹ François Blanchard, der sich neben Ballonaufstiegen auch im Fallschirmsprung versuchte. Wie bei jeder echten Sensation gab es sofort ein heftiges Für und Wider. Zu Anfang überwog erst einmal die Fülle der Streitschriften, Possen und Spottverse.[7] Besonders verlacht wurde der erste deutsche ›Luftschiffer‹, der Freiherr von Lütgendorf, über dessen in Augsburg mißglückten Ballonaufstieg sich sogar Emanuel Schikaneder in seinem Singspiel *Die Begebenheiten des allhier verunglückten Luftballons* (1785) lustig machte. Knigge wählte in seiner *Reise nach Braunschweig* (1792) einen der Aufstiege Blanchards zum Thema. Bei Musäus findet sich eine solche Aerostaten-Geschichte in seinem Buch *Freund Heins Erscheinungen* (1785). In der englischen Schrift *The Aerostatic Spy* (1785), die 1787 als *Der aerostatische Zuschauer* in Deutschland erschien, wird sogar schon der kriegstechnische Aspekt der Ballonfahrten behandelt. Ebenso interessiert verfolgten die Zeitschriften diese Entwicklung.[8] Das ›fièvre aérostatique‹ oder die ›Aeropetomanie‹ waren also allgemein. Selbst Wieland, Goethe und Kleist beschäftigten sich mit Entwürfen zu lenkbaren Luftschiffen oder teilten wenigstens den herrschenden Enthusiasmus.[9] Noch der alte Goethe erinnert sich dieser Begeisterungswelle nicht ohne innere Erregtheit: »Wer die Entdeckung der Luftballone miterlebt hat, wird ein Zeugnis geben, welche Weltbewegung daraus entstand, welcher Anteil die Luftschiffer begleitete, welche Sehnsucht in so viel tausend Gemütern hervordrang, an solchen, vorausgesetzten, vorausgesagten, immer geglaubten und immer unglaublichen, gefahrvollen Wanderungen teilzunehmen, wie frisch und umständlich jeder einzelne glückliche Versuch die Zeitungen füllte, zu Tagesheften und Kupfern Anlaß gab, welchen zarten Anteil man an den unglücklichen Opfern solcher Versuche genommen. Dies ist unmöglich, selbst in der Erinnerung wiederherzustellen.« [10]

Das Thema einer literarischen Ballonreise lag also in den achtziger und neunziger Jahren geradezu in der Luft. Und Jean Paul wäre nicht Jean Paul, wenn er nicht sofort auf eine originelle Verwendung dieser Möglichkeit gesonnen hätte. Daher schließt schon sein *Kampaner Tal* (1797) mit einer großen Montgolfieren-Szene. Weltanschaulich gesehen, wirkt der hier beschriebene Ballonaufstieg wie eine Himmelfahrt im Sinne der *Night Thoughts* (1742 bis 1745) von Edward Young, die ganz im Zeichen einer ›erhabenen‹ Empfindsamkeit stehen. Man schwebt nach oben, um von der ›harten Erde‹ loszukommen, die Stille der Nacht zu genießen und schließlich jene Zonen zu erreichen, wo man wie die Verklärten auf Wolken ruht (VII,64). Damit wird jener Schwebezustand erreicht, den man immer wieder als ein Hauptcharakteristikum Jean Pauls bezeichnet hat. So spricht Hans Dahler einmal von den »Schweberäumen« der Jean Paulschen Phantasie,[11] während Peter Michelsen den Ausdruck »Luftspiegelungen« verwendet.[12]

Von solchen Stimmungen und Gefühlen, die auch im *Hesperus* und *Siebenkäs* ständig wiederkehren, ist jedoch der *Giannozzo* weit entfernt. Schon indem Jean Paul den Zustand des Schwebens mit dem Genialischen verbindet, läßt er das Empfindsame weitgehend hinter sich. Ein Künstler erhebt sich hier, ein Ich, ein Titan, nicht ein seraphisch verzückter Klopstockianer. Manches erinnert dabei fast an den prometheischen Elan des jungen Goethe, an das Fliegenwollen im Sinne von *Wandrers Sturmlied*. Anderes gemahnt an die *Durchflüge* von Heß, der seine Wanderungen im Jahre 1789 begann, als man die erste »feste Pforte des Despotismus«, die Bastille, erstürmte, wie er gleich zu Anfang betont (I, 15).

Wenn sich Jean Paul ähnlicher Bilder bedient und sie obendrein mit dem ›sensationellen‹ Motiv der Montgolfiere verbindet, so hat das weder etwas mit Effekthascherei noch mit Epigonentum zu tun. Metaphorisch betrachtet, entspricht nämlich das Bild der Ballonfahrt genau seiner damaligen Situation. Seit dem Verlassen Hofs im Oktober 1797 hatte er sich aus allen bisherigen Bindungen gelöst und war in die ›große Welt‹ hinausgeschwebt. Trotz mancher Bemühungen, sich irgendwo zu ›verankern‹, fand er nirgends einen finanziellen Rückhalt oder eine feste Bleibe. In den Augen der Weimarer Klassiker galt er als verschroben, wenn nicht lächerlich. Andere betrachteten ihn als einen Romancier mit einer besonderen ›Manier‹, wodurch er trotz seiner vielgelesenen Bücher ein seltsamer Außenseiter blieb. Zudem benahm er sich selbst in höfischen Kreisen wie ein überzeugter Demokrat, was seine gesellschaftliche Stellung nicht gerade erleichterte. Die Spannungen, die sich daraus entwickelten, nahmen teilweise recht peinliche Formen an. Ob in Weimar, Meiningen oder Hildburghausen: überall wurde er als ›empfindsamer‹ Dichter in den Himmel gehoben, während er sich als ›Bürgerlicher‹ manche Demütigung gefallen lassen mußte. Dazu kamen seine vielfältigen Liebeswirren, vor allem die unglückliche Verlobung mit Karoline von Feuchtersleben im Herbst 1799, die diese ambivalente Haltung noch verstärken. Er spielte daher in steigendem Maße den unbehausten, freiheitlichen Einzelgänger, der nirgends Ruhe findet, nicht einmal an mitfühlenden Frauenherzen. An dieser literarischen Projektion seines Ich, die sich bis zur tragischen ›Zerrissenheit‹ steigert, ist selbstverständlich vieles echt empfunden. Anderes wirkt dagegen wie eine geschickt aufgesetzte Maske, mit der er sich vor den Fallstricken einer Mesalliance zu bewahren versucht. So schreibt er am 8. September 1800 an Karoline: »Im Tumulte der dichterischen Schöpfung, die brausende Welten und Kometen durch die Seele jagt, im Wogen auf dem weiblichen Meer, das sich zu keinem schmalen Bache einschränkt ... werden mir alle Steige der Windrose angewiesen« (Br. III, 372). Selbst Herder gegenüber gebraucht er dieses Pathos: »Jetzt treib ich mich wieder mit ausgeleertem dürftigen Herzen in das weite Weltmeer hinein und ruhe nur auf den Wogen« (Br. III, 332). Drei Tage später, am 19. Mai 1800, schreibt er an Otto: »Nun treibt und stürmt mich das Schicksal wieder in ein unbestimmtes wüstes Leben hinein in einer inneren Verfassung, worüber es keine Worte gibt« (Br. III, 335).

All das ist reinste *Seebuch*-Stimmung: das Umhergeworfenwerden und Nichtankernkönnen, verbunden mit dem Anspruch des Genialischen, sich nicht in die Welt des Kleinen und Verfänglichen herunterziehen zu lassen. Da es in diesen Jahren noch kaum genuine Flugausdrücke gab, bedient er sich dabei der herkömmlichen Matrosensprache, als gelte es weniger in der Luft als auf dem Meere des Lebens zu segeln.[13] Luftschiffer zu sein, bedeutet hier noch: vom Winde des Schicksals hin und her geworfen zu werden und keinen Hafen zu finden, was in modifizierter Form an die Navigatio vitae, den alten Leben-als-Meerfahrt-Topos, erinnert. Seine mächtig anschwellende Freiheitssehnsucht und seelische Zerrissenheit steigern sich dabei zu einer leicht überanstrengten Pose, die gerade im Außenseitertum das Signum menschlicher Größe erblickt. Ein ebenso wichtiger Faktor dieser Giannozzo-Gefühle war der überwältigende Eindruck von Berlin, wo er sich im Juni 1800 niederzulassen versuchte. Das Häusermeer der Großstadt schüchterte ihn nicht ein, sondern versetzte ihn in eine ›wilde‹ Erregung – jedenfalls auf dem Papier. Er entschloß sich daher erst im Winter 1800 auf 1801, den *Giannozzo* endgültig niederzuschreiben, und zwar mitten in dem allgemeinen »Saus und Braus«, wie es in einem Brief an Otto heißt (Br. IV, 8).

Seine Durchflüge durch Deutschland schienen in diesen Monaten ihren Höhepunkt erreicht zu haben. Statt unerträglicher Ambivalenzen begann sich plötzlich alles aufzuheitern, als sei jetzt die Zeit gekommen, wo selbst er die Muße habe, auf Wolken zu ruhen. Königin Luise lud ihn nach Potsdam ein, die jungen Romantiker suchten seine Bekanntschaft, die Zahl seiner weiblichen Anbeterinnen wurde Legion. Nach Jahren der kleinen Zirkel, der intimen Seelenbünde und Brieffreundschaften war er mit einem Male eine gesellschaftliche Zelebrität. Man reichte ihn herum. Wohin er auch kam, wurde er von Gräfinnen und Komtessen bedrängt, von manchen bis an den Rand der seelischen und körperlichen Zumutbarkeit. Auf Grund dieser allgemeinen Hochschätzung konnte es sich Jean Paul plötzlich leisten, ganz er selbst zu sein, ja sogar Adelseinladungen abzulehnen: erhaben und erhoben zugleich. Er dachte daher, im Gegensatz zu seinen Weimarer Jahren, wesentlich freier, wählte sich ein Mundstück für alles Unterdrückte und Aufgestaute und nannte es *Giannozzo*. Wie noch nie zuvor ließ er in diesen Monaten seiner ressentimentgeladenen Aversion gegen die erbärmliche Krähwinkelei, das Spießerdasein, das höfische Zeremoniell und die Orthodoxie der Kirche freien Lauf. Kühnen Mutes warf er manche der bisherigen Masken einfach beiseite, um sich einmal ganz als Aufklärer, als Demokrat, als großes Ich ausleben zu können. Nicht Giannozzo, ein unbekannter ›Maler aus Rom‹, sondern er selbst scheint dieser Luftschiffer zu sein, der sich als genialischer Hypochonder über den Wolken schaukelt und alles Menschlich-Allzumenschliche weit unter sich läßt.

Daher herrscht auf den ersten Blick, wie in vielen Reiseromanen dieser Jahre, auch bei ihm die Satire vor. Bei Thümmel kommt diese ›aufgeklärte‹ Haltung vor allem in seiner Kritik am Wunderglauben der katholischen Kirche zum Ausdruck. Heß wendet sich mehr gegen die allgemeine Rückständigkeit auf politischem Gebiet, die er dafür verantwortlich macht, daß das Volk so »unzufrieden und lasterhaft«, die Gelehrten so »kriecherisch« und die Fürsten so »übermütig und unwissend« seien (III, 220). Im Sinne dieser Autoren nimmt auch Jean Paul, der übrigens die Schriften von Heß als »durchaus vortrefflich« lobt (VIII, 416), gleich zu Anfang die Haltung eines aufgeklärten ›Außenseiters‹ ein, dessen weltanschauliche Einstellung mit der eines freiheitsliebenden Republikaners zusammenzufallen scheint.

Die erste Zielscheibe seiner Kritik sind wie bei Knigge, Rebmann und Carl Ignaz Geiger die Höfe, über die sich Jean Paul gar nicht genug ereifern kann. So schildert Giannozzo schon auf seiner zweiten Fahrt das Fürstentümlein Vierreuter, dessen Bewohner den Eindruck grotesker Attrappen erwecken. Die Schranzen und Lakaien dieses Hofes sind in seinen Augen keine Menschen, sondern Kröten oder Marabus. Wie der junge Jean Paul in Weimar tritt er dabei selbst in vornehmer Gesellschaft ohne »Haarbeutel und Degen« auf (430). Was ihn besonders empört, ist die unmenschliche Langeweile der höfischen Lebensformen. Vor allem bei Tisch scheinen die meisten an »Zungenkrebs« zu leiden und dösen müde vor sich hin (431). Er spielt daher Felix Krull, simuliert nervöse Gesichtszuckungen und läßt obendrein unter der Tafel ein paar Fledermäuse frei, was zu einem allgemeinen Chaos führt, bei dem sich die ganze Lächerlichkeit dieser Gesellschaft offenbart. Doch auch sonst fehlt es nicht an satirischen Spitzen gegen die Fürsten und Tyrannen. Besonders scharf angeprangert wird ihre Heuchelei in Fragen der Kunst. Nur zu oft geschehe es, heißt es einmal, daß sie im Theater Kotzebuesche Tränen vergössen, um dann ihren Untertanen welche abzulocken (457).

Ebenso kritisch wird der Adel gesehen. So läßt sich Giannozzo auf seiner 13. Fahrt in Bad Herrenleis nieder, um an einer ›böheimischen‹ Bauernhochzeit teilzunehmen, die von adligen Badegästen in bäurischen Verkleidungen in Szene gesetzt wird. Er, der geniale Jean Jean, wie er sich plötzlich nennt, macht dabei den »Hochzeitspater« und hält vor der »Vexierbauern-Massa« in »zynischer Badfreiheit« die Kopulieransprache (493), in der er die Kraft des Landvolks mit der Schlappheit des Adels konfrontiert. »Wie erbärmlich müde, rosenfalb, gelbblättrig sehen die Armen aus«, höhnt er über die ›Großen‹, einige haben sich zur »Tugend hinaufgesündigt, andere sterben den ganzen Tag und leben ein wenig im Schlafe« (494). Giannozzo bezeichnet sie daher zusammenfassend als »Gemütsschwächlinge«, die selbst der einfachste Bauer an »Adel und Zufriedenheit« übertreffe (495). Nicht minder deutlich sind seine Seitenhiebe gegen die Kirche, der er politische Servilität und kommerzielle Raffgier vorwirft. An einer Stelle spricht er sogar von »Kirchenfalken«, die ungestraft »stechen, stoßen und rupfen« dürften (426). In der Szene, wo er als Bürgerkapitän Jean Jean die Festung Blasenstein berennt, bemerkt er hämisch, daß man unten an die Soldaten Gözens *Todesbetrachtungen* verteile. Gerade in diesen Partien wird die Prometheus-Perspektive – der trotzige Blick nach oben – besonders evident. So heißt es einmal: »Nein, nein, glaube nicht, Paternosterschnur von Welten über mir, daß ich getröstet und weinerlich aufschauen und sagen werde, ach dort droben!« (454).

Seltsamerweise wendet er sich in denselben Abschnitten auch gegen die Aufklärung, was an sich im Widerspruch zu diesem Grundkonzept steht. Den Ansatz dazu bildet seine persönliche Fehde mit Nicolai und der *Allgemeinen deutschen Bibliothek*. Schon das beweist, daß er nicht die Radikalen im Auge hat, sondern jene Kreise, die sich aus lauter Vernünftelei mit einer »gemäßigten Freiheit«, einer »guten Erholungslektüre und einem gemäßigten Deismus« begnügen (443). Im Gegensatz zu solchen Spießern der Ratio, für die es nur noch mathematische Gedankenkombinationen aber keine ›Lebensrätsel‹ mehr gibt, fühlt er sich als der große Unbedingte, als ein himmelstürmender Titan. Daher richtet sich seine Kritik an Nicolai weniger gegen die Aufklärung an sich als gegen ihre geistigen Nachtreter, die sich mit faden Witzen begnügen, anstatt ihr ›heilig glühend Herz‹ zum Ausgangspunkt ihrer Proteste zu machen.

Das zeigt sich noch deutlicher in seiner Philistersatire, wo er ganz bewußt den Rätselhaften und Unergründlichen spielt. Alle die »kleinstädtischen Achtzehnjahrhunderter ohne Geister und Religion mitten in der Kammerjägerei ihrer Brotstudien, Brotschreibereien und ihres Brotlebens« werden hier als unwürdiges Gekrabbel wandelnder Bratenröcke und grotesker Automaten charakterisiert (423). Immer wieder spottet er über das »Knicksen, Zappeln, Hunds-, Pfauen-, Fuchsschwänzen, Lorgnieren, Raillieren und Raffinieren der unzähligen Zwergstädter«, da er gerade auf diesem Gebiet über ein großes Anschauungsmaterial verfügte (426). In solchen Partien ist er ganz der ›freie Schriftsteller‹, der sein Studium abgebrochen hat, um das ungebundene Leben eines Genies führen zu können. Doch auch die Großstädter schneiden bei dieser Perspektive relativ ungünstig ab. So schreibt er abschätzig über den Kaufmannsgeist in Leipzig und schildert ein Jubiläum in Mülanz, das ebenso spießbürgerlich wirkt wie das Stiftungsfest eines Kegelklubs. Um sich einen Jux zu machen, verfaßt er einen höchst satirischen »Plan zu einem Jubiläum des Mülanzer Galgens«, dem Symbol der strafenden Obrigkeit, den er von oben auf die müde dahintrottende Festtagsprozession herunterflattern läßt. Als man ihn bei einem späteren Besuch gefangen nimmt, entzieht er sich der Verurteilung durch eine gewaltsame Flucht aus dem Fenster.

Was bleibt bei einer solchen Haltung eigentlich an positiven Gestalten übrig? An sich nur Teresa, die Linda des *Titan,* die Giannozzo bei einem kurzen Abstecher nach Italien trifft, mit einem Himmelskusse umarmt und sofort wieder verläßt, als er hört, daß sie ihren Geliebten erwarte. Nur hier im Süden, im Lande seiner Sehnsucht, scheinen wahre Menschen zu wohnen. Zu Hause dagegen, im Rahmen der ›deutschen Misere‹, erblickt er lediglich Geschmeiß und Gekrabbel, als habe man es mit einem spätmittelalterlichen oder barocken Narrenvölkchen zu tun. Angeekelt von der Kleinheit der Verhältnisse nennt er die Landschaft unter sich ein »Spuckkästchen oder Pißbidorchen«, von Schwachköpfen bevölkert, die wie aufgezogene »Repetieruhren« einhermarschieren (427). Doch trotz aller Abstecher ins Groteske bleiben die kritischen Akzente deutlich genug: Weiber knien vor Kapellen, Soldaten desertieren, Glocken läuten zum Empfang eines Fürsten, ein junger Mann wird wegen seiner dreifarbigen Kokarde erschossen. Nur wer sich unter das Joch des Gewohnten beugt, scheint in diese Welt zu passen. Wer dagegen rebelliert, muß entweder ›Luftschiffer‹ werden oder sich unter die Erde verkriechen. Denn hier herrscht nicht das Freiheitliche, sondern die große Langeweile, das Immergleiche, der von allen Obrigkeiten unterstützte Konformismus.

Selbst Giannozzo, der Ortlose, weiß nicht recht, wie er sich in dieser Situation verhalten soll. Einerseits trägt der Blick auf das insektenhafte Gewimmel unter ihm zu einer wesentlichen Steigerung seines Selbstbewußtseins bei. Ja, er berauscht sich geradezu an diesem Gegensatz. Doch dann kommen Augenblicke, wo er über die Alpen segelt oder sich aufs Meer hinaustreiben läßt, nur um keine Menschen mehr sehen zu müssen. In diesen Partien paßt sich das Ganze völlig dem Schema der ›empfindsamen Reise‹ an, deren Helden meist vom Weltekel heimgesuchte Hypochonder sind. Dafür spricht ein Zornausbruch wie: »Ich bin ohnehin schon längst die seichte Menschheit durchwatet und ein Misanthrop geworden« (444). Hier ist Giannozzo ganz der freischwebende Intellektuelle, der Schriftsteller ohne Ausweg, der an der Trägheit der Masse verzweifelt. Während er sich bemüht, einen Himmel nach dem anderen zu erstürmen, hebt die »dumpfe Menschenherde« unter ihm nur »ein wenig den Kopf von der Weide« und »bückt sich wieder und graset weiter« (443). Vor allem in seinen politischen Hoffnungen sieht er sich immer wieder getäuscht. Nirgends trifft er auf Ansätze zu einer revolutionären Erhebung, als sei man völlig zufrieden mit der allgemeinen Misere. Er bemerkt daher einmal ironisch: »Sind denn die gebildeten Europäer Nordamerikaner, welche die Träume der Nacht am Tage zu realisieren suchen?« (456).

Auf Grund dieser zunehmenden Desillusionierung wird er mehr und mehr zum ›wilden‹ Zyniker. Während zu Anfang das Enthusiastische und das Witzelnde noch in einem gewissen Gleichgewicht stehen, drängt sich gegen Ende immer stärker das Hypochondrische in den Vordergrund. In diesen Abschnitten ist Giannozzo nicht mehr das erhabene Genie, sondern der intellektuell Unbehauste, der an den geistigen und politischen Zuständen seiner eigenen Zeit zerbricht. Ständig trifft man auf erbitterte Bemerkungen wie: »Abends fraß ich in Wien. Ich mag heute nichts mehr schreiben« (437) oder »Langeweile füllet mit stehendem Ätzwasser den Napf meines Herzens ... Wie miserabel!« (496). Die ganze Erde erscheint ihm mit einem Male wie ein »morastiges Krebsloch« (435) oder ein großes Schlachtfeld, auf dem es nur Leichen und Leichenfledderer gibt. Auf diese Weise bildet sich in seinem Herzen ein abgründiger Haß gegen die Menschen überhaupt, jene »lächerlichen Kauze und Wahrheitsvögel im Hellen, die sogleich zerrupfende Raubvögel werden, sobald sie ein wenig Finsternis gewinnen« (498). In solchen Zeilen kommt eine ähnliche Enttäuschung an den Freiheitshoffnungen von 1789 zum Ausdruck wie in den *Durchflügen* von Heß, wo es gegen Ende heißt: »Und so ist denn für Freiheit, Menschensinn und Selbstheit der größte Teil der Welt eine wüste Stätte, in abgestecke Schindanger geteilt, deren Eigentümer um nichts, als um den Vorzug streiten können, wessen Beinhaufe der weiteste ist« (VI, 184).

Giannozzo möchte daher am liebsten wie ein Gewitter auf die Erde niederprasseln: halb prometheischer Erwecker, halb strafender Dämon. Wo früher Menschen lebten, nimmt er plötzlich nur noch Haie und stachlige Rochen wahr. »Die Erde war mir jetzt ein Meersboden voll ungestalter Seetiere«, heißt es an einer Stelle (472). Indem er sich immer stärker in diese Stimmung hineinsteigert, geht schließlich alles in einen wilden Taumel von Gesichten und Visionen über. Überall sieht er Schlachten und grauenvolle Zerfleischung, besonders auf seiner letzten Fahrt, wo er zum Augenzeugen einer Szene aus den Koalitionskriegen wird. »Soldatenhaufen sprengen über Hügel – Landleute rennen – ein Dorf brennt als Wachtfeuer – in einem Garten seh' ich tote Pferde, und ein Kind trägt einen abgerissenen Arm fort!« (497). Seiner und der Welt satt, sucht Giannozzo schließlich den Tod, bläst trotzig auf seinem Posthörnchen, wird vom Blitz erschlagen und stürzt mitten über dem Rheinfall von Schaffhausen in die Tiefe.

Es wäre etwas gewaltsam, sich diesen Schluß als Jean Pauls Ultima ratio vorzustellen. Ist das Ganze wirklich nur ein bis zum bitteren Ende getriebener Ich-Kult, der auf eine tragische Verklärung des ›Titanischen‹ hinausläuft? Darauf gibt es bisher keine befriedigende Antwort. Wo man sich etwas ausführlicher mit dem *Giannozzo* beschäftigt hat, liegt der Nachdruck meist auf dem ›genialischen‹ Aspekt. So sieht Paul Nerrlich in diesem Reisejournal vor allem das »Wirken des Genies«. Nach seiner Meinung geht Jean Paul hier »Hand in Hand mit dem aristokratischen Goethe«.[14] Walther Harich betont dagegen mehr das »Romantische«: den Triumph des freischaffenden Künstlers über die Welt der Spießer und Rationalisten.[15] Max Kommerell betrachtet das Ganze als ein »Weltgericht des Humoristen« und weist vergleichsweise auf die spöttische Haltung des Prinzen Vogelfrei bei Nietzsche hin.[16] Für Walter Muschg ist dieser Luftschiffer ein »Titanenjüngling«, den der »Ekel der Zeit in die Einsamkeit« treibt, um sich mit der Welt nur noch »sub specie aeterni« auseinandersetzen zu müssen.[17] Walter Höllerer empfindet das Giannozzohafte als das eigentlich »Jeanpaulsche« innerhalb des gesamten *Titan*, als das, womit dieser Roman fast an die »Grenzen des Vorstellbaren« heranreiche.[18] Horst Dahmann interpretiert diese Figur als eine Humoristengestalt, die sich von allen irdischen Wirren fernzuhalten versucht, um nicht in ihrer »überlegenen Weltbetrachtung« gestört zu werden.[19] Ähnliches behauptet Gerhart Baumann, der den Giannozzo als eine Spiegelumkehr des *Wuz*, als eine »Metapher der weltverachtenden Idee« umschreibt.[20]

Alle sieben sehen also den *Giannozzo* positiv, indem sie ihn zum Genie oder großen Humoristen verklären. Doch warum wird er dann als Scheiternder und nicht als ideale Leitfigur hingestellt? Um nicht in diesem Widerspruch steckenzubleiben, muß man den *Giannozzo* wohl stärker als bisher auf das gesamte *Titan*-Konzept beziehen. Ihn zu verabsolutieren und als das spezifisch ›Jeanpaulsche‹ auszugeben, ist ebenso irreführend wie der Versuch Georges, sich in Werken wie dem *Titan* bloß an die ›idealischen‹ Partien zu halten. Jean Paul läßt sich eben nur als die Summe seiner Widersprüche verstehen. Jedes Bemühen, diese Ambivalenz zu durchbrechen und irgendeinen Pol seines Schaffens – sei es das Humoristische, Empfindsame oder Hypochondrische – zum obersten Maßstab zu erheben, führt notwendig zu einer Mißinterpretation, nämlich zu der von ihm so gehaßten ›Einkräftigkeit‹.

Es ist daher unumgänglich, selbst bei einer solchen Supplementgeschichte einen kurzen Blick auf den Gesamtplan des *Titan* zu werfen. Was Jean Paul mit diesem Roman in toto im Auge hatte, kommt am klarsten in dem oft zitierten Brief an Jacobi zum Ausdruck: »Titan sollte heißen Anti-Titan; jeder Himmelstürmer findet seine Hölle; wie jeder Berg zuletzt seine Ebene aus seinem Tale macht. Das Buch ist der Streit der Kraft mit der Harmonie. Sogar Liane (Schoppe) muß durch Einkräftigkeit versinken« (Br. IV, 236). Es geht also um eine Überwindung des Genialischen, des maßlos Subjektiven und Ordnungssprengenden, worunter Jean Paul alle seit Klopstock, dem Sturm und Drang und letztlich durch Fichte erregten ›Selbstheit-Ideen‹ versteht. Beispiele dafür bietet der Hauptroman genug. Mit Schoppe stirbt die philosophische Ichhaftigkeit ab, in der Figur Lianes vollzieht sich die Euphorie der Empfindsamkeit. Daraus ergibt sich die Frage, ob nicht auch Giannozzo, der ichbesessene Jean Jean, ein solcher ›Himmelsstürmer‹ ist, dessen Absturz eher an eine Verurteilung als an ein tragisches Scheitern gemahnt? So gesehen, wäre dieser *Giannozzo* eine ebenso scharfe Kritik an jenem philosophischen Egoismus, ja Solipsismus, wie er sie auch in seiner *Clavis Fichtiana* durchexerziert.[21]

Vergegenwärtigen wir uns noch einmal den zeitlichen Hintergrund dieser Geschichte, den Winter 1800 auf 1801, der für Jean Paul den Höhepunkt seiner gesellschaftlichen und literarischen Karriere bedeutete. Fortuna schien es endlich gut mit ihm zu meinen und breitete eine Fülle verlockender Gaben vor ihm aus:

Ruhm, Geld, soziale Anerkennung und die Abgötterei aller schöngeistig empfindenden Frauenzimmer. Und doch entscheidet sich Jean Paul gerade in diesen Monaten ganz im Sinne seiner *Konjektural-Biographie* (1799) für das Schlichte und Einfache: für Karoline Mayer, ein anspruchsloses und häuslich veranlagtes Bürgermädchen. Er wird kein Salonlöwe, heiratet keine Titanide, bemüht sich nicht um einen Adelstitel, sondern erkennt die Verführung des Ruhms, der weiblichen Anbetung und der gesellschaftlichen Eitelkeit, wie ihm auch sein weltmännisches Reiseleben plötzlich als ›aufreibend‹ erscheint.

Dafür einige Briefstellen und Zitate, in denen er sich von allem ›Genialischen‹ scharf distanziert. So schreibt er an Charlotte von Kalb: »Seit dem Tode meiner Mutter sehnet sich meine ganze Seele nach der Wiederkehr der häuslichen Freude, die ich nie dem weltbürgerlichen Reiseleben abgewinne« (Br. III, 28). Er träumt daher von einem selbstgewählten Idyll, einem »Gütlein Mittelspitz«, wo er nach seiner Strichvogelexistenz, dem »rauschenden Fliegen des Lebens«, endlich die nötige Ruhe findet (VII, 453). Gerade der ständige Ortswechsel, den er kurz zuvor noch als unentbehrlich empfunden hatte, wird ihm mit einem Male lästig, da er nur das Vorübergehen, aber nicht das Verankern erlaubt. Vielleicht ist ihm dabei sein Protest gegen das Reisen in *Habermanns große Tour* eingefallen, in dem das bloße ›Durchfliegen‹ als eine arrogante Kavalierssitte, etwas Kaltes und Höfisches angeprangert wird: »Wen aber das Reisen zwingt, vor tausend Menschen gleichgültig vorüber zu fahren, der gewöhnt sich daran, überhaupt vor den Menschen gleichgültig vorüber zu ziehen, und das Reisen und das Hofleben scheinen – bis man sich bei den Seinigen wiederansaugt und kein schwimmendes Meergewächs ohne Boden bleibt – aus einerlei Gründen einerlei Kälte, Nachgiebigkeit, Toleranz und Höflichkeit zu pflanzen. Daher jene Mordkälte der Großen und Fürsten« (I, 252). Auch das Gesellschaftliche lockt ihn plötzlich nicht mehr so wie in Weimar. Das beweist sein Brief vom 19. November 1800 an Jacobi, wo es unter anderem heißt: »Ach der Jugend-Wahn ist vorüber, der zu berühmten Leuten treibt« (Br. IV, 22). Schließlich war er selbst ein berühmter Mann geworden, der es nicht nötig hatte, den Zuspruch oder die Anerkennung der anderen zu suchen. Sogar in seinem Auftreten zeigt sich diese Entscheidung zum Schlichten. Das Berliner Publikum, das einen kuriosen Sonderling erwartet hatte, war daher völlig konsterniert, als es einen milden, willig zuhörenden und sanft lächelnden Jean Paul kennenlernte, der alle erwarteten Manieriertheiten vermissen ließ.

Aus diesem Grunde wäre es falsch, seine Verlobung mit Karoline als einen Widerspruch zu den Kühnheiten des *Giannozzo* zu empfinden. Sie ist eher ein Pendant dazu. So schreibt Jean Paul schon am 16. Juni 1800 an Gleim: »Mein Herz will die häusliche Stille meiner Eltern, die nur die Ehe gibt. Es will keine Heroine – denn ich bin kein Heros« (Br. III, 342). Er fühlt genau, daß seine vielfältigen Beziehungen zu unverstandenen oder geschiedenen Gräfinnen immer stärker ins Erotische drängen. Doch anstatt dem selbsterregten Sturm nachzugeben, seine Reinheit zu verlieren und ein genialischer ›Himmelstürmer‹ zu werden, besinnt er sich im letzten Augenblick auf seine empfindsam-moralische Grundposition. Nichts fürchtet er mehr, als zu ›fallen‹. Er will – im Sinne der verbreiteten Antixenien-Stimmung – auch ethisch bei der Partei der Gleim, Herder und Jacobi stehenbleiben, weder wie Schiller in den Adel hinaufheiraten noch sich wie Goethe nach alter Kavalierssitte eine Mätresse halten. Gerade in diesem Punkt denkt er ausgesprochen ›bürgerlich‹. Seine Verlobung ist also ein Versuch, nach Jahren des außergesellschaftlichen Titanidentums wieder in die alten Gleise einzulenken. Er fühlt sich verbraucht, gefühlsmäßig und körperlich, ausgezehrt durch unermüdliches Schreiben und reichlich gespendeten Seelentrost – und will endlich einen Hafen finden. An die Stelle der ›dämonischen‹ Titaniden tritt daher die ruhige Karoline, von der er an Otto schreibt, daß er bei ihr noch keine »neblichte oder gar gewitterhafte Stunde« verbracht habe, »ohne die sonst keine erotische Woche verging« (Br. IV, 29). Es handelt sich also bei diesem Schritt um eine klare Entscheidung, nämlich ›Hausvater‹ zu werden und so neue Kraft zu gewinnen, »damit ich nicht meinen Körper durch das ewige Silber-Ausbrennen meines Geistes vor der Zeit einäschere«, wie er sich Gleim gegenüber äußert (Br. IV, 29). Nach Jahren des Protestes will er wieder ins Idyll zurück, in eine nostalgisch gesehene Jugendzeit, wo es noch keinen »Giganten-Geist« gegeben habe (Br. IV, 12). Vor allem das freigeistige Heidentum à la grec, wie man es in Weimar trieb, erscheint ihm immer suspekter. Er meint damit nicht nur den großen ›Egoisten‹, kalten Aristokraten und fühllosen Menschenverbraucher Goethe, sondern auch Schiller, dessen Porträt er schon Jahre zuvor mit einem luziferischen Cherubim verglichen hatte, der sich über alles erhebe, »über die Menschen, über das Unglück und über die – Moral« (Br. II, 96).

Eine solche Mißachtung der christlichen Tradition mußte auf Jean Paul, für den ›Unsterblichkeit‹ und ›Nächstenliebe‹ zu den Grundfesten seines Denkens gehörten, notwendig den Eindruck des Titanischen, ja der einzelpersönlichen Rücksichtslosigkeit machen. Auch er wollte eine Umwälzung der bestehenden Ordnung, aber doch mehr eine innerliche, seelische, aus dem Geist christlich-demokratischer Bruderschaft heraus. Sein Gesuch an Friedrich Wilhelm III., das er kurz nach Abschluß des *Giannozzo* verfaßte und in dem er sich ›treugehorsamst‹ um eine Präbende bewirbt, ist daher keine Heuchelei. Er nennt dort den Zweck seiner Dichtung, den »sinkenden Glauben an Gottheit und Unsterblichkeit und an alles was uns adelt und tröstet zu erheben und die in einer egoistischen und revolutionären Zeit erkaltete Menschenliebe wieder zu erwärmen« (Br. IV, 68). Das wirkt auf den ersten Blick wie Opportunismus oder Hypokrisie. Und doch spielt Jean Paul hier nicht den Wolf im Schafspelz, der bei den Fürsten schnorrt und sich zugleich lustig über sie macht, sondern nimmt wirklich Abschied von dem aufs höchste gesteigerten Ich-Kult der Genieepoche, der im Rahmen einer weitgehend konservativen Gesellschaftsordnung notwendig zu gewissen Verzerrungen führen mußte.

Das beweist ein nochmaliger Blick auf den *Giannozzo*. Während bei einer oberflächlichen Lektüre die Gleichsetzung von Gian und Jean durchaus plausibel erscheint, bekommt man nach längerer Beschäftigung mit dem Ganzen einige Zweifel an dieser Identität. Jedenfalls stimmt sie nur insoweit, als Jean Paul in dieser Gestalt *eine* Möglichkeit (oder Gefahr) seines Wesens literarisch objektiviert und dann absterben läßt. Hierin sein ›Eigentlichstes‹ zu sehen, würde bedeuten, daß sich sein weiteres Leben unter der Maske einer absoluten Mimikry vollzogen habe. Eine solche Perspektive ist selbstverständlich Ansichtssache. Rein objektiv gesehen, finden sich jedoch für diese These wenig Belege. So ist in seinen Briefen, die sonst so offen und aufschlußreich sind, nie von einer direkten Identifizierung mit Giannozzo die Rede. Als Modellfigur erwähnt er lediglich den Naturburschen und »Ex-Religiosisten« Michael Kosmeli (Br. III, 375). In welchem Verhältnis er jedoch zu diesem stand, beweist eine briefliche Äußerung Kosmelis an Jean Paul vom 31. Oktober 1801: »Ich muß Ihnen gestehen, daß ich Sie jetzt mehr liebe und mehr wie vorher, da ich aus Berlin reiste [Dez. 1800], da es mir vorkam, als ob sie sich nur immer Ihrer Moralität gegen mich überhöben, indem sie mich verdammten; besonders erbitterten sie mich, ich gestehe es Ihnen aufrichtig, durch die laute Ermahnung, moralischer zu leben, die sie mir in der Marienkirche nachriefen.«[22] Daß Jean Paul auch dem ›kühnen‹ Blanchard höchst kritisch gegenüberstand, beweist die Stelle, wo er ihn einen »erbärmlichen Luft-Stylisten« nennt, der es lediglich aufs Geld der sensationslüsternen Zuschauer abgesehen habe (474). Selbst das Wort ›Montgolfiere‹ wird meist recht negativ verwendet. So bezeichnet er in einem Brief an Jacobi Fichtes idealistische Ichspekulationen als »Seifenblasen-Montgolfieren«, um auf das Schillernde und zugleich Gefährliche dieser subjektivistischen Überhebung hinzuweisen (Br. III, 338). An anderen Stellen werden seelische Windbeuteleien als fragwürdige ›Luftschiffer-Geschäfte‹ hingestellt.

Ähnliche Vorbehalte ließen sich bei einer genaueren Analyse der einzelnen Gestalten und Motive machen. Schon indem er die Hauptfigur bis zur letzten Konsequenz treibt, bekommt sie einen Zug ins Maßlose und damit Negative. Denn im Gegensatz zu Sterne und Thümmel wird auf diese Weise das Schema der üblichen ›Sentimental Journey‹ radikal durchbrochen. Am Ende steht hier nicht die Heilung von der Hypochondrie, sondern der Selbstmord des bindungslosen Subjektivismus. In diesem Punkt wirkt der Giannozzo wie ein verlängerter Schoppe, was in der nachfolgenden *Clavis Fichtiana seu Leibgeberiana,* die er im Untertitel ausdrücklich als *Anhang zum I. komischen Anhang des Titan* bezeichnet, noch deutlicher zum Ausdruck kommt. Auch die literarische Einkleidung, nämlich der Zusatz *Almanach für Matrosen, wie sie sein sollten,* hat einen höchst fragwürdigen Charakter. Schließlich handelt es sich hierbei um eine parodistische Anspielung auf Karoline von Wobesers Roman *Elisa oder das Weib wie es sein sollte* (1795), das in den Bereich der übelsten Machwerke gehört. Unter dieser Perspektive gesehen, ist also sein *Giannozzo* eher ein ›Almanach für Matrosen, wie sie nicht sein sollten‹. Dazu paßt, daß sich Jean Paul schon auf der ersten Seite weigert, die chemische Formel der Ballonfüllung anzugeben, und in einer fingierten Anmerkung scheinbar ironisch behauptet: »In unserer alles entmastenden Zeit... halt ich gewiß mit Recht dieses Revolutionsrezept zurück« (422). Es sollen eben nicht alle so ›wild‹ herumfahren. Daher werden die verschiedenen Kriege und Revolutionen der neunziger Jahre zum Teil aus dem herrschenden Genieunwesen erklärt, das besonders gegen Ende in einem recht problematischen Licht erscheint. So heißt es in einer Fußnote, als Giannozzo in äußerster Erbitterung das unwürdige Gekrabbel unter sich mit Steinen bombardiert: »O Giannozzo, der Wahnsinn, womit du verwunden hilfst, ist eben der gräuliche, der die Völker gegeneinander treibt! D. H.« (499).

Ebenso doppelsinnig wirkt seine Kritik an Kirche, Hof und Adel, die manchmal so stark ins Groteske übersteigert wird, daß sie fast die Form der alten Narrensatire annimmt. Seine Adels-, Kirchen- und Hofnarren lassen sich daher sowohl revolutionär als auch konservativ-moralisch interpretieren. Trotz aller demokratischen Ideale wird hier die Welt des ›Ancien régime‹ doch als eine feste Gegebenheit anerkannt. Wie bei Brant, Murner oder Moscherosch ist seine Satire in den meisten Fällen nicht umstürzlerisch, sondern belehrend gemeint. Vor allem in seinen Angriffen gegen die Kirche steckt in Jean Paul immer noch der Pastorensohn und abtrünnige Theologiestudent aus Leipzig, der selbst in seinen scheinbar ›atheistischen‹ Passagen nie die anerzogene Pietät vor dem Heiligen überwindet. Unter dieser Perspektive gesehen, erinnert der *Giannozzo* fast an einen barocken Aufschneiderroman, bei dem das einzelmenschlich Geniale ebenfalls aus didaktischen Gründen ins Groteske verfremdet wird, wie das Beispiel des *Schelmuffsky* beweist. Indem sich nämlich Giannozzo eine absolute Narrenfreiheit herausnimmt, wird auch er mehr und mehr zum Narren. Und so läßt sich denn das Ganze ebensogut als eine verrückte Narrenpredigt interpretieren, etwa im Sinne der *Nachtwachen des Bonaventura*, die zweifellos unter Jeanpaulschem Einfluß stehen. Diese Harlekinsmaske erlaubt ihm zugleich, auch sein eigenes Ich als närrisch hinzustellen und einer scharfen Selbstkritik zu unterziehen. Denn daß er immer wieder sich selbst ins Auge faßt, läßt sich trotz aller Maskierung nicht übersehen. Ständig nimmt er frühere Fehler zurück und versucht neue Lösungen anzudeuten. Das zeigt sich besonders deutlich in den langen Spekulationen über die Verführungskraft der Poesie, wo er sich auf die Fülle seiner eigenen Erfahrungen stützt. Und zwar vergleicht er hier die modernen Dichter mit Zibetkatzen, die als »Fümet« sogenannte »tugendhafte Empfindungen« absondern, hinter denen sich lediglich erotische Wunschvorstellungen verbergen (457). Ebenso scharf wendet er sich gegen sein bisheriges Prinzip der ›Simultanliebe‹. Vor allem in der Fahland-Episode stellt er die Poesie eindeutig als Erweichungsmittel weiblicher Herzen hin, dessen sich die »poetischen Rouants« nur bedienen, um auf dem Umweg über die Seele auch den Leib zu erobern (438). Giannozzo distanziert sich selbstverständlich von solchen Praktiken und behauptet: »Nie blies ich ein armes dummes Herz mit Aether auf und ließ den Globen an meinem Faden bald hoch, bald niedrig fliegen und tat zuletzt einen derben Schnitt hinein, daß es mir als ein welkes Häutchen vor die Füße niederfiel nach langem Ziehen, Schwellen, Weinen, Irren und Zagen, und seiner und meiner satt« (439). Doch gerade das hatte Jean Paul häufig genug getan. Daher klingt auch seine scheinheilige Empörung über Fahland, der in vier Städten acht Bräute habe und in der fünften die neunte heirate, eher wie ein Witz, da es sich hier um eine deutliche Selbstparodie handelt (439). Obendrein weist er höchst ironisch darauf hin, daß Fahland bei seinen Verführungsszenen stets einen Roman »von dem aus Feucht-Wangen gebürtigen Jean Paul« in der Tasche habe, dessen »Zähren-Bücher« nicht nur die Seelen, sondern auch die Körper miteinander »kopulierten« (439).

Damit ist selbstverständlich ein Abschied von jener tränenreichen Empfindsamkeit gemeint, die sich vom *Werther* über den *William Lovell* in die Frühromantik zu ergießen drohte. Das Dichterische, der bindungslose Subjektivismus, der Ich-Kult werden daher nicht nur positiv ›freiheitlich‹ gesehen, sondern im gleichen Atemzug als überspannte Phantasterei und Hybris angeprangert. Vor allem in den letzten Abschnitten erscheint das Genie immer stärker als der

Ichwütige, der Exreligiosist oder – barock gesprochen – als der vom Teufel Besessene. Das zeigt sich besonders deutlich in der Brockenszene, wo plötzlich die Perspektive Lesages zum Durchbruch kommt und sich der Teufel mit Wohlgefallen an dem allgemeinen Narrentheater weidet. Eine auffällige Neigung für diese Art des ›schwarzen Humors‹ findet sich bei Jean Paul schon in seiner *Auswahl aus des Teufels Papieren.* Die Gleichsetzung von Genie und Teufel ist darum gar nicht so fernliegend, wie es den ersten Anschein hat. So heißt es in der Brockenszene: »Genies sind daher völlig des Teufels lebendig, wie andere es später sind« (457). Eine Seite später betont Giannozzo ausdrücklich, daß er sich so »erhaben und kalt« wie ein Teufel fühlen möchte. Sein Untergang wird deshalb mehr und mehr zu einer Höllenfahrt im barocken Sinne. Die ganze Welt scheint sich unter ihm in einen brennenden Scheiterhaufen zu verwandeln. Noch kurz vor seinem Tode notiert er sich in sein Logbuch: »Nun seh' ich die Ebene und die Rauchklumpen, die die brennende Hölle auftreibt. Wie mich hinein gelüstet!« (497). Man denkt hier unwillkürlich an ›Exreligiosisten‹ wie Faust oder Don Juan, die sich als Aufklärer oder Verführer plötzlich dem Höllenschlund gegenübersehen. Doch erst, als er über dem Rheinfall zu Schaffhausen zwischen zwei Gewitter gerät, bläst er trotzig auf seinem Posthörnchen, um den höllischen Mächten das entscheidende Signal zu geben. Ja, er erwähnt sogar noch einmal den *Don Giovanni,* bevor er vom Blitz erschlagen wird. Als ihn sein Freund Graul alias Leibgeber mit verbrannten Augenbrauen, abgerissenem Arm und zerfetztem Munde wiederfindet, sagt er betrübt: »Wahrlich, ich gedenke deiner, armer Teufel!« (502).

Damit ist die innere Ambivalenz dieser Geschichte aufs höchste gesteigert. Giannozzo erscheint mit einem Male als der ›arme Teufel‹, der verdammte Außenseiter, der zwischen allen Stühlen sitzt und schließlich an seiner selbstverschuldeten Einsamkeit zugrunde geht. Wofür sich Jean Paul eigentlich entscheidet, ob für Bindung oder Freiheit, bleibt durch diesen Schluß weitgehend in der Schwebe.[23] Eine Lösung dieser scheinbaren Antinomie läßt sich nur dann erreichen, wenn man sich fragt, was hier bewahrt und was hier aufgegeben wird. Die Resignation betrifft vor allem das Geniewesen, die atheistischen Neigungen, die Reiselust, den Titanismus, die

Simultanliebe und die Hoffnung auf eine Republik, all das, was ihm plötzlich als luziferischer Subjektivismus erscheint, da ein solches Verlangen notwendig auf einen hybriden Aristokratismus des Geistes hinauslaufen müsse. Unter dieser Perspektive ist der *Giannozzo* eher ein Werk der Enttäuschung als des trotzigen Auftrumpfens. Man könnte daher seinen Untergang fast mit dem Selbstmord Werthers vergleichen, den Goethe für sich sterben läßt, um nicht der Gefahr eines rein subjektiven Seelentitanismus zu verfallen. Daß sich die Auswegslosigkeit dieser schwärmerisch-idealistischen Seelenhaltung, besonders in politischer Hinsicht, zwischen 1774 und 1801 wesentlich verschärft hatte, liegt auf der Hand. Die französische Revolution war in die jakobinische ›Schreckensherrschaft‹ und das Elend der Koalitionskriege umgeschlagen, die Hoffnung auf eine deutsche Republik war ferner denn je. Jean Paul gibt daher den Jean Jacques, den Giannozzo, den ›großen Hans‹ in sich auf und wird wieder zum Paul Friedrich Richter. Was er jedoch bewahrt, ist die ›innere‹ Freiheit. Er kehrt zwar nach Bayreuth und damit in die Provinz und zur schlichten bürgerlichen Ehe zurück, bleibt jedoch ein ›freier Schriftsteller‹, was damals noch fast hybride Züge hatte. Ja, er behält sogar manche seiner demokratischen Neigungen und Bürgertugenden bei. Das beweist seine politische Einstellung während der napoleonischen Ära, wo er sich zum Ärger aller überzeugten Nationalisten höchst kosmopolitisch verhielt. Kurz gesagt, er bewahrt sich trotz einiger weltanschaulichen Abstriche seine geistige Unabhängigkeit, bleibt ein Christ im allgemeinen und entwickelt sich nicht zu einem Romantiker im konservativen Sinne, was ebenso nahegelegen hätte.

An dieser Einstellung hat er ungefähr bis zum Jahre 1815 festgehalten. Sein Rückzug ins ›Restaurative‹ setzt erst nach dem Wiener Kongreß ein, besonders im *Kometen*, wo er alle ›hochfliegenden‹ Pläne als bloße Phantasterei abtut. Hier kann man wirklich von einer Narrensatire im älteren Sinne sprechen, was zu einer weitgehenden Eliminierung der humanozentrischen Elemente seiner mittleren Romane führt. So betrachtet, bildet der *Giannozzo* einen der wichtigsten Umschlagspunkte seiner gesamten geistigen und literarischen Entwicklung. Am Anfang dieser Kurve steht Ottomar, der Genius der *Unsichtbaren Loge*, dessen Ziel eine »Republik« aller Tugendhaften im Sinne Platos ist (II, 210). Er repräsentiert das Ideal des »hohen Menschen«, des »Festtagsmenschen«, der mehr in »Sonnennähe« als in »Erdnähe« lebt (II, 205). Ein ähnliches Pathos atmen die ›republikanischen‹ Partien seines *Hesperus*. Doch dann setzt ein allmähliches Abflauen dieser politischen Zukunftsträume ein, bis sich im Giannozzo die endgültige Krise vollzieht. Noch einmal gestaltet er das Ideal des ›hohen Menschen‹, ja des ›Himmelstürmers‹, worin ein letztes Aufbäumen seiner demokratischen Hoffnungen und zugleich ein kritischer Anti-Titanismus zum Ausdruck kommen. In den folgenden Jahren geht er solchen Problemen mehr und mehr aus dem Wege. Jean Paul ist darin durchaus Repräsentant der älteren Intellektuellenkreise nach 1793, bei denen sich eine verbreitete Wendung vom Politischen ins Moralische und Ästhetische beobachten läßt.[24] Man denke an Schillers *Ästhetische Erziehung*, Klopstocks späte Oden oder Goethes *Natürliche Tochter*. Überall zeigt sich eine gewisse Entsagung, da sich für die bürgerliche Freiheit einfach kein Spielraum eröffnet. Die sogenannte ›Klassik‹ flüchtet ins Künstlerische und Allgemein-Menschliche,[25] Hölderlin in ein ideal gesehenes Griechenland, Jean Paul kehrt zu einer didaktisch-moralisierenden Haltung zurück, in der das ›Giannozzohafte‹ zwar noch nachzittert, die jedoch – aufs Ganze gesehen – auf alle ›jakobinischen‹ Elemente verzichtet.

Die Autoren der folgenden Restaurationsepoche konnten daher aus seinen Werken herauslesen, was sie wollten. Die Konservativen hielten sich vor allem an seine empfindsamen Schwärmer und skurril verharmlosten Käuze, während Jungdeutsche wie Börne, Heine und Spazier an Jean Paul gerade das Republikanische, den hilfsbereiten ›Armenadvokaten‹ schätzten, um der politisch indifferenten Arroganz des alten Goethe ein positives Leitbild entgegenstellen zu können. Denn auch sie wandten sich ja gegen jede ›titanische‹ Überspannung der einmal in Gang gesetzten Emanzipationsspirale und traten für einen Literaturgeist ein, bei dem nicht das aristokratische Ich, sondern die demokratische Sympathie im Vordergrund steht. Und so schreibt denn Theodor Mundt 1833, fast als hätte er den *Giannozzo* im Sinn: »Jedoch das Eine möchten wir festhalten, daß wir den Irrtum, der besonders in Deutschland so gefährlich gewesen, nunmehr als einen vergangenen erkennen, nämlich den Irrtum des produktiven Individuums, an sich und sein Schaffen, wie an seine Persönlichkeit eine ganze Welt geknüpft zu sehen und sich durch sein einzelnes Talent zu einer geistigen Universalherrschaft über die Zeit berufen zu achten. Daher das titanenmäßige, revolutionäre Ringen der Geister in der vergangenen Literaturperiode; daher die viele Verzweiflung unglücklicher Genies und der häufige Wahnsinn in Deutschland; daher die poetische Himmelstürmerei und der geistige Hochmut gegen Ende des vorigen Jahrhunderts. Diese Literaturperiode liegt hinter uns. Sie gleicht einer gewaltsam bewegten Aristokratie, an deren Stelle in der heutigen Tagesliteratur, wo weniger einzelne Kräfte riesenhaft hervorstreben und ein gleichmäßig verteiltes, heiteres Schaffen zu einem allgemeinen, glücklichen und harmonischen Bildungszustand der Menschheit hinarbeitet, eine mehr republikanische Literaturverfassung getreten ist.« [26]

Adolf Glaßbrenner: Berlin wie es ist und – trinkt

(1832-1850)

In Fontanes *Stechlin* sagt der alte Dubslav einmal zum Prediger Frommel: »Als ich noch Leutnant war, freilich lange her, mußten alle Witze von Glasbrenner [!] oder von Beckmann sein«.[1] Diese Äußerung ist in ›Sachen Glaßbrenner‹ nicht ohne Belang. Erstens: daß es im Jahre 1899 nur noch die ganz Alten sind, die sich an ihn erinnern. Zweitens: daß man ihn mit dem Komiker Friedrich Beckmann auf eine Stufe stellt, dessen *Eckensteher Nante im Verhör* (1833) sich kaum über das Niveau eines »zusammengestoppelten Mischmaschs aus Wiener Lokalpossen« und »alten Anekdoten und Späßen« erhebt, wie Glaßbrenner in einer Zwischenbemerkung des zweiten Bandes seiner Sammlung *Berliner Volksleben* (1847 bis 1852) schreibt.[2] Drittens: daß es gerade die Offiziere waren, die über seine Witze gelacht haben, und nicht das ›Volk‹, dem er seine Werke an sich zugedacht hatte. Für einen Autor, der zu den wenigen radikalen Demokraten in der deutschen Literatur gehört, ist das ein bitteres Fazit, ja geradezu ein Hohn auf seinen ganzen Lebenskampf. Alles, was von seinen vielseitigen schriftstellerischen Bemühungen weiterlebt, sind ein paar ›Witze‹, und selbst an die erinnert sich bloß jener märkische Adel, den Glaßbrenner zeit seines Lebens als eine längst anachronistische Kaste von dummstolzen Krautjunkern und bramarbasierenden Degenraßlern anzuprangern versuchte.

Leider hat sich an dieser Situation seit 1899 nicht viel geändert. Anstatt Glaßbrenner endlich in das deutsche Nationalbewußtsein aufzunehmen oder ihn wenigstens mit einer Gesamtausgabe seiner Werke zu würdigen, gilt er weiterhin als ein altberliner Witzereißer, dessen Texte sich am besten für reisende Vortragskünstler eignen. Es gibt daher fast nur Anthologien seiner Werke, in denen das ›Humorige‹ überwiegt. Schon die Titel dieser Bände zeigen deutlich genug, was man hier im Sinne hat: *Buntes Berlin* (1912), *Altes, lustiges Berlin. Humoristische Bilder und Skizzen* (1920), *Wie wa Berlin so quietschvajniegt* (1925), *Berliner Leben* (1936), *Das heitere Brennglas* (1950), *Altes, gemütliches Berlin* (1955) und *Wie war Berlin vergnügt* (1960). Nichts gegen Witze! Aber man sollte sie nicht ständig ins Lokale verdünnen und zugleich jede politische Absicht aus ihnen eliminieren. Die meisten dieser Auswahlbände wirken daher etwas abgestanden und ließen sich – notfalls – auch unter ›Beckmann‹ klassifizieren. Doch wollte Glaßbrenner nicht weit mehr als bloß ein simpler Spaßmacher sein, der die ›quietschvajniegte Jemietlichkeit‹ auf seine Fahne schreibt?

Werfen wir erst einmal einen kurzen Blick auf seine Biographie, die sofort ganz andere Aspekte aufdeckt und jede Stilisierung ins Lokale oder bloß Witzige von vornherein unmöglich macht. Geboren wurde Glaßbrenner am 27. März 1810 in Berlin. Sein Vater war Besitzer einer kleinen Putzfedernwerkstatt, der seine zahlreiche Familie mehr schlecht als recht durchs Leben brachte. In den vier Jahren auf dem Friedrich Werderschen Gymnasium scheint der kleine Adolf ein Mitschüler Gutzkows gewesen zu sein. Da es seinen Eltern an den nötigen Mitteln fehlte, wurde er Ostern 1824 als kaufmännischer Lehrling in eine Seidenwarenhandlung gesteckt. Doch sein Wissenseifer ließ ihm auch in den folgenden Jahren keine Ruhe. Trotz seiner anstrengenden Berufstätigkeit hörte er sich nebenher einige Vorlesungen Hegels an und verfaßte bereits 1827 kleine Feuilletons für den Saphirschen *Berliner Courier*. 1830 gab Glaßbrenner den Kaufmannsberuf endgültig auf, zog zu seiner inzwischen verwitweten Mutter und versuchte, sich als Journalist zu etablieren. Sein erstes Eigenunternehmen war die Wochenschrift der *Berliner Don Quixote*, die jedoch nur vom Januar 1832 bis zum Dezember 1833 erscheinen konnte und dann wegen ›injuriöser Artikel‹ gegen den Adel und Seine Majestät den König ihre Lizenz verlor.[3] Als Strafe für dieses ›Preßvergehen‹ wurde dem »Ladendiener« Glaßbrenner, wie ihn das amtliche Protokoll des preußischen Oberzensurkollegiums nennt,[4] für die nächsten fünf Jahre jede redaktionelle Tätigkeit innerhalb seines Geburtslandes strengstens untersagt. Als er 1834 die besten Artikel seines *Don Quixote* unter dem aufreizenden Sammeltitel *Aus den Papieren eines Hingerichteten* veröffentlichte, kamen auch diese auf den Index. Um sich über Wasser zu halten, hatte Glaßbrenner bereits 1832 eine Serie kleiner Genrebilder mit dem unverbindlichen Reihentitel *Berlin wie es ist und – trinkt* angefangen, die sich als ungewöhnlicher Erfolg erwies und eine Fülle von Nachahmungen hervorrief. Angeregt, etwas Ähnliches über die Wiener zu schreiben, reiste er im Frühjahr 1835 nach Österreich und ließ 1836 in Leipzig seine *Bilder und Träume aus Wien* erscheinen. Obwohl er seinen Namen diesmal nicht aufs Titelblatt setzte, wurden auch sie sofort verboten.[5] Die gleichen Schwierigkeiten hatte er mit seiner Serie *Berlin wie es ist und – trinkt,* über die von den Berliner Zensoren nach dem sechsten Heft, den *Guckkästnern,* die strengste Acht verhängt wurde.[6]

Überhaupt war die Zeit nach 1835 besonders unerfreulich für ihn, da durch das Verbot der Jungdeutschen im Frankfurter Bundestag jede Möglichkeit ›liberaler‹ Meinungsäußerung für Jahre hinaus fast völlig zum Erliegen kam. Auch Glaßbrenner sah sich daher gezwungen, zu weniger verfänglichen Themen zu greifen, wenn er als freier Schriftsteller weiterexistieren wollte. Den Beweis dafür liefern sein *Deutsches Liederbuch* (1837), sein *Taschenbuch für ernste und heitere Poesie* (1837–38) und seine Serie *Buntes Berlin* (1837–53). Auch sein Buch *Aus dem Leben eines Gespenstes* (1838), das an Pücklers *Tutti Frutti* (1834) erinnert, bleibt im Rahmen dieser gehobenen Unterhaltungsliteratur. Als sich Glaßbrenner am 1. Oktober 1838 – nach Ablauf der fünfjährigen Sperrzeit – um die Lizenz für eine neue Zeitschrift bewarb, wurde er vom preußischen Oberzensurkollegium als ›nicht würdig‹ abgelehnt. Die gleiche Abfuhr erhielt er ein Jahr später, als er mit Varnhagen von Ense eine Wochenschrift unter dem Titel *Der Preuße. Freimüthige Blätter für Leben und Kunst* gründen wollte. Auf Grund dieser Schikanen sah er sich schließlich gezwungen, auf kurze Zeit als ›unverantwortlicher‹ Mitarbeiter beim *Freimüthigen* unterzuschlüpfen. Im September 1840 heiratete er die Wiener Schauspielerin Adele Peroni, eine Schülerin Ferdinand Raimunds, die seit 1837 am Königstädtischen Theater in Berlin tätig war. Als Adele kurze Zeit später wegen ihrer Verbindung mit dem ›berüchtigten‹ Glaßbrenner von der Intendanz entlassen wurde, ging das jungverheiratete Paar 1841 nach Neustrelitz, wo man der inzwischen bekannt gewordenen ›Peroni‹ ein lebenslängliches Engagement an der dortigen Hofbühne angetragen hatte.

Die Jahre in Neustrelitz waren für Glaßbrenner persönlich sehr bedrückend, wirkten sich jedoch schriftstellerisch äußerst fruchtbar aus. Anstatt wie so mancher Jungdeutsche zum Renegaten abzusinken, entwickelte er sich in dieser Zeit zu einem ausgesprochenen ›Vormärzler‹, dessen Hauptwaffen das Satirische und das Tendenziöse sind.[7] Man denke an seine *Neuen Berliner Guckkastenbilder* (1841), die *Verbotenen Lieder* (1844), die *Berliner Gewerbe-Ausstellung* (1844) und *Herrn Buffeys Wallfahrt nach dem heiligen Rocke* (1845), die einem Herwegh, Freiligrath oder Dingelstedt an politischer Entschiedenheit in nichts nachstehen und in den meisten Bundesländern sofort verboten wurden. Auch seine Reihe *Berlin wie es ist und – trinkt*, die zwischen 1837 und 1842 zu einem völligen Stillstand gekommen war, nimmt in diesen Jahren eine ganz andere Schärfe an. Das gleiche gilt für seinen *Neuen Reineke Fuchs* (1846), in dem er wie Gilm und der junge Keller gegen die Jesuiten zu Felde zieht. Obwohl auch dieses Werk sofort nach seinem Erscheinen auf die Verbotsliste kam, gelang es dem Verleger Lorck in Leipzig noch kurz vor der Beschlagnahme 5000 Exemplare unter die Leute zu bringen, so berühmt war Glaßbrenner inzwischen geworden.[8] Ein ähnliches Schicksal hatte sein *Komischer Volkskalender* (1846–54), den man immer wieder zu unterdrücken versuchte und gerade damit zu einer enormen Beliebtheit verhalf. Die preußische Regierung war über die ›Verwerflichkeit und Gemeinheit‹ dieser Schriften so erbittert, daß sie Glaßbrenner schließlich zur ›persona nongrata‹ erklärte und ihm jede Rückkehr nach Berlin strengstens untersagte.

Doch alle diese Verbote und Behinderungen wurden durch den Volksaufstand vom März 1848 mit einem Schlage über den Haufen geworfen. Glaßbrenner reiste noch am selben Tage, an dem die Extrapost mit den ›ungeheuerlichen‹ Revolutionsnachrichten Neustrelitz erreichte, am 19. März, nach Berlin zurück und warf sich dort zum Barrikadenbürger auf. Wie leidenschaftlich er an diesen Ereignissen teilnahm und zugleich entschieden Partei ergriff, beweisen einige Zeilen, die er am 21. März an seine Frau schickte: »Meine Aufregung ist furchtbar. Die Barrikaden wachsen aus der Erde; nicht nur die Männer, auch die Frauen riefen zu den Waffen – das Ereignis ist groß. Versäume ja nicht, die Schilderungen derselben in den Zeitungen zu lesen und dich vor dem *Volke* zu beugen.«[9] Drei Tage später schloß er mit einem Berliner Verleger einen Vertrag für eine politische Zeitung ab, die vom 6. Mai ab unter dem Titel *Freie Blätter. Illustrierte politische humoristische Zeitung* zu erscheinen begann. Ihr Motto war die stolze Zeile: »Der Staat sind wir.« Als sich die politische Lage allmählich zugunsten der Reaktion verschob, wurden die letzten Nummern (145 bis 156) bei Philipp Reclam in Leipzig gedruckt. Mit dem Sieg von General Wrangel brach dann das Ganze vollends zusammen. Um nicht von den triumphierenden Monarchisten kurzerhand ins Gefängnis geworfen zu werden, zog sich Glaßbrenner Anfang 1849 wieder nach Neustrelitz zurück. Da jedoch die dortige Hofbühne in den Wirren des Revolutionsjahres eingegangen war, siedelte er 1850 nach Hamburg über, wo seine Frau eine recht gut florierende Schauspielschule gründete. Trotz dieser materiellen Rückversicherung litt Glaßbrenner in den nächsten Jahren schwer unter der allgemeinen Reaktion und galt selbst bei seinen Freunden als hypochondrisch. Dennoch blieb er auch in dieser Zeit schriftstellerisch höchst aktiv und schrieb politische Genrebilder, stachlige Xenien und Spottgedichte auf den deutschen Michel, die von seiner tiefen Erbitterung über die gescheiterte Achtundvierziger Revolution zeugen.

Doch dann wurde er mehr und mehr von der Resignation überwältigt. Dafür sprechen schon seine *Insel Marzipan* (1851) und seine *Sprechenden Tiere* (1854), zwei ins Harmlose ausweichende ›Kinderbücher‹, in denen man den ›alten‹ Glaßbrenner kaum wiederzuerkennen glaubt. Die gleiche Unverbindlichkeit kennzeichnet seine beiden Wochenschriften dieser Jahre, die Blätter *Ernst Heiter* (1856–57) und *Phosphor* (1857), die fast ausschließlich auf den Tageskonsum eingestellt sind. Als er 1858 plötzlich die Erlaubnis erhielt, wieder nach Berlin zurückkehren zu dürfen, empfand er das nach den tristen Jahren in Hamburg wie eine Erlösung. Kaum in der Heimatstadt angelangt, übernahm er die illustrierte Wochenzeitung *Berlin*, die er unter dem Titel *Berliner Montags-Zeitung* bis zu seinem Tode redigierte. An selbständigen Werken hat Glaßbrenner in der letzten Phase seines Lebens nicht mehr viel herausgegeben. Sein einst so populärer und aggressiver *Volkskalender* erschien noch einmal zwischen 1858–63 und 1866–67, wenn auch in wesentlich ›moderierterer‹ Form. Außerdem publizierte er eine Reihe belangloser Burlesken wie *Herr Heiter im Coupé* (1862) und *Herr von Lustig auf der Reise* (1866) und gab einen Sammelband *Neue Gedichte* (1866) heraus. Alles, was er sonst in diesen Jahren veröffentlichte, sind Gelegenheitswerke oder Anthologien älterer Skizzen. ›Schriftstellerische‹ Ambitionen scheint er in dieser Ära kaum noch gehabt zu haben. »Der Lümmel ist sehr zahm geworden«, schrieb einer der Beamten des preußischen Innenministeriums über ihn.[10] Als Glaßbrenner am 23. September 1876 starb, versuchte seine Frau die *Berliner Montags-Zeitung* noch eine Weile in eigener Regie weiterzuführen, sah sich jedoch bald gezwungen, das Ganze an das mächtig aufstrebende Mossesche *Berliner Tageblatt* zu verkaufen.

Schon dieser kurze Blick auf seine Vita und einige seiner Opera beweist, wieviel es hier zu ›verdrängen‹ gab, um seine manchmal recht stachligen Genrebilder der saturierten Bourgeoisie nach 1871 literarisch mundgerecht zu machen. Einige verfuhren dabei mit geradezu exemplarischer Deutlichkeit. So betont etwa Wilhelm Müller-Rüdersdorf im Vorwort zu seiner Auswahl *Altes, lustiges Berlin* (1920), daß er das ›Tendenziöse‹ bewußt ausgelassen habe, um den ›Ewigkeitskern‹ von Glaßbrenners Humor herauszuschälen. Das Politische an diesen Werken sei »ja längst überwunden«, heißt es hier mit herablassender Pose.[11] Ähnlich äußert sich Robert Rodenhauser, für den Glaßbrenner zu jenen ›umwerfenden‹ Humoristen gehört, die sich immer da »selber untreu« werden, wo sie ihren Witz mit einer »störenden Tendenz« vermischen.[12] Doch zum Glück gab es auch einige, die sich nicht von dieser Verharmlosungstendenz beirren ließen. So sauber kann man einfach nichts ›verdrängen‹. Vor dem ersten Weltkrieg war es vor allem die SPD, die sich zum Erben des rein ›politischen‹ Glaßbrenner aufwarf. Das beweist eine Auswahl wie *Unterm Brennglas*, die 1912 von Franz Diederich im Berliner Vorwärts-Verlag herausgegeben wurde. Hier liegt der Hauptakzent fast ausschließlich auf Glaßbrenners kämpferischer Anteilnahme an der Achtundvierziger Revolution. Den ersten Versuch einer marxistischen Analyse seines Werkes unternahm Klaus Gysi im Vorwort zu dem Sammelband *Unsterblicher Volkswitz* (1955), in dem Glaßbrenner als kleinbürgerlich-demokratischer Börne-Anhänger und zugleich kämpferischer Volksdichter gedeutet wird.

Obwohl Diederich und Gysi der ›Wahrheit‹ wesentlich näher kommen als die bewußten Verharmloser, ist auch bei ihnen die Gefahr einer gewissen Vereinseitigung gegeben. Schließlich war Glaßbrenner beides: ein kämpferischer Vormärzler und ein witziger Urberliner, ja sogar mehr, als in dieser simplen Alternative steckt. Es würde sich daher empfehlen, nicht immer wieder zu behaupten, daß nur sein ›Humor‹ oder nur seine ›Tendenz‹ seinen Werken ein intellektuelles, politisches oder literarisches Niveau verleihen. Solche Dinge schließen sich ja nicht aus, sondern können sich durchaus komplementieren. »Unter allen Unfug-Sätzen, die zirkulieren«, schreibt Kurt Hiller einmal, »gibt es da einen noch dümmeren als den vom angeblichen Widerstreit des Dichterischen und des Politischen?« [13]

Wie eng diese beiden Aspekte miteinander zusammenhängen, beweist am besten seine Sammlung *Berlin wie es ist und – trinkt* (1832–50), in der Milieu und Satire geradezu dialektisch aufeinander bezogen sind. Wie alle ›Liberalen‹ der frühen dreißiger Jahre steht Glaßbrenner in den ersten Heften dieser Serie noch stark unter dem Einfluß des ›Jungen Deutschland‹, neigt jedoch eher zum Börne- als zum Heine-Flügel dieser Bewegung. Das ›Heinisieren‹ erschien ihm zu aristokratisch und damit zu sehr vom Volkstümlichen abgezogen. Er hielt es in diesem Punkte, schon aus sozialen Gründen, mehr mit dem kleinbürgerlichen Demokratismus, der auf ein direktes Engagement im politischen Tageskampf hindrängt. Nicht ganz zu Unrecht nennt ihn daher Heinrich von Treitschke einen Vertreter des »zungenfertigen demokratischen Kleinbürgertums«.[14] Und so sind denn Glaßbrenners ›Helden‹ in den Jahren zwischen 1832 und 1837 meist Dienstmädchen,

Eckensteher, Hökerinnen, Holzhauer, Köchinnen, Fuhrleute, Zirngibler, Guckkästner oder Nachtwächter, die sich aus dem ›unteren Zehntausend‹ der Bevölkerung rekrutieren. Die Gesinnung dieser Leute läßt sich am besten als »Eckensteher-Liberalismus« bezeichnen,[15] der bei allem Witzeln à la Calembourg nie seine politische Aufsässigkeit verleugnet. So sagt etwa der Schneider Schnipel 1835 zum Posamentier Feseler, als sie bei einem Gläschen Branntwein, einem ›Klaren‹, auf die Ereignisse des Jahres 1830 zu sprechen kommen: »Ach jehen Se mir mit unsere Revolutionen, Herr Gevatter, die sind lausig! Des is ja jar keen Verjnügen nich! Wenn wir Preußen unruhig werden, so sorjen wir blos vor de Jlaser. Wir schmeißen blos Fenster entzwee, un prügeln uns selbst« (VIII, 10). Wie scharf die Zensur auf solche Äußerungen reagierte, wurde bereits angedeutet. Glaßbrenner ließ daher diese Serie 1837 mit dem 12. Hefte erst einmal für fünf Jahre ruhen.

Doch diese Pause bedeutet keinen Kompromiß mit dem Juste milieu. Im Gegensatz zu vielen Jungdeutschen, die nach 1835 reumütig zu Kreuze krochen, hat Glaßbrenner stets an seiner Revolutionsbereitschaft festgehalten. Selbst seine Ausweisung aus Berlin und die massenhaften Verbote seiner Schriften konnten diesen Trotz nicht brechen. Während Männer wie Gutzkow, Laube, Mundt und Kühne immer vorsichtiger wurden, drängte er unerbittlich auf einen gewaltsamen Umsturz der bestehenden Verhältnisse und rief die Kleinbürger, Handwerker und Arbeiter zu gemeinsamen politischen Aktionen auf. Als er daher 1842 seine Serie *Berlin wie es ist und – trinkt* wieder aufgriff, geschah das mit ausgesprochen ›vormärzlicher‹ Aggressivität. Was Börne für die frühen dreißiger Jahre war, wollte Glaßbrenner für diese Ära werden. »Börne hat dem edlen, heiligen Zorne seines Herzens Luft gegeben«, schreibt er in der Nummer *Herr Buffey in der Zaruck-Gesellschaft*, die 1843 erschien, »er hat geschimpft und gewütet, und dennoch genießt kein Mann der neuern Zeit solch allgemeine Verehrung wie er!« (XVI, 32). In scharfem Gegensatz zu Heine, dessen 1840 gedrucktes Börne-Buch von allen ›aufrechten‹ Demokraten als schmählicher Verrat aufgefaßt wurde, bezieht Glaßbrenner jetzt politisch und soziologisch die Position der ›werktätigen‹ Klasse. Den bürgerlichen Liberalismus betrachtet er von diesem Zeitpunkt ab bloß noch als ein unverbindliches Geplänkel. Dafür spricht seine *Sylvesterfeier der Bürger-Gesellschaft ›Vorwärts‹* (1843), in der Glaßbrenner das ›freiheitliche‹ Getue dieser Kreise mit bitterem Hohn überschüttet. All das wirkt auf ihn wie eine biedere Vereinsmeierei, die über dem Kannegießern die politische Aktion versäumt. An anderer Stelle schreibt er von diesen längst im Muckerhaften erstarrten Juli-bürgern: »Jüstemillieu is Jeder, der nischt rechts – und nischt links is, so wat wir uf deutsch nennen: komm' her un dhu mir nischt; wasch' mir'n Pelz un mach'n mir nich naß.« [16]

Eng verbunden mit diesem volkstümlichen Demokratismus ist seine grundsätzliche Verachtung alles abstrakten Philosophierens und aller volksfremden ›Wissenschaftlichkeit‹, die das Weltganze nur anders interpretiert, aber nicht verändert. »Gott erschuf die Welt, ohne Hegelsche Philosophie studiert zu haben«, heißt es einmal im Hinblick auf die Autoren der *Halleschen Jahrbücher* (XXIII, 9). Oder noch schärfer: »Je mehr Wissen, je phrasenhafter der Geist« (XXIII, 8). Überhaupt neigte Glaßbrenner wie die meisten Radikalen dieser Ära noch zu den ›einfachen Lösungen‹. Demokratie, bürgerliche Freiheit, Humanität: all das waren für ihn bloße Gesinnungsfragen, die weitgehend von der ›sittlichen Entscheidungsfreiheit‹ des Menschen abhängig sind. Er sah daher seine politische Hauptaufgabe in einer ununterbrochenen Propagandatätigkeit für die Ideale der Demokratie, um den deutschen Michel endlich zu einer spontanen Tatgesinnung aufzustacheln. So fordert er etwa in seinem Heft *Bilder-Schilder oder Schilder-Bilder* (1847) die Berliner Gaststätteninhaber auf, ihre Lokale nicht mehr nach Herrschern oder anderen schönen Raubtieren zu nennen, sondern ihnen Namen zu geben wie ›Zum erwachten Vetter Michel‹, ›Zum servilen Pudel‹, ›Zur Demokratie‹, ›Zum beschränkten Untertanenverstand‹, ›Zum Metternich‹ oder ›Zur freien Presse‹ (XXVII, 19).

Ebenso deutlich zeigt sich diese Haltung in seinem Genrebild *Eine Werkstatt* (1846), wo er einen selbstbewußten Schuhmachermeister schildert, der die Ehre seines Standes selbst mit den Privilegien des Adels nicht vertauschen würde. Dieser Meister Schmidt ist genau das, was sich Glaßbrenner unter einem ›guten Demokraten‹ vorstellt. Als einfacher Mann aus dem Volke weiß er genau, daß sich die herrschenden Zustände nur durch einen gewaltsamen

Umsturz beseitigen lassen. Voller Empörung gegen die reichen Schmarotzer sagt er einmal: »Es *kann* ja nich immer so bleiben! Nee, des *kann* es ooch nich! *Mal* wird's des Volk doch einsehen. Es heißt zwar: Schuster, bleib' bei Deinem Leisten! aber des Sprichwort hat jewiß so'n Muckebold von Pfaffe oder Rejierungsmensch erfunden, der nur Herren und Sclaven in der Welt wollte, keene *Menschen*. Wer is mehr als Schuster? frag' ich! Der Eene macht Jesetze, der Andre Röcke, der Dritte baut Häuser, der Vierte macht Wissenschaft, der Fünfte ackert un ich mache Stiebeln! Des is Mus wie Miene! Im Staat tauschen wir einander aus, was wir *können*, un im jesellschaftlichen Leben, was wir *sind*« (XXV, 19). Wenige Zeilen später heißt es: »Hans Sachs war en Schuster, un war dabei en Dichter, von dem man noch heutzudage spricht, während um ihn rum sojenannte Jroße un Vornehme jelebt haben, die so dodt un so verjeßen sind, daß se eijentlich jar nich hätten leben brauchen! Ne, Schuster, bleib' *nich* bei Deinem Leisten! Wenn Du jearbei't und Deine Pflicht als Familienvater erfüllt hast, dann denke an Deine Pflichten als Mensch un Bürjer! Bekümmere Dir um Deine Stadt, um Deinen Staat, um die janze Menschheit, denn Deinetwejen is die Erde von Jott eben so jut erschaffen worden, wie um den Hofrath Sounso mit den rothen Adlerorden!«

Man mag ein solches Konzept als etwas beschränkt, ja geradezu primitiv ablehnen. Doch damit entlarvt man sich lediglich als unhistorisch denkender Ästhet. Denn vor dem Hintergrund von 1846 hat diese Haltung weder etwas Beschränktes noch etwas Primitives. Sie ist jedenfalls bei weitem nicht so engstirnig wie der Chauvinismus der national-erglühten Burschenschafter, Jahn-Anhänger, Maßmannianer, Arndt-Genossen oder der Leute aus Fallersleben, welche die Einheit ›über alles‹ setzten. Ebenso positiv wirkt diese Einstellung, wenn man sie mit dem idealistischen Phrasenschwall des jungen Herwegh, dem Messianismus von Wilhelm Weitling oder den utopischen Erwartungen von Moses Heß vergleicht. Unter den gegebenen Umständen der Vormärz-Ära gehört Glaßbrenners Haltung zu den wenigen, mit denen man die Achtundvierziger Revolution vielleicht gewonnen hätte. Denn hier wird zwischen hohler Phrase und spekulativer Utopie ein Weg aufgezeigt, der für die Mehrheit der Kleinbürger, Handwerker und Arbeiter durchaus gangbar gewesen wäre. Schließlich bildeten diese ›Leute‹ damals noch 90 Prozent der gesamten Stadtbevölkerung. Und so bemüht sich Glaßbrenner immer wieder, den ›deutschen Michel‹, den die Radikalen lediglich verachteten, endlich zur Tat zu begeistern. Von einem solchen Standpunkt aus betrachtet, propagiert er den einzig richtigen Weg zu einer ›bürgerlichen‹ Revolution, das heißt einer Revolution des Volkes und nicht der außergesellschaftlichen Intellektuellen.

Als sich diese enthusiastisch gehegte Hoffnung in den Jahren nach 1848 grausam zerschlug, raffte er sich noch einmal zu erbitterten Zornausbrüchen auf, lenkte jedoch dann allmählich ins Resignierende ein. Wie groß seine Enttäuschung war, beweisen die Hefte *Urwählerversammlung unter Wrangel* (1849) und *1849 im Berliner Guckkasten* (1850), in denen sich Glaßbrenner eindeutig auf die Seite der Kleinbürger und Handwerker stellt, während er die Vertreter der offiziellen Macht, den Adel, die Kirche und das Großbürgertum, mit beißendem Hohn als verlogene Schönredner, Ausbeuter und Speichellecker decouvriert. Was sich in den folgenden Jahrzehnten in Deutschland abspielt, bleibt ihm weitgehend unverständlich. Er ist zwar weiterhin gegen die ›Rrrreaktion‹, gegen Bismarck und die fortschreitende Militarisierung Preußens, verläßt sich aber auf seine alten politischen Konzepte, da er die wirtschaftlichen und gesellschaftlichen Wandlungen und Widersprüche der Nachmärzära nicht mehr durchschaut. In diesem Punkte haben seine Kritiker durchaus recht, wenn sie behaupten, daß er sich nie über seine kleinbürgerliche Demokratievorstellung hinausentwickelt habe. Doch das teilt er mit wesentlich Größeren seiner Epoche, wie Gottfried Keller, der in seinem *Fähnlein der sieben Aufrechten* (1878) und seinem *Martin Salander* (1886) in eine ähnliche Sackgasse hineingeriet.

Ohne diesen politischen Hintergrund läßt sich Glaßbrenners literarisches Schaffen eigentlich gar nicht verstehen. Denn selbst bei den simpelsten Späßen beschäftigen ihn stets die Grundfragen seiner Zeit, obwohl sie manchmal in recht enger ›regionalistischer‹ Abwandlung erscheinen. Man sollte daher Glaßbrenner nicht zum bloßen Dialektdichter abstempeln. Schon daß er sich in seinen programmatischen Äußerungen ausdrücklich auf Vorbilder wie

Lessing, Lichtenberg, Seume, Jean Paul und Börne stützt, beweist, daß er Höheres im Auge hatte als Lokaldichter wie Holtei, Beckmann, Meisl oder Julius von Voß. Seine Nähe zum Volk läßt sich darum nicht als Rückzug ins Biedermeierlich-Partikularistische interpretieren, sondern hat stets eine unverkennbar politische Spitze. Verglichen mit den verkorksten und verdrehten Bildungsphrasen, in denen sich lediglich die Eitelkeit der herrschenden Klasse widerspiegelt, erscheint ihm die Ausdrucksweise der ›einfachen Leut‹ viel überzeugender und direkter. »Die größte, pikanteste Weisheit, so von keiner in allen Büchern übertroffen wird, liegt in den Kernsprüchen des naiven Volkes aller Länder«, schreibt er einmal unverblümt (XXIII, 9). Überhaupt ist Glaßbrenner fest davon überzeugt, daß der »menschliche Geist« durch das geschraubte Erziehungswesen der höheren Klassen sein ursprüngliches »Geradeaus-Denken« und damit die »Freiheit« immer stärker verliere (XXIII, 9). Er beruft sich dabei gern auf Börne, der in seinen *Briefen aus Paris* die These aufgestellt hatte: »Ich finde die menschliche Bildung nur im Pöbel und den wahren Pöbel nur in den Gebildeten.« [17]

Auf Grund dieser Einstellung wimmeln seine Werke ständig von Invektiven gegen den aufgedonnerten Stil der bürgerlichen Bildungsbeflissenen und Kunstenthusiasten, die mit ihrem geheuchelten Tiefsinn paradieren. Wie viele seiner Zeitgenossen läßt er diesen Unmut vor allem an den Werken Goethes aus, deren politischer Indifferentismus allgemein als Ausdruck einer selbstgenügsamen Spießergesinnung galt. Der *Tasso* erscheint ihm lediglich als eine langweilige ›Hofgeschichte‹. Den zweiten Teil des *Faust* empfindet er als mystischen ›Unsinn‹. Glaßbrenner wäre lieber gewesen, wenn Goethe stets in der Art des *Götz von Berlichingen* weitergedichtet hätte. Mit ähnlicher Schärfe karikiert er den ›idealistischen Schwulst‹ des Schinkelschen Neugriechentums oder macht sich über die Anhimmelung lustig, die man durchreisenden Künstlern wie Franz Liszt entgegenbrachte. Überhaupt ist ihm alles Falsche, Gespreizte, Unvolkstümliche von vornherein zuwider. Immer wieder weist er auf die Hohlheit und das Unzeitgemäße des modischen Kulturbetriebes hin, wobei er meist zu einem gestelzten Hochdeutsch greift, um das Gekünstelte dieser Verhältnisse zum Ausdruck zu bringen.

Geradezu programmatisch in dieser Hinsicht ist seine *Antigone in Berlin* (1846), die sich gegen die herrschende Griechenmode auf dem Berliner Theater wendet. Statt ewig ins Allgemein-Menschliche zu wabern und die Kunst der Antike als ein unerreichbares Vorbild hinzustellen, bekennt sich Glaßbrenner hier zu einer Literatur, deren hervorstechendste Eigenschaften das Zeitbezogene und das Volkstümliche sind. So sagt der Schauspieler Carlos an einer Stelle: »Ich lebe 1841 und will auch mit 1841 fühlen und denken. Könnt ich meiner Zeit vorausfliegen, ich thät's; zurück griech' und kriech' ich in keinem Falle« (XXIII, 29). Ebenso entschieden äußert sich der Bürger Funke, der wie ein Selbstporträt Glaßbrenners wirkt: »Sophokles ist für seine Zeit ein großer Dichter gewesen! Für uns ist er es nicht« (XXIII, 54). Die *Antigone* oder den *Ödipus* auf die Bühne zu bringen, empfindet er als einen Verrat an den eigentlichen Interessen der eigenen Zeit. Überhaupt erscheint Glaßbrenner alles Unpolitische, das dem Postulat des gesellschaftlichen Fortschritts aus dem Wege zu gehen versucht, als etwas höchst Überflüssiges. Und so behauptet auch sein Bürger Frischer, den man ebenfalls mit seinem Autor gleichsetzen könnte, in der 1847 erschienenen Nummer *Verein der Habenichtse für die sittliche Bildung der höhern Stände:* »Uns Menschen gehört die Welt, und darum ist derjenige ein Michel, eine Nachtmütze und ein Schafskopf, der sich nicht um *seine* Welt bekümmert, der nicht volles Interesse dafür hat, was in ihr vorgeht. Darum ist der Herr v. Göthe ein Philister, wenn er sagt: ein garstig Lied, pfui, ein politisch Lied! Denn das politische Lied ist das eigentliche Lied der Menschheit. Was ist denn Politik so Schlimmes, daß die Esel und die Philister solche Furcht davor haben? Nehmt der Sache einmal ihren raffinierten Titel, nennt sie ehrlich: *unsre Geschichte, unsre Welt,* und alle Scheu davor wird aufhören. Tretet aus Eurer Hütte einen Schritt, und Ihr seid mitten in der Politik, mitten in der Welt und ihrer Geschichte« (XXVI, 16).

Unter dieser Perspektive gesehen, hat seine ›Beschränkung‹ auf das Hier und Jetzt, auf den Dialekt der breiten Volksmassen, eine unleugbar sozio-politische Funktion. Glaßbrenner will nicht ›Jemietlichkeit‹ verbreiten, wenn er berlinert, sondern der Gesinnung des unterdrückten Volkes zum Worte verhelfen. Selbst das rein witzige Krakeelen und übermütige Randalieren seiner Gestalten steht daher stets im Zeichen eines modernisierten ›Vox populi, vox dei‹-Konzeptes. Während sich andere Volksautoren meist mit ein paar gängigen Redewendungen begnügen, bemüht er sich, den Berliner Dialekt so genau wie möglich wiederzugeben. Er will das Konkrete, nicht das ›Tümliche‹, das Brecht an den falschen Heimatdichtern so verächtlich findet. Dazu paßt der Hinweis in den *Erinnerungen* Laubes, daß Glaßbrenner ständig wie ein ›Photograph‹ herumgelaufen sei.[18] Und so deutet denn in seinen kleinen Genrebildchen, wie etwa der *Werkstatt* von 1846, schon manches auf die Holz-Schlafsche *Familie Selicke* (1890) voraus, wo dieses Streben nach Authentizität bis zum äußersten getrieben wird. Doch in dieser Übersteigerung liegt zugleich das Trennende zwischen ihm und dem Naturalismus. Was Glaßbrenner im Auge hat, ist nicht ein milieugebundener Objektivismus, bei dem die Umwelt den Menschen völlig überwuchert, sondern das trotz aller Misere optimistische und kritisch-spöttelnde ›Volk‹. Wenn er sich dieser Perspektive anschließt und selber mitspottet und mitkritisiert, leistet er stets sein Bestes. Nicht ganz so überzeugend wirken dagegen seine literarisch ›anspruchsvollen‹ Werke, wie sein *Neuer Reineke Fuchs* (1846), wo er sich auf das Glatteis eines, wenn auch satirischen, so doch ›hochdeutschen‹ Versepos begibt. Bei der Vielseitigkeit seiner Begabung, die selbst das Reisebild, die Tendenzkomödie und das ›Volkslied‹ umschließt, fallen ihm auch solche Formen nicht schwer. Worin er jedoch geradezu exzelliert, ist die Gebrauchsliteratur: der Bänkelsang, die Anekdote, das Genrebild und die dramatisierte Novellette.

Die ihm gemäße Form sind daher Dreigroschenhefte wie die Serie *Berlin wie es ist und – trinkt:* all das, was im Deutschen nicht unter ›Dichtung‹ fällt, ja selbst in der ›Literatur‹ kaum geduldet wird. Rein formal gesehen, geht dieses Genre auf Holtei und Saphir, seine ersten Lehrmeister, zurück. Was jedoch Glaßbrenner von diesen Autoren unterscheidet, ist nicht nur seine politische Aggressivität, sondern auch seine ganz andere Realitätsnähe. Statt Witze um des Witzes willen zu reißen oder banalen Volkshumor zu treiben,[19] meldet sich in diesen Werken das ›Volk‹ selbst zu Wort. Die meisten seiner kleinen Szenen und Genrebilder wirken so, als seien sie »frei aus dem Leben übersetzt«, wie sich Glaßbrenner einmal ausdrückt.[20] In diesem Sinne will er auch sein Pseudonym ›Brennglas‹ verstanden wissen. Alles, was sich an fremden Strahlen in ihm sammelt, wird von ihm lediglich ›reflektiert‹. »Ich hörte Kluge und Dumme sprechen«, heißt es in seiner *Berliner Gewerbe-Ausstellung* von 1844, »schrieb ihnen nach, ordne nun die Blätter ein wenig, und gebe wieder ein Buch mit *meinem* Namen heraus, dessen Verfasser eigentlich das Volk ist.«[21]

Aus diesem Grunde taucht in seinen scheinbar kunstlosen Dialogen und Gesprächsszenen eine ganze Reihe von Volkstypen auf, die Glaßbrenner ohne allzu große Abstraktionen direkt aus der Realität übernimmt. Da gibt es klatschbasige alte Weiber, rauhe Fuhrknechte, ›ochsig‹ besoffene Eckensteher, sich gegenseitig verprügelnde Nachtwächter, fluchende Hökerinnen, aufgeblasene Kleinbürger oder tratschende Dienstmädchen, die trotz ihrer ›Niedrigkeit‹ mit einer solchen Sympathie gezeichnet sind, daß hier die Kriterien der älteren Stiltrennung völlig hinfällig werden.[22] Wie in Hauptmanns *Ratten* scheint bei ihm literarisch alles auf dem Kopf zu stehen, jedenfalls an den Kategorien der ›klassischen‹ Ästhetik gemessen. Wenn sich die Mitglieder der ›gebildeten Stände‹ bei Glaßbrenner im ›gehobenen Stil‹ unterhalten, wirken sie eher komisch als ernst. Seine Dienstboten sind dagegen selbst dann, wenn sie fluchen, saufen oder dreckige Witze reißen, nie pöbelhaft, sondern werden stets mit einem gewissen Ernst gezeichnet. Schließlich ist es ja nicht ihre Schuld, daß sie in solchen ›Verhältnissen‹ leben müssen, wo alles im Zeichen der reinen Notdurft steht und man sich die übliche Vornehmtuerei erst dann leisten kann, wenn man über den nötigen ›Kies‹ verfügt.

Glaßbrenners Gesellschaftsperspektive geht daher immer von unten aus. Das zeigt sich besonders deutlich in seinen ständig wiederkehrenden Volksaufläufen. Hier konnte er alle seine verschiedenen Typen zusammenbringen und ihr gesellschaftliches Verhalten demonstrieren. Seine Werke wimmeln daher von Marktszenen, Redouten, Vereinssitzungen, Menageriebesuchen, Hochzeiten, Ausstellungen, Ladenszenen, Eisenbahnreisen und Volksfesten, wo er manchmal über zwanzig Figuren zu charakterisieren versucht. Was seine konservativen Kollegen als harmlose Genreszenen mit Krüger- und Waldmüller-Zügen gestalten, wirkt bei ihm – trotz aller Komik – meist wie ein großes politisches Tribunal. Denn schon durch seine Sprache wird in diesen dramatisierten Novelletten jeder als der Träger einer bestimmten sozialen Haltung und der mit ihr verbundenen Ideologie dargestellt, wodurch Typenkomik und politische Satire weitgehend in eins zusammenfallen. Glaßbrenners Figuren brauchen nur den Mund aufzumachen, und man weiß sofort, was man von ihnen zu halten hat. Wahrhaft ›demokratisch‹ wirkt in diesen Szenen nur der Dialekt, während das Hochdeutsche in einer solchen Umgebung notwendig ins Phrasenhafte entartet. Manchmal hat man fast das Gefühl, als ob sich Dialekt und Hochsprache wie lebendige Basis und papierner Überbau zueinander verhielten.

Wie bewußt Glaßbrenner diese Einstellung war, beweist ein kurzes Zitat aus dem Heft *Verein der Habenichtse zur sittlichen Hebung der höhern Klassen* von 1847, wo dieser Kontrast in aller Schärfe dargestellt wird. Hier heißt es unter anderem: »Das Volk benutzt auch noch die goldne, poesiereiche Sprache dazu, seinen Gedanken das Bild zu geben; ihr aber, ihr Vornehmen, entehrt sie zur Kupplerin, daß sie eure Gedanken verberge. Das Volk, so weit es nicht von euch angesteckt ist, lebt in seiner ehrlichen Wahrheit, ihr aber vom Morgenkaffee bis zum Abendthee in lauter Schein, Lüge und Heuchelei« (XXVI, 20). Auch in seiner *Urwählerversammlung unter Wrangel* (1851) hebt sich der bürgerliche Phrasenschwall geradezu peinlich von dem gesunden Mutterwitz der ›niederen‹ Stände ab. Seine höchsten Triumphe feiert daher Glaßbrenner stets dort, wo er seiner Berliner Schnoddrigkeit und seinem entlarvenden Angriffswitz freien Spielraum geben kann. Hier ist er das, was Tucholsky geworden wäre, wenn er im Biedermeier gelebt hätte, was sowohl seinen politischen als auch seinen literarischen Rang umschreibt.

Ein weiteres Mittel, diese kleinbürgerlich-plebejische Gesellschaftsperspektive so klar wie möglich hervortreten zu lassen, ist die bewußte Politisierung der einzelnen Typen und Gestalten. Dafür spricht vor allem sein Rentier Buffey, der Prototyp des »bildungshungrigen, materiell gesicherten Kleinbürgers mit dem erwachenden politischen Urteilsbedürfnis und Widerspruchstrotz«

der deutschen Vormärzära, wie ihn Franz Diederich nennt,[23] dessen politische Weisheiten stets in komischer Verdrehung aus seinem Munde kommen. Das Modell zu dieser Figur lieferte der stadtbekannte Besitzer einer Tabagie in der Kommandantenstraße, bei dem »Beschränktheit und Wichtigtuerei einen höchst komischen Kontrast bildeten«.[24] Mit dieser Gestalt hatte Glaßbrenner so etwas wie den allmählich erwachenden deutschen Michel im Sinn, der sich im Laufe der Jahre aus einem typischen Weißbierphilister zum Vertreter des ›gesunden Menschenempfindens‹ entwickelt und schließlich zum Antipoden der biedermeierlichen Mucker- und Spießergesinnung wird.

In seinen Anfängen steht dieser drollige Kneipier noch ganz in der Staberl- und Hannepampel-Tradition. Er ist linkisch, kleinbürgerlich, aber doch mit einer gewissen Portion Mutterwitz ausgestattet. Wie andere Spießer dieser Art trinkt er gern Weißbier, spielt Karten, Billard, Puff oder Tokkadille, raucht gemütlich eine Großvaterpfeife, politisiert, »verliert sich in geistige Spekulationen und reißt Witze über die neuesten Erscheinungen und Begebenheiten« (XII, 9). So sitzt Herr Buffey schon in den *Nachtwächtern* von 1835 mit anderen Philistern und Handwerkern in einer Kneipe und erzählt ihnen mit wichtigtuerischer Miene von seinen finanziellen Torheiten, die ihm wie die Geniestreiche eines Rothschild vorkommen (VIII, 18–27). Als er von den anderen veräppelt, angepumpt und übers Ohr gehauen wird, amüsiert er sich ›ochsig‹, da er in seiner Kindlichkeit die Tücke dieser ›Brüder‹ gar nicht durchschaut.

In den vierziger Jahren ist es mit dieser Naivität plötzlich vorbei. So treffen wir Herrn Buffey 1842 in der ›Italienischen Oper‹, die ihn als Ausdruck der höfischen Restauration nicht nur langweilt, sondern auch sein Nationalgefühl empört (XIII, 32–42). Als man ihn 1843 in die ›Zaruck-Gesellschaft‹ aufnehmen will, wo die Herren Dunkelinsky, Kriechling, Schafskopp und Duckmäuser den Ton angeben, setzt er sich spontan auf den linken Flügel. Durch diese Haltung macht er sich bereits in der ersten Sitzung so unbeliebt, daß man ihm seine Mitgliedschaft kündigt. Ebenso energisch tritt er in der *Antigone in Berlin* (1843) gegen jeden rückwärtsgewandten Griechenkult auf. Etwas unverbindlicher wirkt die Szene *Das Fastnachtsorakel* (1843), wo Buffey die Rolle des »Berliner Michel«

spielt (XVIII, 9). Das gleiche gilt für das Heftchen *Herr Buffey auf der Berlin-Leipziger Eisenbahn* vom folgenden Jahr. Dagegen herrscht in der Satire *Herrn Buffeys Wallfahrt nach dem heiligen Rock* (1844), die außerhalb der Berlin-Serie erschien, wieder ein wesentlich schärferer Ton. Das ganze Prozessionswesen und der mörderisch aufgebauschte Reliquienkult werden hier einer Satire ausgeliefert, die geradezu beißend ist. Um sich nicht der Intoleranz schuldig zu machen und nur den Katholiken am Zeuge zu flicken, läßt er 1846 seinen Herrn Buffey einen protestantischen Tugendverein besuchen, wo er jedoch denselben Tartuffe-Gestalten begegnet. In dieser Szene wird Buffey endlich zu dem, wie sich Glaßbrenner den erwachten deutschen Michel vorstellt: zu einem trotzigen Achtundvierziger, der mit seinem revolutionären Widerspruchsgeist so wenig hinter dem Berge hält, daß die Geheimrätin Q. indigniert fordert, dieses mißratene »Geschöpf«, diesen »Plebejer« gefälligst aus dem Saal zu entfernen. Darauf antwortet er: »*Jeschöpf*, sagen Sie? Ja, ick bin en Jeschöpf, denn in Deutschland gibt es viele Millionen Jeschöpfe und man wenig Jeschöpse! Un ick, Madam, ick bin en Jeschöpf, nämlich en Jeschöpf Jottes, was keenen Menschen über sich erkennt! *Plebejer*, sagen Sie? Ja, ick bin en Plebejer un bin stolz darauf! Sie wissen nicht, was en Plebejer is... Plebejer sind Menschen, die natürlich denken und richtig fühlen, während die Vornehmen un Jebildeten *verschroben* sind, un Plebejer sind Menschen, die noch en Bisken Leidenschaft un Muth haben, während die Andern ausjelutschte, eijennutzije, bequeme, kriecherische Schufte sind, die, wenn se ihren Bauch voll haben un mit den Viertels-Commsarius jut stehen, die arme Welt loofen lassen wie se will. Ick *opponiere* mir aber, Madam, wo ick wat Schlechtes und Niederträchtijes sehe, un wenn ick ooch dabei manchmal ausjelacht werde, so is doch mein *juter Wille* da, un ick tröste mir damit, deß jrade die bedeutendsten Menschen verhöhnt und verfolgt werden, weil – weil – weil die *Ochsen* des lächerlich finden, deß der Vogel fliegt« (XXIV, 24). Als ihn der Vorsteher Ibikus schließlich als »verirrtes Schaf« bezeichnet und zur Tür hinausdrängeln will, ruft er in den Saal zurück: »Sie lassen mir los, oder ick haue zu. Ick werde *sehr störend*, sag' ick Ihnen, wenn ick böse werde! Aus det verirrte Schaf, sag' ick Ihnen, wird zu Zeiten ein verirrter *Wolf*, der Rindvieh anfällt! Lassen Sie mir los, sag' ick! Während überall Noth un Kummer is, verschwendt Ihr Millionen un laßt Millionen krepieren und schmeißt *Die* ooch noch in't Unjlück, die Edlen, die deß *mittheilen,* deß es so ist!... Alle Woche kommt Ihr mal hier zusammen und wascht Eure in Sechs Dagen ufjehäuften Sünden un Bosheiten mit Wasser ab, während Euch draußen der janze jroße *Menschenjammer* nich bis an de Kneckseln, jeschweige bis an't Herz kommt! So steht et, Ihr *doogt* nischt! Tugend-Verein! Ja Kuchen! Lumpen-Verein, des is der wahre Ausdruck!« (XXI, 28).

Man sieht, wie sich in dieser Szene aus dem Weißbierphilister von 1835, dessen einziger Stolz seine »kleine Tebajie mit Jartenvergnügen« war (VIII, 18), ein strammer Vormärzler entwickelt hat, von dem man nicht sagen kann, daß er keine gehörige Portion Zivilcourage besäße. Wären nur alle Handwerker und Kleinbürger im Jahre 1848 so beherzt gewesen, das Ergebnis der Märztage hätte sicherlich anders ausgesehen.

Selbstverständlich wußte Glaßbrenner ganz genau, daß es zur Vorbereitung einer Revolution nicht nur liberale Mitläufer wie Herrn Buffey, sondern auch wirkliche Agitations- und Propagandaredner geben muß. Diese Funktion fällt im Rahmen ›seiner Welt‹ weitgehend den Guckkästnern zu, die von den Berliner Zensoren und Gendarmen mit höchstem Argwohn betrachtet wurden. Und so kamen schon Glaßbrenners Guckkästner-Hefte von 1835 sofort nach ihrem Erscheinen auf den Index, obwohl es sich hier noch um relativ harmlose Späße handelt. Um diesen Typen einen ›ungefährlichen‹ Anstrich zu geben, schreibt Glaßbrenner im Vorwort dieser Hefte in bewußter Verschleierung seiner wahren Absichten: »Sie sprechen den größten Unsinn mit einem Ernst, der durch das monotone Wiederholen ein und derselben Worte entstanden, und von so komischer Wirkung ist, daß man sich des lauten Lachens nur mit Mühe enthalten kann. Letzteres ist aber sehr nötig, wenn man keine Grobheiten einstecken will, denn der Guckkästner und seine neben ihm stehende Frau bilden sich nicht wenig auf ihre historischen Kenntnisse ein, welche sie mit ernst gerunzelter Stirn an den Tag legen« (VI, 1, 9).

Was diese Männer in ihren von Petroleumfunzeln erleuchteten Kästen vorführen, sind weitgehend Panoramen wie der Vesuv und der St. Gotthard, wilde Tiere, exotische Raritäten, aber auch politische Figuren wie Napoleon, der Herzog von Wellington oder die drei gekrönten Häupter der Heiligen Allianz. Und bei solchen Gegenständen werden ihre Bemerkungen natürlich sofort anzüglicher. Da ist vor allem der kühne Ludwich mit seiner Dorothee, ein »armer Proletarier mit dem Groll der politischen Hoffnungen der Befreiungskriegszeit«,[25] der seinen Guckkasten direkt Unter den Linden aufstellt und sich auf geradezu hochverräterische Weise über die letzten politischen Ereignisse mokiert. Anfangs überwiegt auch in den Ludwich-Szenen noch das Komische. So setzt es in den Guckkästner-Heften von 1835 zwischen ihm und seinem Ehegespons ständig heftige Keile, da beide dauernd zur Pulle greifen, um sich wieder neuen Lebensmut anzutrinken. Ja, in einer Szene ist die gute Dorothee derart besoffen, daß sie laut zu krakeelen beginnt und schließlich von einem Gendarmen auf die Wache gebracht wird, – was ihn völlig kalt läßt.

Solche Vorfälle treten in den Guckkästner-Szenen der vierziger Jahre allmählich in den Hintergrund. Auch in diesem Genre setzt eine deutliche Verschärfung ins Politische ein. Das beweisen schon die *Neuen Berliner Guckkasten-Bilder* von 1841, – und dann in verstärktem Maße die in der Berlin-Serie enthaltenen Guckkästner-Szenen von 1843, 1844, 1848 und 1849. Diese Büchlein geben in nuce einen der besten Querschnitte durch den gesamten Vormärz, die Achtundvierziger Revolution und das bittere Nachspiel der Reaktion. Hier werden alle Tagesereignisse durchgehechelt, die irgendwie zur demokratischen Bewußtseinsbildung des niederen ›Volkes‹ beigetragen haben. So glossiert etwa Glaßbrenners Guckkästner im Jahre 1843 mit »schnoddriger Unverschämtheit und frecher Rückhaltslosigkeit«[26] folgende Ereignisreihe: die Thronfolgesorgen in Spanien, den Ordensfimmel, den geplanten Bau des Hermann-Denkmals, den Berliner Opernbrand, die Schweizer Freiheit, die Jesuitenplage, Königin Viktoria, die Sorgen des Papstes, den Landtag von Hessen-Kassel, ein politisches Festfressen, die versprochene Verfassung für Preußen und die Berliner Schloß-Freiheit. Und zwar versäumt er dabei nie, die Revolutionsbereitschaft seiner Zuhörer zu stärken. So sagt er an einer Stelle ganz unverblümt: »Die letzte französische Revolution dauerte Drei Dage; die jriechische man Drei Stunden, und wenn eine Nation was *will*, oder wenn eine *Nation* was will, so kann sie Allens in Drei Minuten abmachen« (XX, 25). Kein Wunder, daß sich schließlich der Gendarm einmischt und ihm das Zeigen weiterer Bilder verbietet.

Ihren literarischen und politischen Höhepunkt erleben diese Guckkästner-Hefte in der Nummer *Das neue Europa im Berliner Guckkasten* von 1848, die zu den effektvollsten deutschen Revolutionsszenen des 19. Jahrhunderts gehört.[27] Hier wird aus dem alten Ludwich der sogenannten ›Befreiungskriege‹ plötzlich ein revolutionärer Straßensänger, der mit geradezu an Brecht gemahnenden Songs den ›deutschen Michel‹ zu einem freiheitsdürstenden Republikaner aufzuputschen versucht. Er sieht ganz genau, daß der Elan der Märztage nicht ausgereicht hat, alle Biedermänner der Restaurationsepoche zu selbstbewußten Citoyens zu bekehren. Überall fängt man schon an zu jammern, daß sich keine ›Geschäfte‹ mehr machen lassen. »Keene reichen Leute«, empört sich der Posamentier Dickewitz mit dem Gewehr in der Hand, »keene Milletair, keene Handel und Wandel, keen nischt nich mehr, un Allens, un Allens blos durch die *Ufwiegler*, die man todtschießen sollte« (XXIX, 5). Ein anderer Passant, der Schneider Aettrich, stößt in dasselbe Horn und vergießt zu allem Überfluß noch ein paar Tränen über den armen König Ludwig, den das schnöde bayrische Volk zur Abdankung gezwungen habe. Ja, einer der jungen Lehrburschen stellt sich mitten auf die Straße und leiert ein Gebet her, daß ihm sein gottes- und königstreuer Vater eingetrichtert hat (XXIX, 21):

> Verzeihe uns, Jensd'armerie,
> Die Revolutionen!
> Wir werden ferner nun und nie
> Belästigen die Kronen,
> Und sind wir nich mehr fromm und jut,
> So schick' uns Niklas mit der Knut'!

Doch all das kann den ›kühnen‹ Ludwich nicht davon abhalten, weiterhin seine aufrührerischen Lieder vorzutragen. Mit verbissenem Trotz versucht er die Hoffnung auf die Revolution auch da noch aufrechtzuerhalten, wo man sich rundherum schon wieder nach der »juten Pollezei, den freundlichen Jeheimeräthen, den niedlichen Jardelieutnants und den stillen süßen Muckern« zurücksehnt (XXIX, 6).

Wirklich gallig wird Glaßbrenners Ton erst in dem letzten dieser Guckkästner-Hefte, das zugleich das letzte der gesamten Berlin-Serie ist. Zwar beruft sich der alte Invalide Ludwich auch hier noch unbeirrt auf die Ideale der demokratischen Freiheit, setzt aber seine Hoffnungen jetzt eher auf Amerika als auf das nachrevolutionäre Berlin, wo die ›jutgesinnten‹ Dunkelinskys die Oberhand gewonnen haben. Damit wird Glaßbrenners Traum von einer ›deutschen Revolution‹ der Kleinbürger, Handwerker und Arbeiter endgültig zu Grabe getragen. Man sage nicht, daß dies ein utopischer war. Vielleicht hatte er mehr Wirklichkeitsnähe als der idealistische Phrasenschwall, der die Paulskirche durchdröhnte, ja vielleicht sogar mehr als der radikale Demokratismus mancher Linkshegelianer dieser Jahre, die sich soviel auf ihre ›materialistische‹ Weltanschauung einbildeten. Jedenfalls wurde über den großen Theorien und abstrakten Philosophemen, wie so oft in der deutschen Geschichte, der vernünftige Weg der Mitte wieder einmal versäumt. Kein Wunder, daß bei einer derart unglücklichen Konstellation ein wahrer Volksschriftsteller wie Glaßbrenner ein Zwischenfall ohne Folgen blieb.

Carl Fischer: Denkwürdigkeiten und Erinnerungen eines Arbeiters (1903-1905)

Im Jahr 1903 erschienen nicht nur die *Gedichte* von Hofmannsthal, sondern auch die mit dem Diederichsschen Löwen versehenen *Denkwürdigkeiten und Erinnerungen eines Arbeiters.* Ihr Herausgeber war der weithin bekannte Paul Göhre, der sich wenige Jahre zuvor vom Pfarrer zum Sozialdemokraten gemausert hatte. Und zwar handelt es sich bei diesem Buch um eine höchst nüchterne, ja geradezu trostlose Bestandsaufnahme einer Handwerksburschen- und Tagelöhnerexistenz, deren Verfasser ein gewisser Carl Fischer ist, wie man auf der elften Seite des Göhreschen Vorwortes fast beiläufig erfährt. Wie konnte ein solches Werk bei Diederichs herauskommen, überlegt man sich unwillkürlich? Denn mit diesem Namen verband sich damals ein Verlagsprogramm, das weitgehend im Zeichen der sogenannten ›Neuromantik‹ stand. Hier wurden Meister Eckehart und Tauler, Böhme und Novalis, modische Pantheisten wie Bölsche und Wille oder Jünger des ›werdenden Gottes‹ wie Bonus, Steudel, Kalthoff und Drews verlegt, – aber keine Arbeiterliteratur.

Nach dem Vorwort des Ganzen zu urteilen, scheint Eugen Diederichs mit der Herausgabe dieses Bandes etwas gezögert zu haben (I, v.). Erstens verstieß ein solches Buch völlig gegen sein ›Programm‹. Zweitens mußte er sich fragen, ob dieses Werk überhaupt noch Käufer finden würde, nachdem die ›naturalistische‹ Welle längst abgeflaut war. Und so bieten denn die *Denkwürdigkeiten* von 1903 nur eine erste Auswahl aus dem Fischerschen Manuskript. Was Göhre abdrucken ließ, sind vor allem Fischers Jugenderlebnisse, seine Zeit bei den Erdarbeitern und die sechzehn Jahre im

Stahlwerk. Das andere blieb in der Schublade. Unerwarteterweise hatte jedoch dieses Buch auf Grund seiner packenden Darstellungskraft einen gewissen Erfolg und konnte schon wenige Monate später neu aufgelegt werden. Diederichs beauftragte daher Göhre, weitere Stücke aus dem recht umfangreichen Manuskript herauszusuchen, die den Titel *Denkwürdigkeiten und Erinnerungen eines Arbeiters. Neue Folge* erhielten und im Jahre 1905 herauskamen. Wiederum erscheint auf dem Titelblatt lediglich Paul Göhre, während der Name Fischer, wie schon beim ersten Bande, bloß im Geleitwort auftaucht. Inhaltlich handelt es sich diesmal um seine Erfahrungen als wandernder Handwerksbursche und die Zeit in der staatlichen Eisenbahnwerkstätte. Auch dieser Band verkaufte sich gut und konnte bald nachgedruckt werden. Und so ließen denn Diederichs und Göhre noch im selben Jahr einen weiteren Band mit Einzelepisoden aus der Fischerschen Lebensbeschreibung folgen, die Göhre teilweise schon in der *Neuen Rundschau*, der *Christlichen Welt* und den *Sozialistischen Monatsheften* veröffentlicht hatte und die auf Vorschlag von Diederichs den Sammeltitel *Carl Fischer: Aus einem Arbeiterleben* erhielten.[1] Ob damit das Fischersche Manuskript vollständig ausgeschöpft war, bleibt eine offene Frage, da es hierüber kein Belegmaterial gibt.

Was hat einen Mann wie Diederichs eigentlich veranlaßt, ein so umfangreiches Werk – wenn auch bröckchenweise und daher leider unzusammenhängend – auf den Markt zu bringen? Die Verdienstchance wird es wohl kaum gewesen sein. Bei einem weltanschaulich so profilierten Verleger muß schon eine ideologische Absicht dahinter gestanden haben. Geht man einmal seine Verlagsprogramme durch, zeigt sich sehr schnell, daß es Diederichs bereits in diesen Jahren – neben allem Interesse für neureligiöse Erweckungsbewegungen – zugleich um eine energische Auseinandersetzung mit sozialpolitischen Fragen ging. Im Gegensatz zum materialistischen Klassendenken trat er dabei, wie so viele ›idealistische‹ Ideologen dieser Ära, für einen Volksbegriff ein, der selbst dem kleinsten Manne wieder das Gefühl verleiht, ein wichtiger Bestandteil des national-religiösen ›Ganzen‹ zu sein.[2] Ideologiekritisch läßt sich diese Haltung nur als ›sozialfaschistisch‹ bezeichnen. Diederichs betont nämlich immer wieder, daß man die Masse zum Volk zurückverwandeln müsse, um sie aus ihrer kraß materialistischen Weltanschauung herauszureißen und ihr einen ›völkischen‹ Elan einzuhauchen. Dafür spricht eine Reihe von Aufsätzen in der ›sozialreligiösen‹ Monatsschrift *Die Tat*, die er 1912 von den Brüdern Horneffer übernahm, aber auch sein Interesse für die ›Werkleute auf Haus Nyland‹ oder sozialfaschistische Arbeiterdichter wie Heinrich Lersch.

Um die Jahrhundertwende war diese Tendenz bei Diederichs natürlich noch nicht so ausgeprägt wie in der Weltkriegsära oder in den Zwanziger Jahren. Doch schon seine Wahl von Paul Göhre ist symptomatisch genug. Denn auch Göhre hat die soziale Frage stets vor dem Hintergrund einer volkhaft-religiösen Umwälzung betrachtet, was bereits seine 1891 erschienene Schrift *Drei Monate als Fabrikarbeiter und Handwerksbursche* beweist, die im Rahmen der naturalistischen Bewegung ein beachtliches Aufsehen erregte.[3] Und zwar vertritt er in diesem Buch die These, daß die Arbeiter auch ›Menschen‹ seien, was für diese Zeit noch fast den Anstrich des Revolutionären hatte.[4] Und doch ist die ideologische Absicht dieser Studie zutiefst konservativ. Die Not des vierten Standes, so eindringlich sie Göhre zu schildern versteht, wird hier nicht als ökonomisches Problem, sondern weitgehend als eine Frage der Bildung und Religion behandelt. Um die Arbeiter nicht ganz an die »wilde, heidnische Sozialdemokratie« zu verlieren, dringt Göhre auf eine konsequente Veredlung und Christianisierung des Proletariats, das in den Banden einer verderblich »materialistischen Weltanschauung« dahinsieche.[5] Doch schon damals kam ihm die Erkenntnis, daß sich dieser Umwälzungsakt nicht im Rahmen des erstarrten Staatschristentums vollziehen lasse. Er schloß sich daher in immer stärkerem Maße der ›Evangelisch-sozialen Bewegung‹ an, deren Geschichte und Ziele er in einem 1896 erschienenen Buche ausführlich darzustellen versucht.[6] In Anlehnung an die Innere Mission, die Evangelischen Arbeitervereine, Rudolf Todt, Adolf Stöcker und Friedrich Naumann tritt er hier für eine »soziale Reformpartei aller kleinen Leute« ein, um so das Christentum wieder mit echtem Idealismus und sozialem Verantwortungsbewußtsein zu erfüllen, anstatt sich lediglich mit der Formel ›Thron und Altar‹ zu begnügen.[7] Seine ideologische Grundtendenz bleibt jedoch dieselbe. In einer »Zeit der Klassenkämpfe«, des »wirtschaftlichen Egoismus« und der »politischen Brutalität« will er nicht »sozialagitatorisch«, sondern »sozialversöhnend« wirken, indem er die urchristliche Gemeindevorstellung zu reaktivieren versucht.[8] Um dieser Gesinnung auch einen äußeren Rahmen zu geben, gründete er 1896 mit Friedrich Naumann den ›Nationalsozialen Verein‹.

Doch schon kurz darauf müssen ihm die eklatanten Widersprüche dieser Ideologie bewußt geworden sein. Er legte daher sein Pfarramt nieder und veröffentlichte im Jahre 1900 sein sensationelles Pamphlet *Wie ein Pfarrer Sozialdemokrat wurde*, von dem bis 1925 über 500000 Exemplare die Druckerpresse verließen. Das sieht auf den ersten Blick wesentlich entschiedener als die Haltung Naumanns aus, – doch nur auf den ersten. Schließlich war die Sozialdemokratie damals bereits so stark ins ›revisionistische‹ Lager umgeschwenkt, daß man nicht unbedingt Marxist zu sein brauchte, um in ihre Reihen aufgenommen zu werden. Man denke an ›Bürger‹ wie Schippel, David, Heine und Noske, die sich um die *Sozialistischen Monatshefte* scharten und dort die nationale Trommel rührten. Von hier aus war es nicht schwer, eine Brücke zu Eugen Diederichs hinüberzuschlagen. Dafür spricht ein Sozialchauvinist wie Wolfgang Heine, dessen Buch *Zu Deutschlands Erneuerung* (1916) sich geradezu wie eine der Diederichsschen *Tat-Flugschriften* liest.[9]

Und so sind denn auch Göhres Vorworte zu den *Denkwürdigkeiten* alles andere als sozialdemokratische Parteidokumente, sondern stecken voller christ-sozialer Widersprüche. Schon wie er den Autor dieser Bücher beurteilt, wirkt reichlich ambivalent. Ständig wird Fischer als ein Arbeiter alten Schlags, als braver Untertan oder Mann des anonymen Volkes charakterisiert, dessen Name völlig nebensächlich sei, da er überhaupt noch kein Bewußtsein seiner eigenen Klasse oder seiner eigenen Individualität besitze. Göhre schenkt sich daher alle faktischen Informationen, obwohl er sich ausführlich mit diesem Manne unterhalten hat. Ein solcher Handarbeiter ist eben keine »durch das Leben ausgewachsene Persönlichkeit«, kein »Vollmensch«, wie Diederichs einmal arroganterweise bemerkt,[10] sondern »nur wertvoll durch das«, was er als »naiver Mensch« zu sagen hat. Aus diesem Grunde läßt Göhre

– trotz seiner Versicherung, an dem Ganzen bloß geringfügig geändert zu haben – alle »Räsonnements« als atypisch weg (II, III). In seiner Sicht sind diese Bände eine Lebensbeschreibung aus der »Welt des Volkes«, in der sich der Einzelne nur als eine »Teilerscheinung der großen Masse« abzeichnet. Eine »Individualität« besitzen nach Göhres Meinung lediglich die Mitglieder der ›höheren‹ Stände (I, IV).

Doch neben dieser Theorie vom anonymen Vertreter des einfachen Volkes, die merklich ins Sozialfaschistische abgleitet, wird Fischer zugleich als Exempel einer mehr ins ›Materialistische‹ tendierenden Weltanschauung vorgeführt. Es gibt daher auch Abschnitte, wo er als Inbegriff des »modernen Industrie- und Massenmenschentums« erscheint (I, VII), das zu einem unwürdigen »Herdendasein« verurteilt ist (I, IX). Und Göhre kommt sich bestimmt sehr sozialdemokratisch vor, wenn er behauptet: »Wer noch immer nichts von der ökonomischen Geschichtsauffassung für die Masse der Menschen und die Massenmenschen wissen will, hier wird er überführt von der Wahrheit des Satzes, daß die gesellschaftlichen und ökonomischen Zustände, in denen sich ein Mensch der einfachen und Durchschnittsarbeit befindet, auf das stärkste mitbestimmend für die ganze Entwicklung und den Inhalt seiner Persönlichkeit sind« (I, IX). Kein Wunder also, daß die Arbeiter in seinen Augen mal das große *Volk* und mal jene anonyme *Masse* sind, die »ohne jede Verbindung mit der übrigen Bevölkerung« scheinbar willenlos dahinvegetieren (I, VIII). Um sie aus dieser Misere herauszureißen, betont er zwar nachdrücklich die Notwendigkeit der »modernen Arbeiterbewegung«, schwärmt jedoch zugleich mit sentimentalischem Augenaufschlag von ihrem »Leben in und mit der Natur, in ihrem Schmutz und ihrer Schönheit, in ihren Unbilden und ihrer Sonnenlust«, als hätte er noch nie eine Fabrik gesehen (I, IX).

Dieselbe Widersprüchlichkeit zeigt sich in seiner Einstellung dem Fischerschen Manuskript gegenüber, die trotz aller Panegyrik eine herablassende Arroganz verrät. Immer wieder staunt er, was so ein »einfacher Arbeiter« doch für eine darstellerische Begabung besitzt (II, VIII). Andererseits stellt Göhre bedauernd fest, daß Fischer nur dann ein ›wahrer‹ Künstler geworden wäre, wenn er nicht zeit seines Lebens im »Schmutz der alles ertötenden Alltagshandarbeit« gestanden hätte (I, VI). Statt solcher Phrasen würde man an dieser Stelle lieber etwas über den Autor dieses Buches hören. Doch trotz aller »mühsamen Arbeit« des Redigierens, deren sich Göhre rühmt (II, III), scheint sein Interesse für das Leben dieses Mannes recht oberflächlich gewesen zu sein. So behauptet er einmal, daß Fischer mit seinen ›Erinnerungen‹ nur bis zum Jahre 1885 gekommen sei, während sie eindeutig bis 1900 gehen (I, IV). Aus dem gleichen Grunde ist auch seine Beurteilung der ›literarischen‹ Leistung dieses Memoirenwerkes höchst widerspruchsvoll. Als frischgebackener Sozialdemokrat sieht er in dem Ganzen »ein Stück naivster und doch moderner Epik, ein Beispiel von poetischem Naturalismus, das an ein kleines, feines Pleinairbildchen aus dem modernen Arbeiterleben erinnert« (III, 2). Als ehemaligem Pfarrer erscheint ihm dagegen dieser Lebensbericht wie »eine altertümliche Chronik« (I, VI), in markantem »Lutherdeutsch« geschrieben (II, XI), ja mit Abschnitten durchzogen, die sich zu »einer wahrhaft poetischen Sprache erheben« (I, VI). Besonders den Prolog empfindet er »so grimmig und primitiv, so ehrlich und grüblerisch, wie wir ihn eigentlich nur aus mittelalterlichen Werken kennen« (II, IX). Manche dieser Äußerungen klingen so ›volkheitlich‹, als stammten sie direkt von Eugen Diederichs.

Gehen wir nach all diesem Wust endlich zu dem Werke selber über oder jedenfalls dem Text, wie ihn Göhre bietet. Dieses Buch als mittelalterlich ›anonym‹ zu bezeichnen, kann nur einem sehr verbildeten Literaten einfallen, der alles Psychologisch-Individuelle als ein Privileg des Bürgertums betrachtet. Denn bei näherem Zusehen hat dieser ›einfache Arbeiter‹ eine recht präzis umrissene Persönlichkeit und ist sich seiner Biographie genauso bewußt wie jeder andere reflektierende Mensch. Verfolgen wir daher erst einmal seinen Lebensgang, der durch die buntscheckige Publikationsart Göhres etwas unübersichtlich bleibt, um nur ja das Individuelle hinter dem Anonymen zurücktreten zu lassen.

Geboren wurde Carl Fischer am 6. Juni 1841 als Sohn eines kleinen Bäckers zu Grünberg in Sachsen. Wenige Jahre später scheinen seine Eltern mit ihm nach Rothenburg an der Oder umgezogen zu sein, wo er bereits als Zehnjähriger abends in den Wirtschaften

Brezeln verkaufen mußte. Eine Reihe seiner Geschwister starb schon kurz nach der Geburt, da sich seine Eltern keinen Arzt leisten konnten. Als die Mutter einmal in der Backstube mithelfen mußte, erstickte eins der Neugeborenen in der Wiege. Im Oktober 1854 zogen seine Eltern nach Eisleben um und pachteten dort wiederum eine Bäckerei. Nach seiner Konfirmation kam der kleine Carl mit 15 Jahren zu einem Onkel in Dederstadt als Hilfsbursche in eine Wagenschmierefabrik. Anschließend lernte er bei seinem Vater das Bäckerhandwerk, legte 1859 seine Gesellenprüfung ab und begab sich auf die Wanderschaft. Im Sommer desselben Jahres tippelte er über Aschersleben, Magdeburg, Berlin, Stettin, Kolberg nach Danzig, kehrte im Dezember nach Grünberg zurück und blieb dort für ein Jahr bei einem anderen Onkel als Bäckergeselle. Im Sommer 1861 begab er sich als Zwanzigjähriger wieder auf die Walze. Diesmal kam er bis Trier, fand jedoch keine Arbeit und wurde von der Polizei zu seinen Eltern zurückgeschickt. Dort verdingte er sich für einige Zeit als Chausseearbeiter. Zwischen 1863 und 1866 arbeitete er in Hüneburg bei einem Bahndurchstich, da er das ›Bäkkern‹ aus Gesundheitsgründen nicht mehr durchhalten konnte. Im Sommer 1866 nahm er wieder seine Wandertätigkeit auf. Im Oktober des gleichen Jahres wurde er in Hanau wegen Bettelei ins Gefängnis geworfen und verbrachte dann einige Zeit im Hospital. Anschließend wanderte Fischer über Mainz, Koblenz, Aachen nach Hinsbek, wo er eine Anstellung bei den Bahnarbeitern fand. Vom Januar bis März 1868 lag er im Kempener Krankenhaus. In den folgenden Monaten arbeitete er beim Brückenbau in Neuß, einem Bahneinstich in Vohwinkel, beim Tunnelbau in Killburg in der Eifel, einer Kiesbaggerei in Ardey an der Ruhr und schließlich bei Erdarbeiten in Nehheim, bis er sich die Krätze und eine gefährliche Furunkulose zuzog. Er schleppte sich daher schnell nach Hanau, um im dortigen Spital aufgenommen zu werden. Nach Überwindung dieser Krankheiten wanderte er nördlich durchs Sauerland nach Westfalen. Am 7. Juli 1869, inzwischen 28 Jahre alt geworden, kam er nach Osnabrück und ließ sich dort bei einem Stahlwerk anheuern. Hier blieb er volle 16 Jahre. Zuerst arbeitete er in der Kalkgrube, dann am Brennofen und schließlich bei den Steineformern. Als ihm das körperlich zu anstrengend wurde, nahm er 1885 eine Stellung in der Abkocherei der Osnabrücker Eisenbahnwerkstätte an, wo er 25 Groschen am Tag verdiente und sich endlich einen heizbaren Raum zum Alleinbewohnen leisten konnte. Und so stand er die nächsten 15 Jahre tagaus tagein an einem großen Flaschenzug, um verschmutzte Maschinenteile in die Ätzlauge zu hieven und dann abzukochen. Doch als er die 60 erreichte, wurde ihm auch diese Arbeit zu schwer. Er schreibt: »Man hatte zu oft für zwei Mann arbeiten müssen, nun wurde das Rückgrat steif und das Bücken beschwerlich, die Arme wurden schlapp und die Gelenke waren ausgeleiert, man war nicht mehr fix genug wie vordem und empfand die Arbeit nun wirklich als eine Qual« (II, 382). Er kündigte und erhielt mit 61 Jahren sein erstes Abgangszeugnis. Ohne irgendwelches Invalidengeld zu bekommen, zog er sich anschließend zu armen Verwandten nach Jeßnitz im Anhaltischen zurück, bestellte dort einen kleinen Acker und schrieb zwischendurch seine Selbstbiographie. Als Vorbild diente ihm dabei Göhres Büchlein *Drei Monate als Fabrikarbeiter und Handwerksbursche*, das er sich bereits in den neunziger Jahren gekauft zu haben scheint. Als Fischer die Niederschrift seiner Erlebnisse für druckreif hielt,[11] schickte er sie an Göhre, obwohl er entsetzt erfahren hatte, daß dieser Mann inzwischen Sozialdemokrat geworden war. Und zwar ging es ihm hauptsächlich um das Honorar, mit dem er den Lebensunterhalt seiner alten Schwester sichern wollte.[12] Beim Erscheinen des ersten Bandes erlebte er noch die Genugtuung, daß ihm der Bürgermeister von Jeßnitz, der ihn bis dahin als Heimatfremden angesehen hatte, endlich eine offizielle ›Aufenthaltsgenehmigung‹ ausstellte.[13] Wann Carl Fischer gestorben ist, läßt sich nicht mehr ermitteln.

Doch diese dürren Fakten sagen natürlich noch wenig. Ein solches Schicksal haben Hunderttausende von deutschen Arbeitern in der zweiten Hälfte des 19. Jahrhunderts gehabt. Das Entscheidende ist lediglich die Art und Weise, mit der dieser ›ungebildete‹ Mann seinen Lebenslauf ins Wort zu bannen versucht. Und hierin ist Fischer durchaus ein Meister. Alles, was er schildert, tritt einem beim Lesen so plastisch vor Augen, als wäre es mit Händen zu greifen. Daß sich das nicht mit ›Naivität‹ erreichen läßt, steht wohl außer Zweifel. Wer so prägnant zu schildern versteht, muß schon über ein hohes Maß an Bewußtheit seiner eigenen Lage verfügen.

Es wirkt daher geradezu absurd, diese Bücher als ›mittelalterlich‹ oder ›anonym‹ zu bezeichnen. Dazu sind sie viel zu klar gegliedert, durchdacht und komponiert, was leider durch die bruchstückhafte Publikationsform nicht auf den ersten Blick zu erkennen ist. Man spürt genau, daß es sich hier um einen sehr ausgeprägten Charakter handelt, der im Rahmen seines Milieus eine ebenso markante Entelechie durchläuft, wie die sogenannten ›Bürger‹ in ihren Gesellschafts- und Bildungswelten. Fischer ist sich durchaus bewußt, daß er als ›kleiner Mann‹ aus ärmsten Verhältnissen gegen ein ganzes ›System‹ antreten muß, um sich überhaupt am Leben zu erhalten. Ein ›Herdenmensch‹ hätte sich in einer solchen Situation einfach treiben lassen und wie Hunderttausende seiner Leidensgenossen nicht zum Federhalter, sondern zur Flasche gegriffen. Doch dieser Mann drängt unentwegt nach der Auseinandersetzung mit den immer klarer erkannten Mächten der religiösen, sozialen und politischen Unterdrückung, die alles daran setzen, ihn im Stand der ›Unmündigkeit‹ zu halten. Und zwar ist die unbestechlich nüchterne Art, mit der er diese Obrigkeitswelt schildert, bereits so provozierend, daß es kaum noch irgendwelcher ›Räsonnements‹ bedarf.

Schon als kleiner Junge sieht er sich ständig diesem ›System‹ gegenüber. Er wächst in einer Familie auf, wo der Vater noch die absolute patriarchalische Gewalt besitzt. Daß es diesem Mann trotz aller Mühen nicht gelingt, auf den grünen Zweig zu kommen, macht ihn so verbittert, daß er seine Frau und seine Kinder ständig »viehisch«, ja geradezu »teuflisch« verprügelt (I, 14). Seine Armut ist so groß, daß er selbst als Bäcker darauf verzichten muß, Brot oder Brötchen zu essen und jahrelang von Kartoffeln und Heringsstippe lebt. Der kleine Carl sieht sich daher ständig einer Sphäre des grausamsten Terrors gegenüber. Er schreibt: »Freien Willen hatte ich nicht den geringsten, ich durfte nichts tun, als was mir mein Vater zu tun befohlen hatte, dafür gab er mir aber Arbeit genug. Sprechen durfte ich nur, wenn er mich etwas fragte« (I, 54). Als er einmal nachmittags ohne Erlaubnis mit den Hütejungen auf der Wiese herumtollt, erhält er nicht nur furchtbare Prügel, sondern wird auch stundenlang eingesperrt und muß Bibelstellen auswendig lernen. Auf diese Weise bekommt er eine solche Angst vor dem Vater, daß er in der Bibel bloß noch die Abschnitte gut findet, wo von einer besonders ›knechtischen‹ Gesinnung die Rede ist. Man höre, was Fischer einmal – mit kaum verhüllter Ironie – von Abrahams Diener behauptet: »Wie aufrichtig, wie rechtschaffen, wie ehrlich war dieser Knecht! Und wiewohl er die weite Reise gemacht hatte, wollte er doch nichts essen, bis er alles ganz genau bestellt und ausgerichtet hatte, wie ihm von Abraham gesagt worden. Und wie er alles hatte in Ordnung gebracht, da erst hat er was gegessen. Und als sie den Knecht eingeladen haben, er sollte zehn Tage dableiben, und sich ausruhen, da hat er gesagt: Laßt mich, daß ich zu meinem Herrn ziehe; und am andern Morgen ist er wieder weggemacht« (I, 32).

Nicht anders ergeht es dem kleinen Carl in der Schule und im Konfirmandenunterricht. Auch hier liegt der Rohrstock direkt neben der Bibel. Ständig muß er mit gefalteten Händen und kerzengerade dasitzen, um nicht als faul und sündhaft zu gelten. Kein Wunder, daß er schnell »sämtliche Evangeliums« auswendig kann, während er von den Realien des Lebens nur wenig erfährt (I, 54). »Bibel und Gesangbuch gehörten zu unseren täglichen Schulbüchern«, heißt es an einer Stelle, »ehe der Kantor den Unterricht begann, griff er gewöhnlich erst nach dem Stock, er war das so gewöhnt, ihm fehlte was, wenn er den Stock nicht in der Hand hatte« (I, 44). Wie ideologisch dieser Unterricht ausgerichtet war, beweist folgende Ermahnung, die ihm in der Schule wiederholt eingebleut wurde: »Ich nehme an, da sind ganz arme Eltern, und die haben Kinder, und der Vater ist liederlich, und vertrinkt das Geld, und schlägt die Kinder, und die müssen hungern und frieren: Kann da der liebe Gott den Kindern nicht helfen? Nein, das kann er nicht, er kann es zwar wohl, aber in seiner Weisheit will er es nicht; denn er überläßt die Welt ihrem natürlichen Lauf, und deshalb kann er den Kindern nicht helfen, und die Kinder müssen das tragen auf Erden. Aber nachher, in jener Welt, da wird Gott die Kinder reichlich dafür entschädigen« (I, 44). Als besonders »niederträchtig« empfindet er den Lehrer in Eisleben, von dem er zornig berichtet: »Die meisten Schläge bekamen die armen Jungens, dahingegen Jungens, deren Eltern wohlhabend waren, die behelligte er wenig, wenn sie etwas vergessen hatten; denn er meinte, die armen Jungens hätten die Kenntnisse am nötigsten« (I, 90).

Wie soll sich ein solches Kind überhaupt entwickeln, überhaupt ›mündig‹ werden, wenn Elternhaus, Kirche und Schule ständig auf ihn einprügeln und ihm zum Trost mit der Bibel über den Kopf schlagen? Wohin Carl auch kommt, wird er angeschnauzt und systematisch verdummt. Das einzige, was er heimlich liest, sind *Luthers Leben und Wirken*, die *Geschichten vom alten Fritz* und einige Bücher vom Verfasser des *Wawerlei* aus dem »Mäusekammerspind« (I, 28). Und dabei war er ein kränkliches Kind, das bis zum elften Jahr fast jeden Winter im Bett verbrachte und die Schule bloß im Sommer besuchte. Wieviel sinnvoller hätte er diese viele freie Zeit anwenden können! Er wollte daher nach der Konfirmation am liebsten Gärtner werden, um nur ja jedem Kontakt mit anderen Menschen aus dem Wege zu gehen. Doch eine solche Lehre kostete damals noch eine Stange Geld. Und so behielt ihn der Vater lieber als Laufburschen in der Bäckerei und steckte ihn anschließend als Hilfsarbeiter in eine Wagenschmierefabrik.

Als sich Fischer endlich auf die Wanderschaft begibt, glaubt er dieser Hölle entronnen zu sein. Doch wohin er sich auch wendet, wartet schon das ›System‹ auf ihn. Überall steht ein Pastor, Polizist oder Werkmeister, der ihn anschnauzt und wieder unter die Knute zu kriegen versucht. Besonders eklig findet er die Landgendarmen, die jeden wandernden Handwerksburschen als Freiwild betrachten, ihn ›anrüffeln‹ oder sofort ins Kittchen werfen, wenn sie ihn beim ›Fechten‹ erwischen. Fast in allen Orten muß er sich einer Paßkontrolle unterziehen und sein Wanderbuch abstempeln lassen. In den meisten Fällen wird er als Arbeitsloser kurzerhand wieder abgeschoben. »Gehen Sie hier weiter, und kommen Sie nicht wieder«, lautet die ständige Redensart dieser Miniaturtyrannen, die ihre eigene Frustriertheit an den noch Ärmeren auszulassen versuchen (II, 102). Ähnliches passiert ihm in Berlin, wo ihm ein solcher Gendarm den Eintritt ins Museum verwehrt, weil er zu arm ist, sich ein Vorhemd zu leisten (II, 30).

Nicht minder ›autoritär‹ verhalten sich die Werkmeister in den Fabriken, die ihre Untergebenen einem festen Günstlingssystem unterwerfen. Arbeitsbedingungen werden hier geschildert, die von geradezu bestialischer Härte sind. So erhält er schon als Fünfzehnjähriger in der Wagenfettfabrik seines Onkels die Nachtschicht zugeteilt, muß sich mit Kalklöschen und Ölschleppen abplagen und bekommt dafür sechs Mark in der Woche. Das gleiche gilt für die Zeit als Wanderbursche, wo er selten über zweieinhalb Groschen im Beutel hat, in den Herbergen auf den Bänken schlafen muß und glücklich ist, wenn er irgendwo als Tagelöhner unterschlupfen kann. Noch schlimmer ergeht es ihm bei den Erdarbeitern, ob nun beim Chausseebau oder bei den Bahndurchstichen. Auch hier muß er meist in Erdlöchern übernachten, bekommt sechs Groschen am Tag und zieht sich obendrein Läuse und Krätze zu. Lediglich in Hüneburg, wo er mit Kippkarre und Spitzhacke einen Berg abträgt, wird ihm für 50 vollgeladene und herausgefahrene Wagen ein ganzer Taler ausgezahlt. Und das hält er fast drei Jahre aus, wenn auch mit dem Stoßseufzer: »O Hüneburg, o Hüneburg, wie brummten meine Knochen! Das war ein Stück Arbeit, das will ich jedem versichern. Wer das nicht mitgemacht hat, der kennt das nicht« (I, 134). In Ardey erhält er für eine Karre Kies, die er aus dem Ruhrbett holt und gegen den Berg hinaufwuchtet, nur vier Pfennige. Von seiner Zeit in Vohwinkel schreibt er: »Und war freilich auch Schinderarbeit; wir mußten den ganzen Tag werfen wie verrückt, daß man immer den Wagen voll kriegte, und wußten abends, was wir getan hatten« (I, 185). Wenn man bei einer solchen Arbeit mit zwei anderen in einem Bette schlafen muß, ist man am nächsten Morgen nicht gerade ausgeruht. Ein eigenes Zimmer kann er sich erst in Osnabrück leisten, als er beim Stahlwerk unterkommt. Doch dafür muß er neben dem zehnstündigen Arbeitstag noch Überstunden und Sonntagsarbeit machen. Die schlimmste Zeit ist die vor dem Brennofen, wo er manchmal 13 (dreizehn) Schichten in der Woche arbeitet. »Man konnte gar kein ordentlicher Mensch dabei bleiben«, heißt es hier, »denn man war bei den ewigen Überschichten ganz schlapp geworden; man konnte gar nicht mehr ordentlich essen und schlief bloß noch auf Raub« (I, 260). Auch später bei den Formern, als er fünfzehnpfündige Steine aus dem harten Ton herausschlagen muß, arbeitet er von morgens 6 bis abends 7 und erhält dafür nur 23 Groschen Tagelohn. Obendrein steht er dabei in einem zugigen Kollergang auf heißen Eisenplatten, so daß ihm die Holzschuhe unter den Füßen anbrennen. Als er mit den Jahren immer steifer in den Armen wird und schließlich kaum noch das Kostgeld verdient, schreibt er lakonisch: »Da war die Zeit ganz ohne Zweifel da, daß ich kaputt gehen sollte« (I, 372). Er läßt sich daher, wie schon erwähnt, bei einer Eisenbahnwerkstätte anheuern. Doch hier gehen alle seine Ersparnisse in Kleidung auf, da ihm die scharfe Lauge, mit der er täglich hantieren muß, jedes Stück vom Leibe frißt. Entlassen wird er aus dieser Sklaverei erst mit 60 Jahren, als ihm seine Knochen gänzlich den Dienst versagen.

Alles in allem, bleibt er so zeit seines Lebens in absoluter Abhängigkeit. Sowie er nur den bescheidensten eigenen Willen anmeldet, wird er sofort »abgerüffelt« (II, 305). Nirgends findet er Kameraden, mit denen er sich solidarisch erklären könnte. Jeder steht hier für sich und kämpft rücksichtslos um den besten Arbeitsplatz. Am leidlichsten haben es jene, die am besten kriechen können. Denn in all diesen Verhältnissen herrscht noch der absolute Patriarchalismus. Immer wieder sieht sich Fischer einer drohenden Vatergestalt gegenüber, die streng darüber wacht, daß er nur ja nicht mündig wird oder über seine eigene Lage zu reflektieren beginnt. Zu Hause waren diese Respektpersonen die Eltern und Großeltern, die man noch mit ›Sie‹ anreden mußte, um jede Art der Vertraulichkeit zu vermeiden. In der Schule ist es der Lehrer, im Konfirmandenunterricht der Herr Pastor, auf der Landstraße der ›Schandarm‹, dem man sich als Autorität unterwerfen muß. Doch auch später geht dieser patriarchalische Zwang immer so weiter. Auf der Wanderschaft sind es die Herbergsleute, die man beim Eintritt in die Wirtsstube mit dem Spruch anreden muß: »Ich will Vater und Mutter gebeten haben, daß ich meinen Berliner hier ablegen darf« (II, 25). Im Armenspital gilt der Herr Doktor als der ›Vater‹, vor dem sich jeder furchtsam in die Ecke drückt, als »wenn ein Tierbändiger in den Käfig kommt« (II, 123). Selbst den Gefängniswärter muß man devot mit ›Vater‹ anreden. Kein Wunder also, daß die Arbeiter des Osnabrücker Stahlwerkes sogar den Fabrikdirektor hinter seinem Rücken stets als »Vater Grausam« bezeichnen (I, 365).

Wie soll sich in einer solchen Atmosphäre, die ganz im Zeichen einer patriarchalischen Knüppeldiktatur steht, ein selbstbewußtes Individuum entwickeln? Muß dabei nicht jeder ›freie Wille‹ vor die Hunde gehen und das Ergebnis ein willenloser ›Herdenmensch‹ sein? Wie kann man das überhaupt sechzig Jahre lang ertragen? Daß sich im Rahmen dieses ›Systems‹ kein bürgerlicher Bildungs- und Entwicklungsgang ergeben kann, ist klar. Und doch erringt dieser Mann im Laufe seines Lebens eine ganz beträchtliche Bewußtseinshöhe, die ihn schließlich befähigt, ein so umfangreiches Memoirenwerk niederzuschreiben. Hier legt sich jemand Rechenschaft darüber ab, worin denn seine entwürdigende und erbärmliche Existenz überhaupt bestanden hat. Auf dichterische, religiöse oder didaktische Nebenabsichten wird daher völlig verzichtet. Fischer will sich lediglich bewußt werden, was er alles ›erlebt‹ hat, um seinem langen Leidensweg eine gewisse Konsistenz oder leibhaftige Tatsächlichkeit zu geben. Er schreibt deshalb so realistisch wie möglich und bemüht sich streng, nirgends die Wahrheit mit der Dichtung zu vermengen. Es geht ihm nicht darum, dem Leser etwas Organisch-Gewachsenes vorzuheucheln. Ja, es geht ihm überhaupt nicht um den Leser, sondern nur um die objektive Zusammenfassung seiner eigenen Existenz. Aus diesem Grunde hält er sich strikt an die chronologische Aufzählung, ohne in irgendeiner generalisierenden Art auf das Vor oder Zurück zu verweisen.

Selbst an Stellen, wo man erregte Exkurse über die Ungerechtigkeit des Schicksals, die Not der Arbeiterklasse oder ähnliche Probleme erwarten würde, beschränkt er sich auf die bloßen Fakten. Vor allem in seinen Gefühlsäußerungen ist er so karg wie möglich. Immer wieder spricht er lediglich vom Schaffen, von der Arbeit. Was er an seinen freien Sonntagnachmittagen treibt oder auf seinen Wanderungen erlebt, wird fast nirgends erwähnt. Das gleiche gilt für seine persönlichen Beziehungen zu anderen Menschen. Freunde, Mädchen oder Frauen scheint dieser Mann überhaupt nicht gekannt zu haben, – oder jedenfalls schweigt er davon. Er ist ein einsamer Hagestolz, der am liebsten hinter verschlossener Tür zu Hause sitzt. Manchmal versucht er etwas zu angeln, hat aber meist das Pech, von ›Feldschandarmen‹ aufgegriffen oder verjagt zu werden. Ebenso verhalten äußert er sich über den Eindruck, den das Meer auf ihn macht: »Da stand ich stundenlang und wurde nicht müde, aber gegen die Dämmerung war ich wieder in der Herberge« (II, 33). Als sich einer seiner ›Meister‹ erhängt und sich diese Nachricht unter den vielen ständig gebückt stehenden Maurern und Kalkarbeitern im Osnabrücker Stahlwerk verbreitet, heißt es nur: »Da war große Bewegung unter den Arbeitsleuten, und jeder Maurer richtete sich auf und machte sich einmal gerade« (III, 64). Das Bücken, die Steifheit im Arm, das Brennen der Gelenke, der krumme Rücken, das bleierne In-den-Schlaf-Fallen: sind die eigentlichen ›Gefühle‹ dieses Lebens.

Nicht minder zurückhaltend wirken die eingestreuten Reflexionen, jedenfalls die, die Göhre davon stehengelassen hat. Politisches wird fast überhaupt nicht erwähnt, und wenn, dann in einem sehr konventionellen Sinn. Der »Unglückstag bei Jena 1806« (I, 9) oder »das Jahr 1848 mit seiner Herrlichkeit« (I, 34): mehr bekommt man kaum zu hören. Als Fischer wegen Kurzsichtigkeit vom Militärdienst freigestellt wird, schreibt er: »Da war mir zu Mute als wäre mir der allergrößte Schimpf widerfahren« (I, 307). Auch die ›soziale Frage‹ wird nur sehr allgemein behandelt, und zwar meist in einem fatalistischen Sinne. So tröstet sich Fischer gern mit redensartlichen Phrasen wie: »Aber was einmal zum Heller geschlagen ist, da wird sein Lebtag kein Pfennig daraus« (II, 184). Als er sich in der Abkocherei ständig das Öl vom Gesicht und den Händen abreiben muß, heißt es lediglich: »Die ganze Sache kam mir recht schimpflich vor, aber ich konnte es nicht ändern« (II, 198). Eine ähnliche Resignation überfällt ihn am Schluß, wo er zwar ein Abschiedszeugnis bekommt, aber nicht mehr weiß, was er damit anfangen soll. »Helfen konnte es mir nicht mehr«, schreibt er hier, »denn man war hundsmüde und wollte keine Arbeit mehr haben. Und als mich Spitz [der Werkmeister] spöttisch fragte, ob ich nun Rentje werden wollte, und mir das schöne Leben, das ein Rentje hätte, vorpries, da sagte ich: daß ich wenig Ansprüche machte und nicht viel mehr zum Leben brauchte und mich darein schicken wollte. Da schwieg er und schob ab« (II, 391).

Doch solche Äußerungen sollte man nicht zu wichtig nehmen. Hier bewegt er sich völlig im Rahmen der gängigen Klischees. Schon individueller ist sein Arbeitsbegriff, ja geradezu Arbeitsethos. Daß ein Mann wie Fischer so monoman auf Hunderten von Seiten bloß von seiner Arbeit spricht und dabei niemals murrt, läßt sich nicht nur aus geduckter Untertanengesinnung erklären. In seiner Jugend ist dieses knechtische Verhältnis zum Obrigkeitsstaat noch das notwendige Resultat von Bibel, Prügelstock und patriarchalischer Autorität. Doch später wird geradezu eine ›Haltung‹ daraus, von der er nicht mehr abweichen kann. Ob nun bei den Erdarbeitern, den Kalklöschern, den Steineformern oder in der Abkocherei: überall wird er als fleißiger Arbeiter und ehrliche Natur um seinen gerechten Lohn geprellt. Man spürt deutlich, daß er nicht jene Praktiken anwenden kann, die sonst gang und gäbe sind. Er schmeichelt sich nicht bei den Meistern ein, macht keine Schluderarbeit, läßt nicht einmal Fünfe grade sein, sondern provoziert die anderen stets durch seine Anständigkeit, ja persönliche Würde. Während sie nur an ihr Mittagsschläfchen, ihren Schnaps oder ihre kleinen Intrigen denken, versucht er, auf einer kleinen Insel der Ehrlichkeit zu leben, was ihn bei der mangelnden Solidarität unter den Arbeitern und dem herrschenden Akkordsystem in eine verächtliche Abseitslage bringt. Wer will schon mit jemandem zusammenarbeiten, der ständig auf die ›Normen‹ achtet. Und gerade das tut Fischer unentwegt. So lobt er einen neuen Meister, der mit dem alten Schlendrian aufräumt, selbst dann, wenn er dadurch weniger verdient. Nichts ist ihm verhaßter als die beliebten »Faulenzerposten« (I, 286). Als er einmal zur Untätigkeit verurteilt wird, stöhnt er sofort auf: »Pfui Luder hundert und ein Mal. Solche Arbeit! den ganzen Tag nicht zu wissen was man vor lauter lange Weile anfangen soll!« (I, 285). Was er fordert, ist Gerechtigkeit. Fischer will weder herumlungern noch unsinnig ausgebeutet werden, sondern dringt auf einen Lohn, der genau der geleisteten Arbeit entspricht. Er ist daher sowohl gegen die Langsamarbeiter, wie den ›Dicken‹, den ›Pascha‹ und den ›faulen August‹ in der Abkocherei, als auch gegen die übermäßigen Lohndrücker und hektischen Akkordarbeiter, denen es nur um ihre Groschen und nicht um die Qualität der geleisteten Arbeit geht. Doch wie gesagt, damit macht er sich überall unbeliebt. Wohin er auch kommt, haben die anderen sofort einen ›Pik‹ auf ihn und versuchen, den ehrlichen Fischer von seinem Arbeitsplatz ›wegzubeißen‹. Denn in diesem ›System‹ herrscht rein der Profit und nicht die soziale Gerechtigkeit.

Je mehr ihm diese Haltung bewußt wird, um so weniger läßt sich das Ganze als eine rein christliche Arbeitsethik interpretieren. Fischer ist nicht nur der Untertan, der das tut, was man ihm anbefiehlt, der ›Arbeiter alten Schlags‹, wie ihn Göhre verschleiernd charakterisiert, sondern empfindet diese Schaffensmoral bereits als ein soziales Leistungsprinzip. Und das befähigt ihn auch, sich aus seiner verpreußten Knechtsgesinnung allmählich zu einer Teilemanzipation durchzuringen, die nicht mehr im Zeichen der bloßen Gegebenheiten steht.

Religiös äußert sich das in seiner steigenden Abneigung gegen die Pastoren. Wenn Fischer mal einen freien Sonntagvormittag hat, ist nie die Rede davon, daß er den Gottesdienst besucht. Wie sehr er diese Kreise verachtet, geht schon daraus hervor, daß die Pfarrer die einzigen sind, bei denen er nicht bettelt. An anderer Stelle flucht er geradezu auf die Frömmler, weil man ihm im Krankenhaus nur »Lebensbeschreibungen von Heiligen« zu lesen gibt (III, 21). Ebenso decouvrierend wirkt die Tatsache, daß er sich ausgerechnet am Heiligen Abend einmal total betrinkt, was ihm sonst nie passiert (I, 176). Auch politisch ist Fischer durchaus nicht unemanzipiert. So wendet er sich ausdrücklich gegen die antisemitische Agitation unter den Arbeitern, wie sie von Hermann Ahlwardt betrieben wurde (II, 222). Als er 1871 zum ersten Male an den Reichstagswahlen teilnehmen soll, bleibt er als einziger auf seiner ›Bude‹, da ihm weder der welfisch-katholische Zentrumsmann noch der national-liberale Bürgermeister als Kandidaten zusagen. »Aber es war weiter keine Auswahl«, ist sein lakonischer Kommentar zu dieser Affäre (I, 292). Dasselbe wiederholt sich 1874.

Wohl am stärksten zeigt sich dieses steigende Selbstgefühl im sozialen Bereich, wo es seine eigene Existenz betrifft. Als Wanderbursche und als Erdarbeiter ist er noch zu ›geduckt‹, um gegen das bestehende System aufzumucken. Doch im Stahlwerk, vor allem in der »Knochenmühle« der Formerei (I, 374), kommt ihm allmählich die Ahnung einer gerechteren sozialen Ordnung. Nicht unwichtig ist dabei das historische Faktum, daß es sich in diesen Jahren um jene hektische Zeit nach 1871 handelt, deren kapitalistisches Gründungs- und Profitverlangen die voraufgehenden Jahrzehnte wie eine agrarische Idylle erscheinen läßt. Unter primitivsten Arbeitsbedingungen und bei ständig fallenden Löhnen wurde hier der Grundstein zu jener imponierenden Wirtschaftsmacht gelegt, mit der Deutschland schon zwei Jahrzehnte später als imperialistische Großmacht auftreten konnte. Als daher Fischer – trotz ständiger Überschichten – kaum noch sein Kostgeld zusammenkratzen kann, schlägt er eines Tages mit der Faust auf die Werkbank und brüllt seinen Meister an: »Ich will monatlich über hundert Mark verdienen! Hier ist keine Ordnung! Hier muß man ja bei der Arbeit verrecken!« (I, 376). Und zwar ruft er dabei Gott als den obersten Zeugen der Gerechtigkeit an, wird jedoch nur ausgelacht und einfach gekündigt. Aber diesmal läßt er nicht locker und belagert noch zwei Tage lang das Büro des Direktors Boos, um auch dort mit seinem gerechten Zorn aufzutrumpfen. Da man ihn schließlich gewaltsam hinauswirft, hält er vor dem Verwaltungsgebäude eine große Strafrede, zu der die Maurer mit ihren Kellen einen revolutionären Marschrhythmus trommeln. Erst als er genügend gewettert hat, zieht er befriedigt von dannen.

Wohl das merkwürdigste Dokument dieses Emanzipationsstrebens und allmählichen Mündigwerdens ist der Prolog, den Fischer dem Ganzen nachträglich vorangestellt hat, den jedoch Göhre erst im zweiten Bande zu bringen wagt. Anstatt irgend etwas über seine eigene Persönlichkeit zu sagen oder sich zu den schwierigen Begleitumständen bei der Entstehung dieses Manuskriptes zu äußern, stellt er sich hier mit halb komischer, halb pathetischer Geste den Herren Professoren, Richtern, Medizinern, Pfarrern, Kapitalisten, Adligen, Volksvertretern, Juden, Antisemiten und Arbeitern in höchst stilisierter Form als der deutsche Michel, der »Rechte«, der »letzte Richter«, der »kranke Mann«, der »alte Schäfer Thomas«, der »Mann im Monde«, der »neue Luther« und »neue Volkshauptmann« vor, den man bisher meist zum Schweigen verurteilt habe (II, XII). Seine politischen und sozialen Weisheiten werden dabei in bauernschlaue Kalauer eingekleidet, die jedoch gerade in ihrer Simplizität so provozierend wirken, daß hier von ›Naivität‹ weiß Gott keine Rede sein kann. Wie könnte er sonst von der »Internationale« oder den »deutschen Sozialisten« sprechen (II, XI) oder den müden Parlamentariern mit dem »Generalstreik« drohen (II, XV)? Ebenso ›aufrührerisch‹ sind seine Bemerkungen über den »Zukunftsstaat« oder die »Zentralleitung der zukünftigen Gesellschaft«.[14] Ja, an einer Stelle spricht er ausdrücklich von seiner »reinen brennenden Liebe«, mit der er die »Kapitalisten und großen Geldmänner« umarmen möchte (II, xv).

All das wird von Göhre natürlich bewußt übersehen. Woran er sich hält, ist lediglich der Schlußabschnitt dieses Prologs, in dem Fischer das gesamte Volk aufruft, endlich zum letzten Gericht »vor dem Herrn zu erscheinen« (II, xvi). Doch selbst solche Formeln sind nicht unbedingt ›mittelalterlich‹. Man denke an Frühsozialisten wie Wilhelm Weitling oder Moses Heß, deren Schriften ständig mit christlichen Einsprengseln durchzogen sind.[15] Ähnliches gilt für den *Hessischen Landboten* (1835), den Büchner und Weidig verfaßten. Wenn man im 19. Jahrhundert zu den Ärmsten des Volkes, den Bauern, Arbeitern und Handwerkern reden wollte, mußte man zu einer solchen Sprache greifen. Schließlich war die *Bibel* für diese Leute geradezu ein Synonym für das ›gedruckte Wort‹. Ein anderes Buch hatten sie meist gar nicht gelesen.

Der Gesamteindruck dieser *Denkwürdigkeiten und Erinnerungen* ist daher alles andere als der einer ›volkhaften‹ Anonymität. Daß dieser Mann nirgends zu einer Totalemanzipation vordringt, darüber besteht kein Zweifel. Aber das ist bei seiner Herkunft und den geschilderten Arbeitsverhältnissen auch kaum zu erwarten. Es bleibt daher vieles in der Schwebe, was bei späteren Arbeiterbiographien, deren Autoren weitgehend überzeugte Sozialdemokraten waren, wesentlich deutlicher ausgesprochen wird. Andererseits ist gerade das ein Vorzug dieses Buches. Während Werke wie die *Lebensgeschichte eines modernen Fabrikarbeiters* (1905) von Moritz Theodor William Bromme oder der *Lebensgang eines Handarbeiters* (1909) von Wenzel Holek, die ebenfalls von Paul Göhre herausgegeben wurden,[16] auf Grund ihrer parteipolitischen Grundeinstellung von vornherein den Eindruck des ›Tendenziösen‹ erwecken, hat man bei Fischer immer das Gefühl des Authentischen. Bei ihm kann man sich nicht herausreden, daß sein Buch aus einem bestimmten Ressentiment entstanden wäre. Er greift nicht zu den Mitteln der Taktik und Rhetorik, um seinen Leser ideologisch zu beeinflussen. Doch gerade darum wirken seine Berichte viel provozierender. Was er bietet, ist keine Parteiliteratur, sondern die nackte Wahrheit: geschildert von jemandem, der die Welt so darstellen will, wie er sie wirklich erlebt hat. Statt ein ideologisch ›eingefärbtes‹ Bild zu liefern, beschränkt sich Fischer auf die Parteilichkeit der Objektivität. Daß seine Beschreibungen der kapitalistischen Arbeitswelt trotzdem so grausam ausgefallen sind, liegt im Wesen der Sache begründet. Wer im Rahmen solcher Verhältnisse einen Blick für das Wirkliche besitzt, kann auf alle Anklagen oder Räsonnements verzichten. Und so bewahrheitet sich auch in diesem Werk der Satz, daß jeder echte ›Realismus‹ notwendig ins Kritische tendiert. Wie stark sich diese Tendenz sogar gegen die Weltanschauung des jeweiligen Autors durchsetzen kann, hat Marx bereits an den Romanen von Balzac nachgewiesen.

Es gibt daher kaum jemanden, der diesem Buche wirklich gerecht geworden ist. Wer überhaupt darauf zu sprechen kommt, behandelt es meist als ein rein sozialgeschichtliches Dokument. Ein Mann wie Theodor Klaiber erwähnt es zwar in seiner Studie *Die deutsche Selbstbiographie* (1921), weiß aber gar nichts damit anzufangen.[17] Ebenso kursorisch verfährt Cecilia A. Trunz in ihrer Dissertation *Die Autobiographien von deutschen Industriearbeitern* (1934) mit dieser Memoirenserie. Hier wird Fischer nur gelobt, weil er noch nicht vom »Gift der gehässigen Tendenz« angesteckt sei.[18] Ideologisch huldigt sie derselben Haltung wie der junge Göhre, der die Sozialdemokratie als etwas Heidnisches, ja geradezu Teuflisches empfand. Und so sind denn auch die Fischerschen *Denkwürdigkeiten und Erinnerungen* in der Kategorie der ›unbequemen Literatur‹ steckengeblieben. Den Sozialdemokraten und späteren Marxisten war dieses Werk nicht ›links‹ genug, weil es keine ideologische ›Bewußtheit‹ besitzt. Die Vertreter des anderen Extrems, die Geschmäckler und Ästheten, legen dagegen solche Bücher, in denen es nach ›Pöbel‹ riecht, von vornherein beiseite, um sich nicht in ihrer Lebensfremdheit beirren zu lassen. Kein Wunder also, daß dieses bestürzend realistische Werk bis heute so unbekannt geblieben ist.

Karl Emil Franzos: Der Pojaz

(1905)

Wer sich heute noch an Franzos erinnert, muß schon seine sehr speziellen Gründe dafür haben. Selbst den Literaturhistorikern ist dieser Mann längst zu einem bloßen Namen geworden. Den meisten fällt nur noch ein, daß Franzos mit Ferdinand von Saar und Marie von Ebner-Eschenbach zu einer Gruppe altmodischer und bereits angestaubter Novellisten aus dem Gefolge des bürgerlichen Realismus gehört, die bis tief in die neunziger Jahre hinein am Erzählstil eines Heyse festzuhalten versuchten.[1] Wer sich dagegen nach den Titeln seiner Erzählungen und Romane erkundigt, begegnet meist einem ironischen Achselzucken. Ab und zu trifft man noch jemanden, der einmal aus bloßer Neugier die Zeitschrift *Deutsche Literatur* in der Hand gehabt hat, die Franzos zwischen 1885 und 1904 redigierte. Doch für einen ›modernistisch‹ eingestellten Germanisten bietet dieses Blatt, das sich auf der Linie Storm-Meyer-Heyse bewegt, wenig Aufregendes. Also legt man es schnell wieder beiseite. Die einzigen, die bei diesem Namen aufhorchen, sind die Büchner-Spezialisten. Schließlich war es Franzos, der im Jahre 1879, inmitten des nationalistischen Gründerrausches und aufgedonnerten Schiller-Epigonentums, als makartisierende Dramatiker wie Lindner, Wilbrandt und Kruse den Ton angaben,[2] die erste Büchner-Ausgabe veranstaltete, welche den Erstdruck des *Woyzeck* und den vollen Wortlaut des *Hessischen Landboten* enthält. Ja, Franzos scheute nicht davor zurück, den *Hessischen Landboten* in seinem Vorwort als die »erste sozialistische Flugschrift« Deutschlands hinzustellen und Büchner als einen volksverbundenen »Demokraten« zu preisen, der nicht nur für die »geistigen Güter der Gebildeten«, sondern auch für die »materiellen der Armen und Unwissenden« eingetreten sei.[3] Wo hört man sonst in diesen Jahren solche Äußerungen?

Doch nicht allein die Büchner-Edition, auch seine eigenen Werke verdienen vollste Achtung und Anerkennung. Das gilt vor allem für sein großes Reisewerk *Aus Halb-Asien* (1876) und seine Novellensammlung *Die Juden von Barnow* (1877), zwei höchst streitbare und kontroverse Werke, in denen ein Wespennest von Problemen angestochen wird: die Mißstände in der Donaumonarchie, die Judenfrage, das Problem der nationalen Minderheiten, der Panslawismus und die Galizienmisere. Beide gaben dem Leser von damals einen ersten Einblick in jenen halbasiatischen Bereich, wo neben der »Sonne der Kultur« der Zustand »tiefsten Dunkels« und »dumpfer Rohheit« herrschte, wie Franzos behauptet.[4] Ihr Autor wird daher nicht müde, unablässig auf die Rückständigkeit dieser Gegenden hinzuweisen und für wahre »Bildung« und echte »Fortschrittlichkeit« einzutreten.[5] Doch nicht nur das streitbare Engagement, sondern auch die Farbigkeit der Schilderung und die novellistisch zugespitzte Dramatik machen den Rang dieser Bücher aus. Wer sich ohne Vorurteile von ihnen gefangennehmen läßt, versteht, warum diese Werke einmal ›Bestseller‹ im besten Sinne des Wortes waren. Beide erlebten schon kurz nach ihrem Erscheinen eine Auflage nach der anderen. *Aus Halb-Asien* wurde in 16, *Die Juden von Barnow* in 12 Sprachen übersetzt. Und so stieg denn Franzos über Nacht zu einem weithin bekannten Schriftsteller auf, dessen Stimme in der politischen und literarischen Meinungsbildung nicht ohne Gewichtigkeit war.

Auf Grund dieser Tatsachen wird man neugierig, liest sich langsam ein und stößt schließlich auf sein bestes Werk, den Roman *Der Pojaz* (1905), ein mitreißend emotional geschriebenes Buch, das alle in *Halb-Asien* und den *Juden von Barnow* angepackten Probleme in äußerster Zuspitzung und hoher dichterischer Vollendung bringt. Wie kommt es, daß diese »Geschichte aus dem Osten«, wie Franzos sie im Untertitel nennt, so unbekannt geblieben ist? Hängt das mit ihrem späten Erscheinungsdatum zusammen? Warum wurde gerade dieser Roman, der sich inhaltlich und stilistisch von den *Juden von Barnow* kaum unterscheidet, erst so spät veröffentlicht?

All das sind Fragen, die sich nicht leicht beantworten lassen. Überhaupt ist dieses Werk entstehungsgeschichtlich ein merkwürdiges Unikum. Franzos erwähnt es zum erstenmal gegen Ende der siebziger Jahre, arbeitet mit großen Unterbrechungen daran und schließt es endlich im Juli 1893 ab. Doch anstatt es nun gleich zu publizieren, läßt er das Ganze bis zu seinem Tode im Januar 1904 in der Schublade liegen.[6] Und so wurde der *Pojaz* erst im Jahre 1905 von Ottilie Franzos, seiner Witwe, herausgegeben, deren kurzes Vorwort jedoch keinerlei Aufschluß darüber gibt, warum Franzos dieses Manuskript so lange zurückgehalten hat.

Liest man dieses Werk etwas genauer, entpuppt es sich trotz des galizischen Ghettomilieus als ein typischer Bildungs- und Entwicklungsroman, dessen Held einer jener reinen, aber tolpatschigen ›Toren‹ ist, der alles daran setzt, sich aus der provinziellen und religiös-sektiererischen Stickluft seiner Heimat zum Gefühl einer wahren ›Menschenwürde‹ emporzuringen. Franzos kleidet das in die Geschichte des in jeder Hinsicht benachteiligten Judenjungen Sender Glatteis ein, der fern der »modernen Bildung« unter den »ärmsten Menschen der Erde« in Barnow, im ostgalizischen Ghetto heranwächst (6), wo nicht nur der »Wille der Machthaber«, sondern auch der »eigene fromme Wahn« jeden Ansatz zur Ausbildung einer eigenen Persönlichkeit von vornherein unmöglich machen (8). Um diese Situation noch zu dramatisieren, ist der kleine Sender das Kind eines im Straßengraben umgekommenen ›Schnorrers‹, das von der störrischen und häßlichen Rosel Kurländer als ihr eigener Sohn großgezogen wird. Nach alter Ghettotradition möchte sie ihn zu einem fleißigen und frommen Handwerker erziehen. Doch schon der zehnjährige Sender zeigt alle Anzeichen, daß er zu einem ›Pojaz‹ geboren ist. Bereits in der Schule wird er als Außenseiter grausam mißhandelt und schließlich mit 13 Jahren bei einem Fuhrgeschäft in die Lehre gegeben. Durch diese Tätigkeit kommt er eines Tages bis nach Czernowitz, wo er das entscheidende Erlebnis seines Lebens hat: einen Theaterbesuch. Obwohl es sich nur um ein sentimentales Rührstück, um Mosenthals *Deborah* (1849) handelt, ist er von der höheren Wirklichkeit dieser Sphäre so überwältigt, daß er sofort Schauspieler werden will. Doch der Direktor dieser Wanderbühne, ein verständnisvoller, assimilierter Jude namens

Adolf Nadler, rät ihm, erst einmal richtig Deutsch zu lernen, bevor er das Wagnis einer so unsicheren Existenz aufsichzunehmen gedenke. Wie soll er jedoch im orthodoxen Barnow, wo jeder, der nur ein Wort deutsch lesen kann, sofort als Abtrünniger gilt, an eine Fibel oder einen Dramentext herankommen?

Der erste, der ihm ein deutsches Buch in die Hände gibt, und zwar die *Gedichte* (1849) von Moritz Hartmann, ist der Trainsoldat Heinrich Wild, den man als rebellischen Studenten der Achtundvierziger Revolution in eine galizische Strafkompanie gesteckt hat. Kurze Zeit später besticht Sender den ruthenischen Pförtner Fedko, ihn heimlich in die unbenutzte Bibliothek des dortigen Dominikanerklosters einzulassen, wo er manchen Winterabend mit halb erfrorenen Füßen, aber glühenden Wangen Lessings *Nathan* zu buchstabieren und dann zu lesen beginnt, um endlich seinen jiddischen Jargon zu überwinden. Als ihn seine Mutter und der Marschallik Itzig Türkischgelb verheiraten wollen, weigert er sich, so gut er kann, und schreibt heimlich einen Hilfebrief an Nadler. Dieser rät ihm jedoch abermals, noch etwas zu warten, und schickt ihm einige Bücher zum Selbstunterricht, mit denen sich Sender nachts – bei kleingedrehter Lampe – mühsam weiterzubilden versucht. Als Rabbi Manasse davon hört, will er ihn sofort in den Dorfbann tun. Das einzige, was Sender davor bewahrt, ist ein furchtbarer Blutsturz, in dem sich die beginnende Schwindsucht anzumelden scheint, die er sich in der Klosterbibliothek zugezogen hat. Da sein Bildungshunger jedoch nicht zu stillen ist. liest er anschließend mit dem ehrwürdigen Pater Marian, der im Verdacht der Abtrünnigkeit steht, Schillers *Gedichte* und Shakespeares *Kaufmann von Venedig*. Und dann kommt der entscheidende Moment: Nadler lädt ihn nach Czernowitz ein. Sender flieht, wirft den Kaftan weg, läßt sich die Wangenlöckchen abrasieren und wird damit »ein Deutsch«. Am Dniester halten ihn jedoch große Überschwemmungen für ein paar Tage fest. Die Mitglieder einer Schmierenbühne, die das gleiche Schicksal mit ihm teilen, erkennen sofort sein großes Talent und versuchen ihn zu überreden, bei ihnen den Shylock zu spielen. Doch bevor er sich entscheiden kann, holt ihn Rosel Kurländer plötzlich ein. Er erfährt, daß sie nur seine Stiefmutter ist, die ihm ihr ganzes Leben geopfert hat. Gebrochenen Herzens kehrt er mit ihr nach Barnow zurück, brütet stumm vor sich hin und rettet ihr schließlich in einer bedrohlichen Situation das Leben, wobei er sich selber schwere Verletzungen zuzieht. Seitdem gilt er im Dorf als ›gute Seele‹, die ihre Schuld beglichen hat. Jetzt könnte er wirklich Schauspieler werden, und man erlaubt ihm sogar, nach Lemberg zu fahren, um dort den großen Bogumil Dawison als Shylock zu sehen. Im Anschluß an dieses Erlebnis wird er wieder von furchtbaren Blutstürzen heimgesucht. Er läßt sich nach Barnow zurückbringen und stirbt dort im Vorgefühl der nahen Befreiung.

Aber die baren Fakten sagen hier nur die Hälfte. Entscheidend ist der aufrüttelnde Ton, der die Lektüre dieses Buches so unvergeßlich macht. Mit rein ästhetischen Kriterien läßt sich diese Wirkung nicht begreifen. Der *Pojaz* ist kein Kunstprodukt, sondern ein ›Dokument des Herzens‹, das in die Ahnenreihe so unterschiedlicher Bücher wie der *Konfessionen* Rousseaus, des *Anton Reiser* von Moritz oder mancher Dostojewski-Romane gehört. Wir sind heute allzu leicht geneigt, solche Werke als überspannt oder sentimental abzulehnen. Doch Bücher wie diese sind eben nicht für die Skeptiker, für die Geistreichen und Smarten geschrieben, die bei jedem echten Gefühlsausbruch höhnisch die Luft aus der Nase lassen, sondern für jene Leser, denen es ein Bedürfnis ist, wirklich gepackt, erschüttert oder erhoben zu werden.

Um so verwunderter ist man, warum Franzos diesen Roman, mit dem er zweifellos eine große Breitenwirkung erzielen wollte, nicht veröffentlicht hat. Erschien ihm das Ganze noch nicht ausgereift oder vollendet genug? Wohl kaum, denn sonst würde seine Witwe nicht im Vorwort behaupten: »Er hielt sein Werk keiner Änderung mehr bedürftig und hat auch tatsächlich seit dem Jahr 1893 nichts mehr hinzu und nichts mehr hinweggetan.« Fand er etwa keinen Verleger dafür? Auch daran kann es nicht gelegen haben. Erstens wäre es Franzos ein leichtes gewesen, den *Pojaz* in seiner eigenen Zeitschrift, der *Deutschen Dichtung*, herauszubringen, in der sich so manche Erstdrucke seiner Werke finden. Zweitens gehörte er zu den Mitbesitzern des Concordia-Verlages und war damit absolut ungebunden, was den Druck seiner Manuskripte betrifft. Drittens hätte sich jeder andere Verlag – bei seinen Erfolgen und Auflagenhöhen – darum gerissen, ein neues, größeres Werk von Franzos auf den Markt zu bringen. Schließlich war er nicht irgendwer, sondern ein Autor von Bestsellern, der mit großen Verlegern, wie Cotta, in gutem Einvernehmen stand.

Waren es also rein persönliche Gründe? Hielt er dieses Werk für zu privat, zu autobiographisch? Denn bei genauerem Zusehen hängt der *Pojaz* ja sehr eng mit seiner eigenen Entwicklung zusammen, was sich an Hand vieler Details nachweisen läßt. Barnow ist ohne Zweifel das Czortkow seiner Jugend in Ostgalizien. Auch sein erster Lehrer hieß Heinrich Wild und diente als Trainsoldat bei einer Strafkompanie. Nach dem Tode Wilds besuchte der kleine Franzos eine Zeitlang eine Dominikanerschule. Wie Sender Glatteis wurde er schon als Kind von den Christen als Jude, von den Juden als ›Abtrünniger‹ behandelt. Sein erstes Bühnenerlebnis war die *Deborah* von Mosenthal, die ihn so ergriff, daß er wie der kleine Sender die Aufführung wegen ›Ruhestörung‹ verlassen mußte. Und zwar wissen wir alle diese Fakten aus dem Vorwort zum *Pojaz*, das vom 15. Juli 1893 stammt.[7] Es kann also nicht die Scham vor der Selbstentblößung gewesen sein, die Franzos daran hinderte, dieses Buch der Öffentlichkeit zu übergeben. Dagegen spricht schon die Novelle *Das Christusbild* (1868), in der er mit kaum verhüllter Selbstbezogenheit die Tragödie seiner ersten Liebe beschreibt. Ähnliches gilt für seine *Juden von Barnow*, die voller autobiographischer Elemente stecken. Franzos ist überhaupt ein typischer Bekenntnisautor, dem nichts ferner liegt als das Verschleiern und Vertuschen. Warum hätte er sonst Autoren wie Meyer, Heyse, Fontane, Spielhagen und andere aufgefordert, etwas über den persönlichen Anlaß ihres ersten Werkes zu schreiben? Als er genug Beiträge dieser Art zusammenhatte, ließ er sie 1895 in der hochinteressanten Anthologie *Die Geschichte des Erstlingswerks* erscheinen. Was er in diesem Buch über seine eigene Werdezeit und die Entstehung der *Juden von Barnow* schreibt, gehört zu den wichtigsten autobiographischen Quellen, die wir über Franzos besitzen. Wie im Vorwort zum *Pojaz* entwirft er hier noch einmal ein breites Gemälde seiner Jugend in Czortkow und hebt vor allem hervor, wie mühsam es in dieser Umgebung war, sich zum »Geist der Humanität« emporzuringen.[8] Nach diesen Angaben scheint es sein Jugendtraum gewesen zu sein, einmal Professor der Altphilologie in Wien zu werden. Als sich diese Möglichkeit – wegen der immer noch bestehenden Judengesetze – nicht realisieren ließ, studierte er Jura, betätigte sich 1870/71 als deutschnationaler Burschenschaftler und zog sich damit den Verdacht der Polizei und der Behörden zu. Aus diesem Grunde schwenkte er schließlich ins Journalistische um, zumal er einen ständig wachsenden Hang zum ›Schreiben‹ in sich verspürte.

Daß Franzos seinen *Pojaz* nicht veröffentlicht hat, kann also weder künstlerisch-ästhetische noch verlegerische oder persönlich-psychologische Gründe haben. Wie so oft bleibt damit als entscheidender Grund nur das Ideologische übrig. Waren ihm etwa seine politischen und religiösen Überzeugungen plötzlich zu riskant geworden? Ist also dieses Verschweigen ein Symptom für eine konservative Altershaltung? Hatte er nicht mehr die Kraft, unentwegt als utopischer Bannerträger der ›Humanität‹ aufzutreten? Oder sind an diesem Verstummen auch bestimmte Zeitumstände beteiligt, die seine Witwe einmal als »dunkle Mächte« bezeichnet?

Doch bevor sich diese Fragen beantworten lassen, muß man einen kurzen Rückblick auf die Geschichte der deutschen Ghettonovelle werfen, in der Franzos eine so maßgebliche Rolle spielt. Die ersten Vertreter dieses Genres finden sich unter den Jungdeutschen, die im Rahmen ihres allgemeinen Emanzipationsprogramms auch die ›Judenfrage‹ auf die Tagesordnung setzten. Dafür sprechen sowohl Heines *Rabbi von Bacherach* (1824–40) als auch Gutzkows *Sadduzäer von Amsterdam* (1834), in denen ein positives Bekenntnis zum Judentum und zugleich ein Losringen von der jüdischen Orthodoxie zum Ausdruck kommen.[9] Doch diese Werke blieben Einzelfälle. Zu einem breit ausgeführten Thema wurde das Judenproblem erst in der Literatur des bürgerlichen Realismus, als man sich intensiv mit der Welt des modernen Geschäftslebens auseinanderzusetzen begann. Und so begegnet man in den Romanen nach 1848 allenthalben dem ›bösen‹ und dem ›guten‹ Juden, dem Typ des Schacherers und des rührenden Familienvaters. Bei den christlichen Autoren überwiegt natürlich der negative Aspekt, dem sich selbst die scheinbar toleranten Nationalliberalen nicht ganz entziehen konnten. Wohl die bekanntesten Beispiele dafür sind der berühmte Veitel Itzig in Freytags *Soll und Haben* (1855) und der Moses Freudenstein in Raabes *Hungerpastor* (1864). In diesen beiden Romanen, die fatalerweise zu großen Bucherfolgen wurden, wird jener Judentyp geschildert, der sich schnell zu einem Klischee des Popularbewußtseins entwickelte und breite Kreise mit antisemitischen Gefühlen infizierte.[10] Man denke an all jene raffgierigen Händler- und Wuchererypen im Bereich der ›heimatkünstlerischen‹ Trivialliteratur, die ständig ihren Namen wechseln, weder Familiensinn noch bürgerliche Geschäftsmoral besitzen, mit der größten Skrupellosigkeit über Leichen gehen oder ihre innere Substanzlosigkeit als unbeständige, wurzellose, schmutzige Intellektuelle beweisen, denen jedes Mittel recht ist, wenn es nur ihre egoistischen oder kraß materialistischen Wünsche befriedigt. Wenn man dagegen den christlich-deutschen Kaufmann oder Handwerker schildert, wird der Akzent stets auf Werte wie Gemüt, Innigkeit, Heimatsinn, Strebsamkeit und moralische Integrität gelegt, in denen Musterknaben wie Freytags Anton Wohlfart und Raabes Hans Unwirrsch geradezu brillieren.

Wie konnten sich die jüdischen Autoren gegen diese Angriffe wehren? Sie hätten ›protestieren‹ sollen, würde man heute sagen. Doch das erschien ihnen in einer so vergifteten Atmosphäre zu riskant. Sie wählten daher lieber den leichteren Weg, indem sie sich alle jene Tugenden anzueignen versuchten, die von den christlichen Autoren als typisch ›deutsch‹ oder typisch ›bürgerlich‹ hingestellt wurden. Und so entsteht in den fünfziger Jahren das Genre der ›Ghettonovelle mit Gemüt‹, die sich von den realistischen Dorf- und Kleinstadtgeschichten nur in ein paar kulturhistorischen Äußerlichkeiten unterscheidet, während sie in sozialer oder moralischer Hinsicht den Werken Freytags oder Raabes wie ein Ei dem anderen gleicht.[11]

Der eigentliche Begründer dieses Novellentyps war Leopold Kompert mit seinen vielgelesenen Sammelbänden *Aus dem Ghetto* (1848), *Böhmische Juden* (1851), *Neue Geschichten aus dem Ghetto* (1860) und *Geschichten einer Gasse* (1865), wo es sich meist um Dorfgeschichten handelt, in denen der Geist Auerbachs auf die böhmische ›Gasse‹ übertragen wird.[12] Hier wie dort scheint es nur ein Ideal zu geben: die Tugend. Kompert versucht daher alles, seine Juden so fleißig und bürgerlich respektabel wie möglich zu zeichnen, damit sie nur ja jedem guten Kaufmann als Vorbild dienen können. Auch ihr Familienleben ist von einer solchen Innigkeit und Verständnisbereitschaft, daß es selbst den Vergleich mit Raabe nicht zu scheuen braucht. Kurz und gut: seine Gestalten entsprechen in allem den Wunschbildern des bürgerlichen Realismus und erregten darum bei ihrem Erscheinen keinerlei Anstoß, sondern wurden willig aufgenommen. Sogar auf religiösem Sektor geht Kompert ausgesprochen ›versöhnlerisch‹ vor, indem er die völlige Assimilation des Judentums in den deutschen Volkskörper als das erstrebenswerte Fernziel bezeichnet. In dieser Hinsicht macht er es sich besonders ›bequem‹. Überhaupt ist ihm das Jüdische manchmal bloß noch ein kulturhistorisches Relikt, das gewisse romantisch-nostalgischen Gefühle erwecken soll. Seine Konfliktsituationen sind daher meist rein moralischer Natur, während er allen sozialen, politischen oder religiösen Spannungen mehr oder weniger aus dem Wege geht. Wohl das aufschlußreichste Dokument dieser Haltung ist sein Vorwort zu den *Geschichten einer Gasse*, wo es unter anderem heißt: »Und wenn man mich nun fragt: Hat das deutsche Volk in seinem ausgleichenden Gerechtigkeitsgefühle diese ›Gasse‹ nicht geschlossen? hat es nicht im Schoße seiner Städte und Weiler Raum geschafft, damit es den Bewohnern jener dumpfen Gegenden an Luft, Licht und Sonnenschein nicht gebreche? so sage ich hierauf: Eben dem deutschen Volke schrieb ich zu Dank, und wenn jemals eine Stimme der Anerkennung oder gerechten Tadels mich tief ergriffen hat, so war es jene, die mir jüngst nachrühmte, ich hätte die Welt der ›Gasse‹ für die deutsche Literatur erobert. Ja! ich wiederhole es, dem deutschen Volke sollen diese Geschichten erzählen, was diese ›Gasse‹ einst an Leid und Freud, an Drangsal und Aufrichtung umschloß; ihre Gestalten und Naturen, so treu wiedergegeben, als ich es vermochte, sollen dartun, unter welchen Kämpfen und Wehen das Licht des Morgens nach so langer Nacht für sie angebrochen ist; mit welchen Gefühlen, Anschauungen, Widersprüchen und Dissonanzen sie hart an der Schwelle stehen, die in das Tor der Gegenwart führt, einer Verjüngung entgegen, deren letztes Ergebnis noch nicht abzusehen ist. Sie sollen es erklären, warum der Born des Familiensinnes und der Zusammengehörigkeit noch immer so voll und unerschöpft fließt, und wie es gerade dieser geheimnisvolle Zug war, der das deutsche Volk, diesen treuesten

Hüter und Pfleger der Familie, aus der sein Schönstes und Größtes entsprang, bestimmen konnte, offen, herzlich und brüderlich die Arme für diejenigen zu öffnen, die gleich ihm am lohenden Feuer des heimatlichen Herdes ihren liebsten Platz haben. Der Poet darf es vielleicht sagen, was der Politiker ironisch lächelnd ablehnen wird: dieser Zug innerer Verwandtschaft war am Ende der entscheidende Moment! In dieser Beziehung glaube auch ich die sonst viel mißbrauchte Bezeichnung ›kulturhistorisch‹ für diese Geschichten in Anspruch nehmen zu dürfen.«[13]

An die hier vertretene Anschauung schloß sich bald eine ganze Schule von Ghettoautoren, die den gleichen Vorstellungen huldigte. Wohin man auch blickt, begegnet man in den sechziger und siebziger Jahren einer sentimentalen Verklärung des jüdischen Familienlebens mit all jener Herdnähe und Ofenwärme, in der sich ein ausgesprochen kleinbürgerliches Empfinden manifestiert. Der ›Gartenlauben-Jude‹ entsteht, der wie die christlichen Kannegießer und Krähwinkelianer für die ›Stillen im Lande‹ schwärmt, die sich vor der Welt der Kanaille in ihren vier Wänden abzuschließen versuchen. Selbst die Begeisterung für das kulturhistorische Element teilt man mit seinen christlichen Zwillingsbrüdern. Während sich Freytag und Riehl mit positivistisch-liebevoller Emsigkeit in die deutsche Vergangenheit versenken, entdeckt man auf jüdischer Seite die noch unbekannten, farbigen, ja geradezu exotischen Reize des Ghettos für die deutsche Literatur.

So liefert etwa Aaron Bernstein in seinen Ghettonovellen *Mendel Gibbor* (1860) und *Vögele der Maggid* (1863) ein breites kulturhistorisches Gemälde aus dem Posener Judenviertel des frühen 19. Jahrhunderts, und zwar mit allen Details ihrer vom Christlichen abweichenden Sitten und Gebräuche. Soziales und Kritisches wird dabei, wie bei Kompert, weitgehend ausgeschaltet. Um so stärker betont Bernstein das goldene Gemüt, die Familienliebe und die allgemeine Hilfsbereitschaft dieser Kreise. Und so haben diese Novellen zwar Charme, aber keine Probleme. Es sind eher »idyllisch-behagliche Kleinstadtgeschichten« als Erzählungen, die sich mit dem jüdischen Schicksal befassen, wie Mina Schiffmann schreibt.[14] Ähnliches gilt für den Sammelband *Aus dem jüdischen Volksleben* (1869) von Eduard Kulke, der Leopold Kompert, dem »Großmeister der Ghettogeschichte«, gewidmet ist. Auch er begnügt sich mit den üblichen Themen der Novellentradition: ein alter Mann wird wieder jung, ein Mädchen stirbt an gebrochenem Herzen oder ein verloren geglaubter Sohn kehrt plötzlich heim. Von der eigentlichen Problematik der ›jüdischen Frage‹ ist dabei wenig zu spüren. Als Ersatz dafür wird der Leser, wie bei Bernstein, mit bereits vorgeprägten kulturhistorischen Topoi abgespeist. Ebenso positiv verklärend wirken die *Bilder aus dem jüdischen Familienleben* (1878) von Salomon Hermann Mosenthal, die manchmal fast ans Süßliche grenzen, was in Titeln wie »Raschelchen« oder »Schlemihlchen« zum Ausdruck kommt. Auch Mosenthal behandelt weitgehend Konflikte, die eher die Tränendrüse oder den Lachmuskel als das soziale Gewissen in Bewegung setzen. Noch oberflächlicher verfährt Leopold von Sacher-Masoch in seinen *Polnischen Judengeschichten* (1886) mit den hier angeschnittenen Problemen. Wiederum handelt es sich lediglich um kulturgeschichtliche Novelletten oder Genrebilder, in denen das Jüdische nur den äußeren Rahmen bildet. Ansonsten unterscheiden sich diese Geschichten in nichts von den üblichen Ehe- und Gesellschaftsnovellen der bürgerlich-realistischen Literatur. Anstatt sich auf irgendwelche tieferen Fragen einzulassen, münden sie meist in die kleinbürgerliche Idylle, deren Grundstimmung sich mit Raabes Grunzenow-Glück vergleichen läßt.

Der einzige, der dieses Klischee wirklich durchbricht, ist Karl Emil Franzos. Das hängt zum Teil damit zusammen, daß seine Ghettogeschichten weitgehend in Galizien spielen, wo die Juden selbst in diesen Jahren noch in feindlicher Umgebung und hoffnungsloser Abseitslage lebten, während in Österreich und im reichsdeutschen Gebiet die Ghettoschranken längst gefallen waren. Was für Männer wie Kompert oder Sacher-Masoch bereits den Charakter einer romantisierten Historie hat, wird in diesen Geschichten noch als bittere Wahrheit erfahren. Franzos tritt daher von vornherein viel schärfer, viel direkter, viel bekenntnishafter auf. Für ihn ist das Ghetto nicht die schreckliche, aber ›heilig‹ gehaltene Vergangenheit, an die man sich halb mit Grausen, halb mit stolzer Wehleidigkeit erinnert, sondern etwas ganz Reales, das man wie ein Trauma mit sich herumträgt. Anstatt also die jüdische Vergangenheit poetisch zu verklären oder ins Kulturgeschichtliche auszuweichen, reißt er den von seinen Vorgängern so fein gesponnenen Schleier rücksichtslos zur Seite und zeigt das Ganze in seiner nackten Erbärmlichkeit. Er will weder verwischen noch beschönigen, sondern sich seiner eigenen Problematik bewußt werden, die mit dem jüdischen Schicksal aufs untrennbarste verbunden ist. Während die anderen lediglich den Druck von außen schildern, falls sie ihn in ihrer Furchtsamkeit überhaupt erwähnen, weist er mit unerbittlicher Schärfe auf das selbstgeschaffene Ghetto, auf die innerjüdische Unterdrückung und Knechtung hin, die in ihrer orthodoxen Verknöcherung zu immer brutaleren Maßnahmen greift, um ihre Schäfchen nur ja im Ghetto festzuhalten. Was früher als soziale Notwehr durchaus gerechtfertigt war, erscheint ihm in einem Zeitalter der bürgerlichen Emanzipation hoffnungslos veraltet, ja geradezu archaisch. Und so werden denn die Rabbiner in seinen Werken fast noch schärfer attackiert als die polnischen Großgrundbesitzer oder der Bürokratismus der k. und k. Provinzialverwaltung.

Schon seine *Juden von Barnow* (1877) sind voller Kritik an der religiösen Rückständigkeit der podolischen Ghettobewohner. Franzos konnte dabei zum Teil an den *Bajazzo* (1863) von Moritz Rappaport und die *Polnischen Juden* (1867) von Leo Herzberg-Fränkel anknüpfen, in denen der »Konflikt zwischen dem orthodoxen und freigläubigen Judentum« bereits eine gewisse Rolle spielt.[15] Was dort jedoch immer wieder überdeckt und ausgeglichen wird, klafft bei Franzos in zwei radikal geschiedene Gruppen auseinander, die sich wie Katz und Maus gegenüberstehen. Sein Barnow hat daher nichts Idyllisches, sondern ist ein »ödes, schmutziges Nest in einem gottverlassenen Winkel der Erde«, wo es sehr schwer fallen würde, unter all dem Grind und Elend das ewig lächelnde, ›goldene‹ Gemüt Bernsteins zu finden.[16] Die Barnower sind keine freundlichen Moses-Mendelssohn-Typen, sondern intolerante Schwärmer und Fanatiker, galizische Chassidim, welche die *Kabbala* über den *Talmud* stellen und voller Hochmut auf alle Andersdenkenden herunterblicken. Wer hier nur ein Jota von den anerkannten Glaubensregeln abweicht, wird sofort mit dem Gemeindebann belegt oder als Abtrünniger verstoßen. Wie so viele Fanatiker sperren sie sich gegen jede Form der ›Aufklärung‹ und geben sich einem verzückten

Aberglauben hin, der sich ständig zu wahnwitzigen Visionen steigert.

Während die Romantiker des Judentums in dieser Mystik einen Beweis für die religiöse Erwähltheit ihres Volkes sahen, neigt Franzos mehr dazu, diesen Wunderglauben als provinzialistischen Primitivismus hinzustellen. So ist der Wunderrabbi von Sadagora, der von den Chassidim geradezu umschwärmt wurde, für ihn lediglich ein »Verfechter des alten, finsteren Glaubens« und damit ein »Feind des Lichts«.[17] Ebenso scharf verurteilt er die von den örtlichen Rabbinern streng überwachten Sittlichkeitsgebote. Was man hier als ›Religion‹ ausgebe, behauptet er, habe schon längst keine innere Verwandlungskraft mehr und sei zu einem pedantischen Regelzwang erstarrt. Und zwar demonstriert Franzos diese These vor allem an der jüdischen Liebes- und Ehemoral, nach der es den Eltern völlig frei stand, ihre Kinder gegen deren eigenen Willen zu verheiraten. Er schildert daher in seinen frühen Novellen immer wieder, wie man sich rein an den Paragraphen des Gesetzes hält und jede individuelle Neigung von klein auf zu unterdrücken sucht. So verflucht etwa der reiche Moses Freudenthal im *Shylock von Barnow* seine einzige Tochter, weil sie mit einem Christen in die Fremde zieht. Als sie später reumütig zurückkehrt, läßt er sie ungerührt auf seiner eigenen Schwelle verrecken. In der Geschichte *Der wilde Starost und die schöne Jütta* quälen die aufgebrachten Juden eine abtrünnige Glaubensgenossin so lange, bis sie sich das Leben nimmt. Das *Kind der Sühne* ist als eine Parodie auf den Wunderrabbi von Sadagora, den ›großen‹ Reb Srolce, angelegt. Die junge *Esterka Regina* wird von ihren Eltern gezwungen, auf ihre Liebe zu einem getauften Juden zu verzichten und einen Rechtgläubigen zu heiraten, wodurch man sie in die seelische Vereinsamung und schließlich in den Tod treibt. In der Novelle *Ohne Inschrift* handelt es sich um die schöne Lea, die nachts von einer Gruppe von Gemeindefanatikern überfallen und ›geschoren‹ wird, weil sie sich nach der Hochzeit nicht ihr Haar beschnitten hat, wie es der chassidische Brauch verlangt. Auch sie stirbt an dieser grausamen Behandlung. Schon diese wenigen Beispiele beweisen, wie ›realistisch‹ Franzos in seinen Geschichten vorgeht. Er will das östliche Judentum weder »verherrlichen« noch »verhöhnen«, wie er selber schreibt,[18] sondern es so zeigen, wie es wirklich ist. Daß das Resultat dieses Strebens recht düster ausgefallen ist, sollte man weniger ihm zur Last legen als den dargestellten Verhältnissen.

Bei einer so objektiven und doch polemischen Haltung fragt man sich unwillkürlich, an wen sich Franzos mit diesen Novellen eigentlich wendet? Will er damit seine Glaubensgenossen in Galizien ermahnen, sich endlich aus ihren selbstauferlegten Banden zu befreien und zum wahren ›Menschsein‹ vorzudringen? Doch denen war es ja gar nicht erlaubt, ein deutsches Buch zur Hand zu nehmen. Also muß Franzos bei der Niederschrift seiner *Juden von Barnow* hauptsächlich an die Leser im ›Westen‹ gedacht haben. Dafür sprechen die vielen kulturgeschichtlichen Erläuterungen der einzelnen jüdischen Sitten und Gebräuche, die für östliche Leser völlig überflüssig wären. Denn wie Kompert und seine Nachfolger verwendet auch Franzos ständig Worte wie Thora, Sabbath, Schul, Gutort, Schnorrer, Marschallik, Kadisch, Cherem, Kol-Nidra, Kalle oder Maggid, die er dem ›Westler‹ jeweils erklärt. Doch neben ihrer kulturgeschichtlichen Funktion sollen diese Begriffe zugleich das ganze Drum und Dran der archaischen Glaubens- und Lebensweise der galizischen Juden dokumentieren, gegen die Franzos so energisch zu Felde zieht.

Was er weltanschaulich dagegen setzt, sind vor allem die Gedanken der Aufklärung, also Emanzipation, Bildung und Vervollkommnung des Menschen im Sinne einer fortschreitenden Humanität, um so alle Völker, Rassen und Religionen im Laufe der Zeit einem gemeinsamen Ziele zuzuführen. Im ständigen Kampf gegen jede kulturfeindliche Absonderung und jeden Glaubenshochmut will Franzos die ›halbasiatischen‹ Völker durch allmähliche »Annäherung an die europäischen Sitten« endlich auf jene Bewußtseinsebene heben,[19] wo sie den Fatalismus ihrer Messiashoffnung durch ein Programm der Selbsttätigkeit und Selbstentwicklung ersetzen und somit ihr Geschick in ihre eigenen Hände nehmen. Und zwar geht er dabei ideologisch bis zum ›Josephinismus‹ zurück, der den Juden in Galizien zum erstenmal eine gewisse Toleranz und Assimilation versprochen hatte.[20] Aus demselben Grunde hält er wie sein Vater und Großvater an Leitbildern wie Moses Mendelssohn und Lessings *Nathan,* aber auch an Heine und Börne, wie überhaupt den Ideen des Jungen Deutschland und der Vormärzära fest. Auch die Schriften von David Friedländer müssen ihn nachhaltig beeinflußt haben, der in seinem Buch *Über die Verbesserung der Israeliten im Königreich Polen* (1819) die Ideale der Aufklärung als die einzigen Waffen gegen »Vorurteile und Aberglauben« bezeichnet.[21] Statt weiterhin den »spitzfindigen Spekulationen« der Rabbiner nachzuhängen oder an den religiösen Unsinn der »Chassidim« zu glauben,[22] wird schon hier eine durchgreifende »Reform der gesamten Judenheit« gefordert, die sich an den Ideen des »Fortschritts« und der »Freiheit des Geistes« orientiert.[23]

Und so setzt sich auch Franzos ständig für das Ideal des Kultur- oder Assimilationsjuden ein. Wie Friedländer wendet er sich scharf gegen das hartnäckige Festhalten am Jiddischen, an der Ghetto-Orthodoxie und Rabbinergerichtsbarkeit, die ihn an die finstersten Zeiten des Mittelalters erinnern. Worin er das Heil des Judentums sieht, ist nicht der langerwartete Messias, sondern die deutsche Kultur. Nur von dort her scheinen ihm die Ideen der Aufklärung und Humanität zu kommen, was Peter Schkilniak als den Protest des »deutschbewußten Ausgleichsjuden« gegen den »volksbewußten Nurjuden« umschreibt.[24] Auf Grund dieser Prämisse ist in seinen Werken immer wieder von jenem edlen Land im »Westen« die Rede, wo die »Bildung und Duldung« zu Hause sind.[25] Schon in *Halb-Asien* tritt er energisch für eine planmäßige »Verbreitung deutscher Kultur« im Osten ein, während er den slawischen Nationalismus höchst negativ beurteilt, da sich die ›unterlegene‹ Kultur dieser Völker nur repressiv auswirken könne.[26] Selbstverständlich ist dieses Konzept weniger politisch als idealistisch-kulturell gemeint. »An Germanisation denke ich dabei wahrlich nicht«, schreibt er einmal mit wünschenswerter Deutlichkeit.[27] Überhaupt stellt sich Franzos diesen Vorgang als einen rein geistigen Akt vor. Um zum Bewußtsein einer höheren Menschenwürde zu gelangen, soll sich nach seiner Meinung der Jude endlich mit »eigener Hand die Binde von den Augen reißen«.[28] Anstatt sich wie seine podolischen Glaubensgenossen allein an die Lehren der Chassidim zu klammern, träumt er von einem Weltreich der Liebe, in dem sich alle Menschen vom Gedanken der Humanität leiten lassen. So heißt es einmal in den *Juden von Barnow:* »Bis in unsere Tage hat die Lüge fortgeklungen, daß nur der Glaube selig macht, die Liebe aber blind ... Laßt uns endlich die Wahrheit begreifen, daß nur die Liebe selig macht, der Glaube aber blind, und laßt uns dafür kämpfen, allerorts, allimmer, mit ganzem Herzen und mit ganzer Kraft.«[29] Doch trotz dieser Wendung zur ›Humanität‹ hat es Franzos stets abgelehnt, seine jüdische Religionszugehörigkeit aufzugeben. Auch in diesem Punkte hält er sich streng an die Ringparabel des *Nathan*. Er will nicht einfach das Judentum als eine eklige ›Gebreste‹ abstreifen, sondern bleibt ein Jude aus »Pflicht« und ein Deutscher aus »Überzeugung«, wie er in der *Geschichte des Erstlingswerks* schreibt.[30] Und dies ist auch das weltanschauliche Konzept, das ihm bei seinem *Pojaz* vorschwebte, wo es sich um einen Entwicklungsroman handelt, in dem er seinen ›Weg als Deutscher *und* Jude‹ nachzuzeichnen versucht.

Der erste Plan zu diesem Werk scheint ihm im Jahre 1878 gekommen zu sein. Damals war jedoch das Ganze noch als eine Novelle im Stile der *Juden von Barnow* geplant, deren Held am Schluß »jammervoll im Ghettoelend« umkommen sollte.[31] Franzos schreibt darüber einmal in einem Briefe: »Er muß sogar heiraten, Jahre hinsiechen, geistig verkommen. Kurz ich lasse ihn den richtigen elendigen Besiegten des Ghetto sein, während er im Roman nach einem kurzen Glückstraum *geistig* ein Sieger, physisch ein Besiegter zu Grunde geht.«[32] Anfänglich wollte er also bloß eine Ghettogeschichte schreiben, und zwar mit jener regionalistischen Ausschnitthaftigkeit und moralisch orientierten Psychologie, wie sie für die Kompert-Schule kennzeichnend ist. Was darüber hinausgeht, sind lediglich die ›starke Silhouette‹ und ein dramatisch zugespitzter Konflikt, der im Sinne der gründerzeitlichen Novellentheorie notwendig nach einem ›tragischen‹ Ende verlangt.[33] Wenn er dieses Konzept im Laufe der achtziger Jahre durch einen Romanplan ersetzt, so hängt das mit der immer stärkeren Überwindung seiner galizischen Vergangenheit zusammen. Durch den intensiven Kontakt mit der ›westlichen‹ Welt wird sein Gesichtskreis plötzlich so groß, daß ihm die ostjüdische Ghettoatmosphäre nicht mehr als das Zentrum seines Weltgefühls erscheint. Statt also weiterhin novellistische Ausnahmefälle und Einzelschicksale zu gestalten, die in ihrer eigenen Misere ersticken, wählt er jetzt das Genre des Bildungs- und Entwicklungsromans, das dieser Stufe seines eigenen Lebensganges am weitesten entgegenkam. Er schreibt darüber im Vorwort zum *Pojaz:* »Die Novelle schildert einen eng begrenzten, und zwar nicht bloß durch den Raum, sondern auch das Problem begrenzten Ausschnitt aus einem bestimmten Leben; der Roman aber soll, sofern er diesen Namen verdient, ein Spiegelbild dieses gesamten bestimmten Lebens sein. Wer einen Ausschnitt schildert, braucht nur diesen zu kennen, zu einem Gesamtbild gehört die Beherrschung des gesamten zu schildernden Lebens in seinen sämtlichen oder doch wichtigsten Beziehungen«.

Schon aus diesen wenigen Worten wird klar, wie bewußt sich Franzos in die deutsche Romantradition einzuordnen versucht. Man braucht nur an den *Anton Reiser* von Karl Philipp Moritz zu denken, dessen Jugend ebenfalls im Zeichen häuslicher Enge und fanatischer Frömmigkeit steht, die ihn so sehr bedrücken, daß er eines Tages einfach von zu Hause wegläuft, um sich der Ackermannschen Schauspieltruppe anzuschließen. Ähnliches gilt für *Wilhelm Meisters theatralische Sendung*, ja für jeden deutschen Bildungs- und Entwicklungsroman, wo man nach alter aufklärerischer Tradition das Theater zum Instrument der Bildung erwählt und sich damit einen eigenen künstlerischen Seelen- oder Wirkungsraum eröffnet. Das bedeutet nicht, daß man den *Pojaz* direkt neben den *Wilhelm Meister* stellen kann. Vergleicht man ihn jedoch mit bürgerlich-realistischen Entwicklungsromanen, wie dem *Hungerpastor* oder *Soll und Haben*, schneidet er gar nicht so schlecht ab. An innerer Dramatik ist er jedenfalls diesen beiden weit überlegen.

Denn trotz aller Ghettomisere soll das Ganze von Anfang an den Eindruck einer ›heldischen‹ Geschichte erwecken. Einer der »ärmsten Menschen der Erde« (6) bäumt sich hier gegen die überwältigende ›Macht der Verhältnisse‹ auf, welche ihn innerlich und äußerlich zum Krüppel zu schlagen versucht. Wohin er auch blickt, sieht er sich von der »starren, düsteren Glaubenswelt« der Chassidim umgeben (204), die bereits das Lesen eines deutschen Briefes als »Todsünde« empfinden (228) und jeden Abtrünnigen sofort als »unheilig« verketzern (89). »Lieber unglücklich werden, als kein frommer Jud' mehr sein können«, lautet die Maxime dieser Leute (217). Dafür spricht, daß ihn der Rabbi zur Ehe mit einem völlig verwachsenen Mädchen zwingen will, nur weil ihre Seele die ›frömmste‹ im ganzen Dorfe ist. Gegen diese Kurzsichtigkeit, Grausamkeit und Beschränktheit der erstarrten Abseitslage setzt nun der junge Sender seinen Nathan-Traum, nämlich Schauspieler zu werden, um von der Bühne herunter die Toleranz zu predigen oder wenigstens jüdische Charaktere spielen zu können. Er möchte seinen Glaubensgenossen ein Beispiel geben, daß man auch dann eine ›Leuchte in Israel‹ sein kann, wenn man nicht an den *Talmud*, sondern an die Aufklärung glaubt. Auch er hat einen ›Glauben‹, aber den an das ›Deutsche‹, an die großen Ideale der Humanität, des Idealismus, der Klassik, der Jungdeutschen und Vormärzler, denen es in erster Linie um das Diesseits und nicht um eine fragwürdige Unsterblichkeit ging.

Daß Franzos seinen ›Sender‹ – einer jiddischen Korruption von Alexander – am Schluß an der Schwindsucht sterben läßt, bedeutet keine Zurücknahme dieses weltanschaulichen Optimismus. Denn gerade im physischen Untergang zeigt ja der Pojaz auf echt idealistische Weise seine weltanschauliche Überlegenheit. Mag auch sein Körper verfallen, will Franzos damit sagen, die Idee hat wenigstens einmal gesiegt und läßt sich fortan nicht mehr ganz unterdrücken. Und so erweist sich Glatteis trotz seiner Blutstürze doch stärker als der Rabbi mit seinem Gemeindebann, weil er der ›Geistigere‹ ist, in dem sich der Fortschritt der Menschheit manifestiert. Daß sich dieser Triumph unter so ungünstigen Verhältnissen und auf so erschütternde Weise vollzieht, wird einen echten ›Leser‹ nicht ungerührt lassen. Mitgerissen von seinen eigenen Gefühlen steigert sich Franzos in diesen Szenen in eine Dramatik hinein, bei der man zwischen seelischem Affekt und bewußter Provokation kaum noch unterscheiden kann.

Und doch liegt dem Ganzen ein merklicher Widerspruch zugrunde. Denn bei einer derart radikal ›idealistischen‹ Position fragt man sich unwillkürlich, weshalb Franzos trotzdem an der Glaubensgemeinschaft des Judentums festzuhalten versucht? Warum vollzieht er nicht den Schritt zum absolut emanzipierten Individuum, zum aufgeklärten Weltbürger? Dafür ließen sich mancherlei Gründe anführen, die letztlich alle mit der Frage zusammenhängen, warum Franzos dieses Werk bis zu seinem Tode in der Schublade zurückbehalten hat.[34] Meines Erachtens läßt sich diese bittere Entscheidung nur vor dem Hintergrund des verstärkten Antisemitismus der neunziger Jahre verstehen. Schließlich weiß man aus der Geschichte, daß in diesem Zeitraum der politische Horizont für viele europäische Juden merklich düsterer zu werden beginnt. 1891 begannen die ersten Ausschreitungen gegen die Juden in Rußland, die Franzos dazu bewogen, in Berlin einem ›Zentralkomitee für die russischen Juden‹ beizutreten, das sich für die finanzielle Unterstützung der zahllosen Ostflüchtlinge einsetzte. Zu ähnlichen Pogromen kam es in anderen östlichen Ländern, was zum Teil mit dem Erstarken der panslawistischen Bewegung zusammenhängt. In Frankreich wurde eine solche antisemitische Welle durch die ganz Europa erregende Dreyfus-Affaire (1894) ausgelöst. In Deutschland entfaltete sich in diesen Jahren die Propaganda des ›Alldeutschen Verbandes‹ und anderer antisemitischer Parteien, wodurch der Judenhaß eines Stöcker, Dühring oder Treitschke allmählich zu einer Massenhysterie anschwoll.[35]

Mußten Franzos in einer solchen Situation nicht notwendig Zweifel an seiner idealistischen Humanitätsvorstellung kommen? Waren die Juden wirklich am besten bei den Deutschen aufgehoben? Hatten die kapitalistischen und imperialistischen Tendenzen dieses noble Konzept der Aufklärung nicht längst in den Hintergrund gedrängt? Unter solchen Umständen noch vom ›Land der Dichter und Denker‹ zu schwärmen, wäre geradezu eine Blasphemie gewesen. Wohin man auch blickt, klafft in dieser Ära der Gegensatz zwischen Deutschen und Juden, der sich im Laufe des 19. Jahrhunderts allmählich zu verringern schien, wieder weiter auf als je zuvor. Und so mußte denn Franzos die Möglichkeit einer totalen Integration plötzlich in einem höchst problematischen Licht erscheinen. Überall begann man wieder, sich zum Kampfe zu rüsten. In dieser Situation mit seinem *Pojaz* herauszukommen, wäre unklug, wenn nicht gefährlich gewesen. Die Alldeutschen hätten es bestimmt als ein antisemitisches Werk ausgeschlachtet und zugleich eine Bestätigung ihrer Expansionsgelüste nach Osten darin gefunden. Den bedrängten Juden in Galizien, denen Franzos zutiefst helfen wollte, wäre er durch eine solche Publikation wie ein Verräter in den Rücken gefallen. Denn auch die Juden waren immer weniger geneigt, sich auf irgendwelche Versöhnungskonzepte einzulassen. Sie hörten lieber auf jene Propaganda, wie sie Theodor Herzl entfaltete und die 1897 zum ersten Zionistenkongreß in Basel führte.

Franzos ließ daher seinen mit ›Herzblut‹ geschriebenen *Pojaz* erst einmal liegen. Dieser Entschluß muß ihm nicht leicht gefallen sein. Denn welcher Autor verzichtet gern auf den Erfolg eines Werkes, das ihm als sein bestes erscheint? Daß er zu einer solchen Entscheidung fähig war, spricht für die Größe seiner Gesinnung und seines Bekenntnischarakters, seines wahren und nicht opportunistischen Idealismus. Das ›Jüdische‹ war für ihn fortan tabu. Anstatt einen Trivialroman wie Wassermanns *Juden von Zirndorf* (1897) auf den Markt zu werfen, in dem die Judenfrage auf höchst unerquickliche Weise mit lebenssüchtiger Dekadenz und abgeschmacktem Jugendstil verbunden wird, schreibt Franzos in den neunziger Jahren meist bürgerliche Liebes- und Gesellschaftsnovellen mit leicht pessimistischen Zügen, die sich stilistisch zwischen Saar und Schnitzler bewegen.

Die einzige Geschichte, in der Franzos noch einmal zu jüdischen Problemen zurückkehrt, ist sein *Leib Weihnachtskuchen und sein Kind* (1896), deren Helden die goldrote, schöne Miriam und der häßliche, einsilbige Ruthene Janko sind. Durch die Unversöhnlichkeit der Gegensätze kommt es, wie es kommen muß. Die frommen Eltern zwingen die schöne Miriam, ein ›ehrlich jüdisch Kind‹ zu bleiben und den siebzigjährigen Reb David, einen reichen Mühlenbesitzer, zu heiraten. Sie fügt sich diesem Gebot, worauf sie von Janko am Hochzeitstag ermordet wird. Auf den ersten Blick sieht das wie eine typische Barnow-Novelle aus. Doch bei näherem Zusehen erweist sich das Ganze als wesentlich diffiziler angelegt. So wirkt etwa Miriams Vater, der alte Leib, trotz mancher patriarchalisch-tyrannischen Züge durchaus wie ein nobler Traditionalist, der nicht ohne eine gewisse Sympathie gezeichnet ist. Überhaupt liest sich diese Geschichte fast wie eine leise Entschuldigung dem alten, östlichen Judentum gegenüber, mag auch der Schluß noch so grausig sein. Franzos weist zwar selbst hier wiederholt auf die allgemeine Rückständigkeit der galizischen Verhältnisse hin, betont jedoch zugleich die tiefe Weisheit dieser Menschen. Unter einer solchen Perspektive betrachtet, ist gerade der *Leib Weihnachts-*

kuchen ein deutlicher Beleg dafür, warum er den *Pojaz* nicht veröffentlicht hat.

Und so erschien dieser Roman erst ein Jahr nach seinem Tode zu einer wahrhaft ungünstigen Stunde. Denn die Spannung zwischen dem Deutschen und dem Jüdischen war seit 1900 eher größer als kleiner geworden. Die einen ließen sich von deutschnationalen Gefühlen zu einer Politik der Stärke aufpeitschen, die anderen setzten ihre einzige Hoffnung auf den Zionismus. Kein Wunder, daß der *Pojaz*, trotz seiner hohen Auflage, unter solchen Umständen völlig unbeachtet blieb. Für die meisten war dieser Roman ein unbequemes, ja geradezu peinliches Buch. Die Deutschen fanden ihn zu jüdisch, die Juden zu deutsch. Daß hier jemand die Möglichkeit eines ›dritten Weges‹ propagierte, schien gegen alle gängigen Klischees und Alternativen zu verstoßen. Wie verzweifelt in dieser ›Geschichte aus dem Osten‹ um einen Kompromiß gerungen wurde, wollten nur wenige wahrhaben. Es gab zwar auf beiden Seiten relativ tolerante Minoritäten, die den gleichen Standpunkt wie Franzos vertraten, doch selbst sie konnten nicht verhindern, daß weder die totale Assimilation noch ein tiefempfundenes Nationalgefühl das deutsche Judentum vor den Gaskammern der Nazis bewahrten. So gesehen, war das Wunschbild des *Pojaz* zwar richtig, aber letztlich bloß der Ausdruck einer unbedeutenden Minderheit, die gegen die fanatisierte Masse keine Chance mehr hatte. Nur gut, daß Franzos wenigstens die tragische Ironie erspart wurde, noch selber mitzuerleben, wie sich die von ihm so geliebten ›Deutschen‹ nach 1933 in die von aller Welt gehaßten Totengräber der gesamten mitteleuropäischen Judenbevölkerung verwandelten.

Ernst Toller: Hoppla, wir leben!

(1927)

Der Name ›Ernst Toller‹, dessen Ruhm in den zwanziger Jahren einmal von Moskau bis New York widerhallte, ist für die meisten Literaturbeflissenen von heute bloß noch ein Stern dritter Ordnung. Die Historiker erinnern sich seiner im Rahmen der Münchener Räterepublik von 1919. Die Germanisten rechnen ihn zu den etwas überspannten Dramatikern des sogenannten ›Kriegsexpressionismus‹, bei denen selbst der beste Wille und die edelste Gesinnung nicht über das sprachliche Unvermögen hinwegtäuschen können. Und zwar beruft man sich dabei meist auf Stücke wie *Die Wandlung* (1919) und *Masse-Mensch* (1921). Dies sei der ›eigentliche‹ Toller, wird immer wieder behauptet. Hier sei er noch ganz der jugendliche Enthusiast mit dem heilig glühenden Herzen, dessen O-Mensch-Gesinnung seinen Dichtungen zwar eher geschadet als genützt habe, der aber gerade darin für den in Auflösung begriffenen Spätexpressionismus besonders ›typisch‹ sei. Auf Grund dieser literaturhistorischen Fixierung nimmt man seine späteren Werke, in denen Toller zunehmend spröder und sachlicher wird, kaum noch zur Kenntnis. Wie soll sich jemand, der so ›schlecht‹ und ›zeitverhaftet‹ begonnen hat, noch entwickeln können, fragen sich diese Kreise. Ab und zu werden auch die *Maschinenstürmer* (1922) und der *Hinkemann* (1923) erwähnt, um wenigstens einen Schein von Fairneß zu zeigen. Doch dann wird es immer stiller um diesen ›ewigen Expressionisten‹. Wer erinnert sich schon an sein Drama *Feuer aus den Kesseln* (1930)? Von manchen Spätwerken, wie *No more Peace* (1937) oder dem *Pastor Hall* (1939), die bisher nur auf Englisch vorliegen, ganz zu schweigen.

Während sich also zu ›Frühexpressionisten‹, wie Trakl und Benn, ganze Bibliotheken an Sekundärliteratur aufstapeln, herrscht im Falle Tollers weitgehend das Prinzip des Verschweigens oder der kalten Schulter. Lediglich die amerikanische Germanistik hat sich etwas eingehender mit seinem Œuvre auseinandergesetzt. Doch auch hier neigt man größtenteils zu der bisher aufgezeigten Perspektive. So konstatiert Otto Wirth 1939 in den Werken nach dem *Hinkemann* ein deutliches Nachlassen der ›schöpferischen‹ Kräfte.[1] Ähnliche Äußerungen finden sich in William A. Willibrands Buch *Ernst Toller. Product of Two Revolutions* (1941). Auch für ihn ist *Masse-Mensch* Tollers wichtigstes Werk.[2] Walter H. Sokel hält den *Hinkemann* für das einzige »bleibende« Drama, während sich danach ein merkliches Niveaugefälle beobachten lasse.[3] Nur John M. Spalek, momentan wohl der beste Toller-Kenner auf der Welt,[4] äußert sich in dieser Frage wesentlich zurückhaltender und läßt auch die anderen Dramen und Prosawerke zu ihrem Rechte kommen.[5]

Mit diesen Studien verglichen, gibt es in West-Deutschland keine nennenswerte Toller-Forschung. Einzig sein alter Freund und Mitemigrant Kurt Hiller hat versucht, ihn wieder der Vergessenheit zu entreißen und Toller ein würdiges ›Homecoming‹ zu bereiten.[6] Doch leider enthält seine 1961 bei Rowohlt gedruckte Toller-Auswahl wiederum nur die dramatischen Erstlinge, also *Die Wandlung*, *Masse-Mensch*, *Die Maschinenstürmer* und den *Hinkemann*. Über die anderen Dramen wird selbst im Vorwort kaum ein Wort verloren. Etwas intensiver hat sich die ostdeutsche Germanistik mit Toller beschäftigt. Auch hier erschien eine Auswahl aus seinem Werk, die von den Dramen den *Hinkemann*, die *Maschinenstürmer* und *Feuer aus den Kesseln* enthält.[7] Das Nachwort von Bruno Kaiser rechtfertigt ihn als Sozialkritiker und Vorläufer der sozialistischen Literatur, rügt jedoch sein »verwunderliches Pathos«, seine »verworrenen Gedanken« und »ideologischen Mängel«, die sogar durch sein »starkes, ehrliches Gefühl« nicht ganz ausgeglichen würden.[8] Was Toller besonders angekreidet wird, ist sein »Zweifel an der Berechtigung zu entschlossenem parteiischen, revolutionärem Handeln«, durch den er den Weg zur KPD verfehlt habe.[9] Zu ähnlichen Urteilen kommen die Arbeiten von Martin Reso[10] und Hans

Marnette.[11] Auch sie werfen Toller Widersprüchlichkeit, revisionistische Gesinnungsdefekte und mangelnde Parteilichkeit im leninistischen Sinne vor.

Aufs Ganze gesehen, hat man also Toller bisher weitgehend zur ideologischen Rechtfertigung der eigenen politischen Gedankenwelt herangezogen. Und damit ist er leider ein Streitobjekt unter ›Linken‹ geblieben. So kann sich Hiller beispielsweise nicht verkneifen, in seinem Toller-Essay über die Neukommunisten der DDR herzufallen, die er als »Pfäfflein« im Kloster Ulbrichts bezeichnet, da ihr Sozialismus ständig ins »Beton-Dogmige« und »Funktionärsphraseologische« tendiere, anstatt sich an das leuchtende Vorbild der *Wandlung* zu halten.[12] Die Marxisten ihrerseits benutzen Toller lediglich dazu, um an ihm die ideologische Haltlosigkeit jener pseudorevolutionären »Bürgerlichen« zu demonstrieren, die sich bemühen, »nach links und rechts gleich wirksam zu sein«, und damit den Anschluß an den weltpolitischen Optimismus des Proletariats verlieren.[13]

Und so wird denn Toller auf beiden Seiten entweder gar nicht oder nur mit Widerwillen rezipiert – und bleibt weiterhin im amerikanischen Exil. Die Westdeutschen lassen ihn höchstens als heilig glühenden Jüngling gelten, der sich aus fehlgeleitetem Idealismus der Münchener Räterevolution anschloß, was sich ineffektiv erwies und daher entschuldbar ist – die Ostdeutschen interessieren sich dagegen lediglich für Dramen wie die *Maschinenstürmer* oder *Feuer aus den Kesseln*, die bereits auf den ›sozialistischen Realismus‹ vorausweisen, den jedoch ein Mann wie Friedrich Wolf viel großartiger ausgeführt habe. Kurz gesagt: auf beiden Seiten geht man ihm entweder aus dem Wege oder betrachtet ihn in der gegenwärtigen Situation als ausgesprochen ›unbequem‹.

Kein Wunder also, daß sein weitaus ›unbequemstes‹ Stück, nämlich *Hoppla, wir leben!* (1927), überhaupt keine Resonanz mehr findet. Weder Hiller noch Uhse / Kaiser haben es in ihre Auswahlbände aufgenommen.[14] Selbst in Lexikonartikeln wird es meist übergangen oder unter ›ferner liefen‹ aufgezählt.[15] Wie kam es eigentlich zu dieser Einstellung? Ist dieses Stück den einen zu ›rechts‹, den anderen zu ›links‹? Paßt es nicht in das gängige Bild vom expressionistischen Jüngling Toller? Fehlt es hier an dem nötigen ›Realismus‹? Oder ist daran nur ein simpler Gedächtnisschwund schuld?

Wenn es sich bei diesem Drama um ein mediokres Werk handelte, könnte man diese Gleichgültigkeit noch verstehen. Doch *Hoppla, wir leben!* ist so tolleresk, wie Toller überhaupt nur sein kann. Dafür spricht folgende, von Piscator nacherzählte Fabel: »Der Held des Tollerschen Stückes: Karl Thomas, ein Nachkriegs-Revolutionär, wird nach dem Niederschlagen der Revolution zum Tode verurteilt. Kurz vor der Hinrichtung wird er 1919 – zusammen mit seinem ebenfalls zum Tode verurteilten Freund Kilman – begnadigt. Karl Thomas verliert den Verstand, verschwindet auf acht Jahre im Irrenhaus und kehrt, anno 1927, in eine völlig veränderte Welt zurück. Sein Freund Kilman hat sich mit dem neuen Staat arrangiert und ist Minister geworden, seine ehemalige Freundin hat sich zur politischen Agitatorin gemausert. Sie nimmt den Heimgekehrten für eine Weile auf, hält ihn aus, wirft ihn dann aber doch auf die Straße. Karl Thomas wird Kellner. In seiner Verzweiflung an der Zeit faßt er den Plan, den zum Reaktionär gewordenen Kilman zu erschießen. Ein rechtsradikaler Student kommt ihm zuvor, doch wird Karl Thomas verdächtigt und verhaftet und in das Irrenhaus zurückgebracht; er erhängt sich in dem Augenblick, da sich seine Unschuld herausstellt.«[16]

Man kann kaum behaupten, daß dieses dramatische Konzept nicht an die *Wandlung* oder an *Masse-Mensch* heranreichte. Und so wurde denn die Premiere dieses Werkes ein ebenso großer Erfolg, wie er sich bei seinen früheren Stücken eingestellt hatte. Schon daß Piscator mit ihm am 3. September 1927 sein berühmtes ›Theater am Nollendorfplatz‹ eröffnete, machte das Ganze zu einem bühnengeschichtlichen Ereignis ersten Ranges. Noch im selben Winter konnte *Hoppla, wir leben!* in Hamburg, Leipzig, Wien, Frankfurt, Moskau, Kopenhagen, Leningrad und Stockholm nachgespielt werden. Im Laufe der nächsten zwei Jahre ging es in Mannheim, Tiflis, London, Dublin, Cambridge, Rostow, Helsinki, Taschkent und Essen über die Bretter.[17] Von einer mangelnden Beachtung kann also keine Rede sein. Doch der Erfolg war nicht unumstritten. Auch im Falle dieses Werkes erweist sich die Legende von den ›goldenen‹ Zwanziger Jahren als recht fadenscheinig. Wer sich 1927 für einen

›linken Humanismus‹ engagierte, wurde nicht von vornherein von der allmächtigen ›Judenpresse‹ frenetisch umjubelt, wie die Nazis später behaupteten, sondern war dem Kreuzfeuer der Kritik ebenso ausgeliefert wie jede andere Weltanschauung.

Und so nimmt denn der Zeitungskrieg um Tollers *Hoppla, wir leben!* schon manches von dem vorweg, was noch heute die ideologischen Fronten bestimmt. Im Bereich der ›bürgerlichen‹ Presse, deren Drahtzieher lediglich an der Aufrechterhaltung des Status quo interessiert waren, verschanzte man sich hinter einer herablassenden Anerkennung oder einem angenehmen Gruselgefühl. Selbst die etwas ›freieren‹ Kritiker verhielten sich recht ambivalent. Für sie war Toller bereits durch die *Wandlung* und *Masse-Mensch* als ein edler, aber unerträglicher Gefühlspathetiker abgestempelt und damit in der Kategorie des Expressionismus klassifiziert. So nennt etwa Ernst Heilborn das Ganze eine »dramatische Kanzelrede«, bei der »selbst im Versagen des Schöpferischen ein nobles Literatentum zur Geltung kommt«.[18] Felix Holländer rügt bei aller »Glut der Überzeugung« das Fehlen der »künstlerischen Gestaltungskraft«.[19] Herbert Jhering läßt den abschätzigen Ausdruck »Romantik« fallen.[20] Hans Siemsen in der *Weltbühne* vermißt vor lauter »Bekenntnis« das eigentliche »Kunstwerk«.[21] Überhaupt ist der Grundtenor immer wieder, daß Toller zwar ein ›starker Woller‹, aber ein ›schwacher Könner‹ sei. Statt sich ständig mit Politik traktieren zu lassen, wollten diese Kreise wenigstens im Theater auf ihre ›geschmacklichen‹ Kosten kommen.

So weit die Stimmen der ›guten‹ Weimaraner. Die rechtsradikalen Blätter machten es sich dagegen wesentlich einfacher und stempelten Toller von vornherein als ›Bolschewisten‹ ab, der weder »Heimatliebe« noch echten »Mannesmut« besitze.[22] In der *Deutschen Zeitung* wird er einfach schlichtweg als einer der gefährlichsten Anführer der »kommunistischen« Arbeiterbewegung bezeichnet.[23] Ernst Knudsen empfiehlt diesem ›Hochverräter‹, doch lieber sozialistischer »Parteisekretär« zu werden, statt sich aufs Dichterische zu verlegen.[24] Werner Fiedler nennt ihn in der *Deutschen Rundschau* einen »trüben Agitator«, der nur »scheeläugigen Haß und klassenpolitische Verhetzung« predige.[25] Andere, wie Paul Fechter, Hugo Kubsch, Otto Schabbel und Ludwig Sternaux, diffamierten *Hoppla, wir leben!* als ein bolschewistisches »Agitationsstück« oder »dialogisiertes Feuilleton einer kommunistischen Zeitung«, das man schleunigst aus den ›heiligen Hallen‹ der deutschen Kunst entfernen solle.[26]

Auf Grund dieses chauvinistischen Haßkonzerts erwartet man auf kommunistischer Seite entweder ein überschwengliches Lob oder wenigstens eine gesamtlinke Solidarität. Doch auch hier bewahrheitet sich der alte Satz, daß die Feinde meiner Feinde nicht immer meine Freunde zu sein brauchen. Und so ist denn die *Rote Fahne* im September 1927 voller Schmähungen gegen das neue Toller-Stück. Nicht weniger als neun Rezensionen erschienen hier in kurzer Folge, die alle die Wichtigkeit und zugleich Gefährlichkeit dieses Dramas betonen. Alexander Abusch rügt die mangelnde Einsicht in die führende Rolle der KPD.[27] Bruno Bauer weist auf die Schwäche und Unentschiedenheit des Haupthelden hin.[28] Lucy von Jacobi vermißt den optimistischen Blick in die Zukunft.[29] Ja, Frieda Rubiner bezeichnet Toller in aller Offenheit als einen defätistischen und konterrevolutionären Salonkommunisten.[30] Ebenso abfällig hat sich die *Prawda* über *Hoppla, wir leben!* geäußert, wie man aus der *Leipziger Volkszeitung* erfährt.[31] Hier muß der Akzent auf Adjektiven wie »ideologisch konfus«, »hysterisch« und »dekadent« gelegen haben.

Wie man sieht, sind die Fronten der Weimarer Republik und die Fronten von heute gar nicht so verschieden. Woran man sich vor allem stieß, war die Figur des Haupthelden, des scheinbar unentschlossenen und schwankenden Karl Thomas, der den Rechten zu revolutionär und den Linken zu konterrevolutionär erschien. Und zwar machten dabei beide Seiten schon damals den Fehler, die Figur des Karl Thomas einfach mit Ernst Toller gleichzusetzen.[32] Selbst Piscator neigte zu dieser Anschauung und warf Toller vor, dieser Gestalt zu viel von seinen »eigenen Gefühlen« untergeschoben zu haben.[33] Auch in der Folgezeit erlag man immer wieder der Versuchung, Tollers Werke rein als autobiographische Konfessionen zu deuten.[34] So bezeichnet Curt Hohoff im neuen *Soergel* den tragisch scheiternden Thomas einfach als »ein Ebenbild Tollers«.[35]

Etwas stimmt natürlich an dieser These. Denn schließlich waren sowohl Thomas als auch Toller aktiv an der Münchner Räterevolution beteiligt. Beide sind um ein Haar zum Tode verurteilt worden und haben danach lange in Haft gesessen: Thomas im Irrenhaus, Toller im Festungsgefängnis Niederschönenfeld. Doch damit hören die Ähnlichkeiten an sich schon auf. Im Gegensatz zu Toller ist Thomas weder ein Volksführer noch ein Schriftsteller, sondern ein braver Soldat der Revolution, der sich in der Schieberrepublik von 1927 nicht zurechtfinden kann. Genau gesehen, wird er als poetische ›Persona‹ von Toller ebenso objektiv porträtiert wie alle anderen Figuren dieses Stückes. Den Beweis dafür liefert seine große werkmonographische Studie *Arbeiten*, in der sich für diese Gleichsetzung nicht der geringste Anhaltspunkt findet.[36] Doch auch im Text des Stückes ist diese Identität gar nicht so eindeutig, wie sie auf den ersten Blick erscheint. Es gibt in diesem Werk keine Stelle, wo sich Thomas als direktes Sprachrohr seines Autors interpretieren ließe. Während die *Wandlung* noch einlinig in einer großen Verkündigungsszene kulminierte und damit den Typ des expressionistischen Dramas in geradezu paradigmatischer Weise erfüllte, geht Toller hier wesentlich dialektischer vor. In *Hoppla, wir leben!* werden keine Manifeste erlassen oder Kanzelpredigten ins Publikum geschleudert, sondern eine Reihe von Grundhaltungen zur Revolution auf höchst antithetische Weise ›im Dialog‹ durchexerziert. Wie die Mutter Courage für Brecht ist dieser Karl Thomas für Toller eher eine Art Versuchskaninchen als ein bloßer Meinungsträger. Nicht er soll lernen, sondern das Publikum. Anstatt also wie im Expressionismus lediglich mitzureißen oder glaubensmäßig überzeugen zu wollen, werden die Zuschauer in diesem Drama mit einer Folge von ›Haltungen‹ konfrontiert, die ein einfaches Pro oder Contra von vornherein unmöglich machen. Was Toller mit diesen Paradoxien erzwingen will, läßt sich nur als ›kritische Bewußtseinserweiterung‹ umschreiben. Und so ist denn das Ganze weder psychologisch noch moralisch zu werten. Es geht hier nicht um gut oder böse, um richtig oder falsch, sondern um die innere Dialektik zwischen diesen Haltungen. In schroffem Gegensatz zu jedem Ansporn- oder Einfühlungstheater gibt es hier keinen ›Helden‹, sondern bloß Ideenträger, die sich entweder dialektisch ergänzen oder gedanklich ad absurdum führen. So gesehen, ist *Hoppla, wir leben!* zwar noch kein ›episches‹, aber doch schon ein ›dialektisches‹ Theaterstück.

Fassen wir daher die Figur dieses Karl Thomas einmal etwas genauer ins Auge. Im Vorspiel hört man, daß er sich der Revolution »aus innerstem Zwang« angeschlossen habe.[37] Eine solche Bemerkung deutet eher auf einen ›Bürgerlichen‹ als auf einen echten ›Proletarier‹ hin. Jedenfalls waren es nicht Hunger oder Unterdrückung, die Thomas zum Aufruhr bewegt haben. Dieselbe ›Geistigkeit‹ demonstriert er in seiner großen Unterredung mit Kilman, dem anderen »Bürgersöhnchen« der Revolution (18). Beide verstehen höchst geschickt zu diskutieren. Bezeichnenderweise gebraucht dabei auch der ›böse‹ Kilman einige Argumente, die sich politisch kaum widerlegen lassen. Rein satirisch wird lediglich sein Lippenbekenntnis zur »Demokratie« behandelt, die er als den »Willen des ganzen Volkes« definiert (44). In diesen Abschnitten trieft er nur so von öligen Phrasen der Klassenversöhnung und der revisionistischen Beschwichtigungstaktik. Wo er sich jedoch gegen die Brutalität der »Masse« wendet und die »Gewalt« als etwas prinzipiell »Reaktionäres« hinstellt, greift er auf die Thesen jener Sonja Irene zurück, die Toller in *Masse-Mensch* als durchaus bedenkenswert empfindet. Und so ist denn Thomas schon in diesen Szenen nur ein Mitdebattierer und nicht der absolute Maßstab des politischen Handelns überhaupt.

Fast die gleiche Rolle spielt er im ersten Auftritt des 2. Aktes. Hier ist es die junge Genossin Eva Berg, die ihn mit ihren Argumenten in die Enge treibt. Thomas haben seine Erfahrungen mit der ›Weimarer Republik‹ bereits so mit Ekel erfüllt, daß er nach den ersten Liebesnächten mit Eva ins Ausland fliehen will. Als ehemaliger Expressionist möchte er am liebsten nach Indien oder Afrika, zu jenen »Menschen«, in deren Augen »Himmel und Sonne und Sterne kreisen« und die »nichts von Politik« verstehen (55). Da die revolutionäre »Flamme«, die in ihm »glühte«, wieder »verlöscht« ist, sehnt er sich nach »Paradiesen« der Vergessenheit, wo man nicht mehr an seine gescheiterten Hoffnungen und Träume erinnert wird. Doch Eva geht auf diese naiven Wünsche nicht ein. Sie weiß, daß es keine »Paradiese« gibt und daß man sich mit »dem Willen zur Ehrlichkeit« begnügen muß (57). Statt sinnlos nach dem Absoluten zu streben und damit der subjektiven Verzweiflung anheimzufallen, hält sie sich an Arbeit und Partei. Als Thomas diese Einstellung mit einer ausgebrannten Flamme vergleicht, erwidert sie knapp und nicht ohne Stolz: »Du täuschest dich. Anders glüht sie. Unpathetischer« (58). An einer solchen ›Haltung‹ gemessen, wirkt Thomas geradezu kläglich.

Eine ähnliche Funktion hat die nächste Szene im Wahllokal, wo Thomas dem Genossen Albert Kroll wiederbegegnet, der sich wie Eva ganz in den Dienst der Partei gestellt hat. Abermals spielt sich Thomas als ehemaligen Expressionisten auf, der im ersten Weltkrieg als Anarchist von der Universität geflogen ist. Statt sich für den Wahlkampf zu interessieren, will er endlich »Taten« sehen, ja sich notfalls selbst zum »Opfer« bringen, um dadurch den berühmten ›Ruck nach vorn‹ zu erzielen (75). Kroll ist in seinen Augen nur ein »feiger Wahlspießer« (77). Doch auch hier bekommt er dieselbe Antwort wie bei Eva. »Du möchtest«, sagt Albert Kroll zu ihm, »daß um deinetwillen die Welt ein ewiges Feuerwerk sei, mit Raketen und Leuchtkugeln und Schlachtgetöse. Du bist der Feigling, nicht ich« (77). Während Thomas lediglich von einem sofortigen Losschlagen faselt, weiß Kroll als guter Parteistratege, daß man auch einmal ›bremsen‹ muß und erst dann auf »Volldampf« umschalten darf, »wenns Zeit ist« (86). Als Thomas diese Haltung mit der von Kilman vergleicht, bezeichnet ihn Kroll einfach als »Narr« (86).

Ebenso entlarvend wirkt der 3. Akt, wo man in der ersten Szene einem völkischen Studenten begegnet, der von derselben revolutionären Unrast ergriffen ist wie Karl Thomas und sich ebenfalls für ein Attentat auf Kilman entscheidet. Die von Thomas so heilig gehaltenen Begriffe »Tat« und »Opfertod« geraten dadurch in ein merkwürdiges Zwielicht. Behaupten nicht beide fast das gleiche, obwohl sie eine ganz verschiedene Weltanschauung vertreten? »Es geht mir gegen das Gefühl, auf die Tat zu warten«, sagt der Nazi-Student (89). »Ihr schlaft! Aufwecken muß man Euch. Ich pfeife auf Eure Vernunft«, sagt Thomas (109). Doch in letzter Sekunde ergreift Karl der Ekel vor einer so schäbigen Handlung. Nicht er, sondern der Student schießt daher Kilman nieder. Um seine Motive befragt, schreit ihm dieser Rechtsfanatiker ins Gesicht: »Weil er ein Bolschewik, weil er ein Revolutionär ist. Weil er unser Land an die Juden verkauft« (113). Als man Thomas daraufhin ins Untersuchungsgefängnis bringt, erhängt er sich, weil ihm die gesamte Welt wie ein großes Irrenhaus erscheint.

Schon dieser kurze Abriß beweist, wie schwer es ist, bei einer solchen Figur zwischen ›echten‹ und ›problematischen‹ Charakterzügen zu trennen. Während sich Karl Thomas einerseits durch sein überspanntes Gefühlspathos als ein verspäteter Expressionist entlarvt, ist diese seelische Unbedingtheit andererseits gerade das Positive an ihm. Trotz aller Kälte und Sachlichkeit spürt man in diesem Stück ganz genau, daß die Menschheit auch solche Utopisten braucht. Dasselbe ließe sich mit umgekehrten Vorzeichen von Eva Berg, Karl Kroll und Mutter Meller behaupten. Sie haben alles, was Thomas fehlt: die Klarheit des Verstandes, einen sachlichen Arbeitsbegriff und die nötige Parteidisziplin. Doch eins besitzen sie nicht, jenen Funken, der im richtigen Augenblick die Explosion auslösen würde. Toller will damit sagen, daß man bei einer echten Revolution sowohl das eine als auch das andere braucht. Es wäre daher töricht, ihn allein auf die Worte seines Karl Thomas festzulegen. Er spielt zwar die erste Geige in diesem Konzert von revolutionären Stimmen. Aber wie man weiß, läßt sich selbst die simpelste Symphonie nie allein auf der ersten Geige wiedergeben.

Ebenso unsinnig wäre es, den Selbstmord von Karl Thomas als Tollers ›ultima ratio‹ hinzustellen und damit dieses Stück als Ausdruck eines tiefgehenden »Pessimismus« zu interpretieren.[38] Denn dieser Selbstmord ist nur ein Schluß unter anderen, die Toller bei der Abfassung dieses Stückes im Auge hatte. Wie bei Brecht, ja wie bei allen dialektisch operierenden Ideendichtern, liegt hier der Hauptakzent nicht auf der Schlußpointe, sondern in den modellartig herauspräparierten ›Gesten‹ zu einer bestimmten politisch oder soziologisch determinierten Situation. Das gleiche gilt schon für den *Hinkemann*, wo Toller in der zweiten Fassung den ursprünglichen Selbstmord einfach gestrichen hat, um das Erniedrigte und Apathische der Titelfigur bis ins Absurde zu steigern. Noch tiefgreifender sind die Änderungen, die sich in *Hoppla, wir leben!* beobachten lassen. »In meiner ersten Fassung«, heißt es in *Quer durch*, »rannte Thomas, der die Welt von 1927 nicht verstand, ins Irrenhaus zum Psychiater, erkennt in der Unterredung mit dem Arzt, daß es zwei Arten von gefährlichen Narren gibt, die einen, die in Isolierzellen festgehalten werden, die andern, die als Politiker und Militärs gegen die Menschheit lostoben. Da begreift er die alten Kameraden, die in zäher Alltagsarbeit die Idee weiterführen, er will das Irrenhaus verlassen, aber, weil er begriff, weil er zur Wirklichkeit die Beziehung des reinen Menschen gewonnen hat, läßt ihn der psychiatrische Beamte nicht mehr hinaus, jetzt erst sei er ›staatsgefährlich‹ geworden, nicht vorher, da er ein unbequemer Träumer war.«[39]

Da Piscator diese Wendung nicht gefiel, drängte er Toller dazu, dem Ganzen einen aufreizend ›defätistischen‹ Schluß zu geben, um so ein *exemplum ex negativo* zu etablieren. Zuerst scheint man sich auf eine »freiwillige Rückkehr ins Gefängnis« geeinigt zu haben, die jedoch im Verlauf der Verhandlungen der Erhängungsszene weichen mußte.[40] In dieser Form ist dann *Hoppla, wir leben!*, das ursprünglich *Barrikaden am Wedding* hieß,[41] kurz vor der Premiere im Druck erschienen, also mit der dritten, stark von Piscator beeinflußten Schlußvariante. Doch selbst von diesem Schluß, dem einzigen, der veröffentlicht wurde, müssen sowohl Piscator als auch Toller schnell wieder abgekommen sein. Denn in der Bühnenfassung, soweit man sie aus den Zeitungsberichten und dem Buch *Das politische Theater* rekonstruieren kann, folgten auf den Selbstmord von Karl Thomas noch die von Toller oder Piscator eingefügten Worte der Mutter Meller: »Es gibt nur eines – sich aufhängen oder die Welt verändern!«[42] Nur so wird verständlich, warum die »proletarische Jugend« nach dieser Szene spontan die ›Internationale‹ anstimmte.[43] Obendrein ließ Piscator den Karl Thomas als »anarchisch sentimentalen Charakter« spielen, der im Gegensatz zu charakterfesten Parteigenossen wie Eva Berg und Albert Kroll an der »Wirklichkeit logischerweise zerbricht«. Er benutzt ihn also nur, um an Thomas den »Irrsinn der bürgerlichen Weltordnung« zu beweisen.[44] Um diesen Eindruck noch zu verstärken, traten alle anderen Figuren als scharf geschnittene Gesellschaftstypen auf, die rein als Vertreter ihrer ›Kaste‹ agieren. Lediglich Thomas und Pikkel, der tragische und der komische Held dieses Stückes, wurden davon ausgenommen und in ihrer schwankenden ›Kleinbürgerlichkeit‹ als »klassenmäßig entwurzelte Gestalten« charakterisiert.[45] Der eine sollte den ›ewigen‹ Revolutionär, der andere den ›ewigen‹

Justemilieunär darstellen. Leider beging Piscator dabei den »Fehler«, die Rolle des Thomas mit Alexander Granach, einem ausgesprochen »proletarischen Typ« zu besetzen, um den Arbeitern zu zeigen, »daß diese kleinbürgerliche Geisteshaltung nicht nur ein Privileg der ›Intellektuellen‹ ist«.[46]

So betrachtet, war es recht unfair von Piscator, seinem Autor Toller eine ›schwankende‹ Haltung vorzuwerfen. Schließlich hat er zu der ideologischen Unklarheit der letzten Szene von *Hoppla, wir leben!* sein gerüttelt Maß beigetragen. Toller ließ daher schon im Oktober 1927 im Leipziger ›Alten Theater‹ seine erste Fassung spielen, bei der Thomas nicht Selbstmord begeht, sondern sich weiterhin für die ›Idee‹ einsetzt. Getreu der Gesamtanlage des Ganzen wurde dabei diese Rolle nicht von einem Proletarier, sondern von einem ›Intellektuellen‹ übernommen.[47]

Doch vielleicht ist dieser Streit um die verschiedenen Schlüsse gar nicht so wichtig. Denn auch sie enthalten nur ›Gesten‹ zur Revolution, was für alle Szenen dieses Stückes gilt. Es kommt hier weniger auf die Antworten als auf die Fülle der Fragen an. Wie später in Brechts *Galilei* ist der Aufriß das Entscheidende, nicht die sentenzenhafte Schlußformulierung, die selbst dann noch stimmt, wenn man sie in ihr Gegenteil verkehrt.[48] Während der Expressionismus in solchen Szenen zur subjektiven Verkündigung neuer Paradiese drängt, wird hier das komplexe Spiel und Widerspiel der sozialen Realität entfaltet. Toller will nicht »revolutionspäpstlicher« sein als die wirklichen Revolutionäre von 1919, nicht mit dem Ruf »Es lebe die politische Linie Nr. 73« enden oder wie der Genosse Durus 1930 in der *Roten Fahne* aufjauchzen: »Hinein mit der frischen Luft des Klassenkampfes in die frische Luft der Natur.«[49] Eine derartig simplifizierte Einstellung war ihm einfach zu naiv.

Statt also im Hinblick auf die ›Revolution‹ rein optimistisch oder rein pessimistisch zu reagieren, geht Toller von einer wesentlich komplexeren Sicht der Geschichte aus, die sich nicht in die gängigen Alternativkonstellationen einspannen läßt. Man kann das schwankend, aber ebensogut nüchtern, sachlich oder besonnen nennen. Schließlich ist dieses Stück nicht mehr das Werk eines hitzköpfigen Jünglings, der ein »feuriges Herz, aber keinen sehr klaren Kopf besaß« und aus »romantisch-dionysischen Affekten« lebte,[50] wie man immer wieder behauptet hat. »Er konnte nicht mit sich sparen und haushälterisch umgehen«, schreibt Bodo Uhse einmal, »der Enthusiasmus, der ihn beseelte, führte ihn stets zum Äußersten«.[51] Alles entsprang bei ihm »spontan« aus dem »Gefühl«, heißt es bei Walther Victor.[52] Wie stereotyp und verzeichnet dieses Bild ist, hat schon John M. Spalek nachgewiesen, der Toller als einen durchaus rationalen Kopf charakterisiert, »able to judge himself and his environment objectively«.[53] Wo wird denn die politische Situation von 1927 schärfer durchleuchtet als in Tollers *Hoppla, wir leben!* ? Ist hier nicht ein eminent politisch denkender Intellektueller am Werke, der sich nicht mehr von utopischen Hoffnungen blenden läßt, sondern bereits die Möglichkeit einer faschistischen Diktatur ins Auge faßt? Ich kenne kein anderes Drama dieser Ära, in dem ein Bankier zum anderen sagt: »Deinen Kilman kannst du in die Konkursmasse der Demokratie werfen. Riech mal die Luft in der Industrie. Ich würde dir raten, auf nationale Diktatur zu setzen« (33). Wer so redet, ist kein Hitzkopf, sondern ein höchst sachlicher Rechner.

Um jedoch die Frage von Tollers politischer ›Bewußtheit‹ zu klären, muß man seine Gesamteinstellung zur ›Deutschen Revolution‹ ins Auge fassen. Man weiß, daß der junge Toller 1914 erst einmal als enthusiastischer Kriegsfreiwilliger zu den Waffen geeilt ist. Doch welcher Einundzwanzigjährige hätte das damals nicht getan? Im Frühjahr 1916 wurde er aus gesundheitlichen Gründen wieder entlassen und änderte zugleich seine Meinung über diesen Krieg. Im Winter 1917/18 kam er mit Kurt Eisner in Kontakt, las sozialistische Autoren und beteiligte sich an dem Munitionsarbeiterstreik in München. Im März 1919 erhielt er den Vorsitz der bayerischen USPD und versuchte in dieser Funktion, zwischen den Sozialdemokraten und den Kommunisten einen ›dritten Weg‹ einzuschlagen. Nach dem Zusammenbruch der zweiten, rein kommunistischen Räterepublik, die sich gegen seinen Willen konstituiert hatte, verhinderte er ein drohendes Blutbad zwischen roten und weißen Truppenverbänden. Was folgte, war ein großer Schauprozeß und fünf Jahre in den Festungen Eichstätt und Niederschönenfeld. Als Toller im Sommer 1924 wieder die Freiheit zurückerhielt, hatte sich die USPD inzwischen aufgelöst. Anstatt nunmehr Mitglied der SPD oder KPD zu werden, trat er 1929 mit Tucholsky, Walter Mehring und Kurt Hiller der ›Gruppe revolutionärer Pazifisten‹ bei, deren politische Ziele ungefähr denen der früheren USPD entsprachen. Von einer ideologischen Unklarheit kann also gar keine Rede sein. Wie schwankend haben sich andere Expressionisten in diesen Jahren verhalten!

Besonders eindeutig war seine Haltung der ›bürgerlichen‹ Rechten gegenüber. Schon die Gründungsveranstaltungen der ›Weimarer Republik‹ betrachtete Toller mit höchstem Mißvergnügen. Im Gegensatz zu vielen politisch engagierten Dichtern um 1920 hat sich Toller nie der Illusion hingegeben, daß der Weg über einen rein ›formalen Parlamentarismus‹ zu einer echten Demokratisierung Deutschlands führen würde.[54] »Gewaltig wächst die Front der Reaktion«, schreibt er schon am 13. Dezember 1921 an Romain Rolland.[55] In einem anderen Brief aus dem selben Jahr heißt es noch unverblümter: »Mit einer Brutalität haust der Kapitalismus, die den Profittanz des Krieges über-›jazzt‹«.[56] Die gleiche Entschiedenheit zeigt sich in Tollers Einstellung zu den saturierten ›Weimaranern‹ der Stresemann-Ära, die in ›ihrer‹ Republik geradezu ein Eldorado des Kapitalismus erblickten. Immer wieder zog er in diesen Jahren gegen jene Status-quo-Bourgeoisie zu Felde, die nichts anderes im Sinne hatte als ihre finanziellen Privilegien und diese trotz ihrer wohlmeinenden Visage aufs Skrupelloseste auszubeuten verstand. Wohl den besten Beweis dafür liefert die große Hotelszene im dritten Akt von *Hoppla, wir leben!*, wo sich die schmarotzenden Weimaraner und Stresemann-Leute, die Minister, Bankiers, Adligen und bürgerlichen Kulturphilosophen an Austern und Sekt ergötzen und sich dabei in großen Phrasen über den demokratischen Gemeinwillen verbreiten. Von hier aus ist es nur ein kleiner Schritt zu seinen *Amerikanischen Reisebildern* von 1930, in denen Toller den heuchlerischen Liberalismus des ›American Dream‹ mit gesellschaftlichen Realitäten wie Prohibition, puritanischer Prüderie, religiösem Sektierertum, Kitschfilmen, Lynchprozessen, schreiendem Reklamewesen, unbarmherziger Profitgier, Sozialistenverfolgung und Negerunterdrückung konfrontiert, um damit den fassadenhaften Charakter dieser Demokratievorstellung zu entlarven.[57]

Im Zuge dieser Erfahrungen wurde ihm die ›amerikanisierte‹ Weimarer Republik immer suspekter. Während in den Vereinigten Staaten wenigstens der ›kleine Mann‹ noch demokratisch denke, erschien Toller die deutsche Situation als absolut verfahren. Mit besonderer Schärfe wandte er sich gegen die großbürgerliche Politik der halben Maßnahmen, jenes »vorsichtige Hin- und Herlavieren«, das man voller Stolz »Realpolitik« nannte, obwohl sich dahinter eine absolute Orientierungslosigkeit verbarg.[58] In diesen Kreisen wurde nach seiner Meinung keine Politik mehr getrieben, sondern bloß noch weitergewurstelt. Ebenso erbittert äußerte sich Toller über die weltanschauliche Lethargie des Kleinbürgertums. Was er von der Gesinnung dieser Leutchen hielt, zeigt sich in krasser Form in seinem Radiohörspiel *Berlin, letzte Ausgabe!* (wahrscheinlich 1929), wo ein gelangweilter Kaffeehausgast wahllos in den verschiedensten Zeitungen blättert, und zwar ohne jede innere Stellungnahme, rein von einer sensationslüsternen Langeweile getrieben. Politik, Erotik, Sport, soziales Elend: alles sind für ihn bloß ›Nachrichten‹. Er sagt daher am Schluß: »Vor hundert Jahren geriet eine Stadt in Aufregung, wenn eine Scheune brannte... Heute?... Die Menschen lesen nach dem Abendbrot ihre Zeitungen, gähnen und legen sich ins Bett... Vom Leiden der andern *lesen* ist eine nette Abwechslung. Die Leiden der andern fühlen – nee, so genau wolln wir das gar nicht wissen... So sind die werten Mitbürger«.[59]

Daß bei so schwachen Fundamenten die Weimarer Republik von vornherein zum Untergang verurteilt war, stand für Toller schon in den frühen Zwanziger Jahren außer Frage. Denn eine solche Haltung mußte ja die Revolution von rechts geradezu herausfordern. Schließlich ist es stets der ewige ›Burschwa‹, auf den sich die Reaktionäre als ihren besten Gefolgsmann verlassen können. Nicht die wenigen Radikalen, sondern die vielen Spießer sind das Stimmvieh aller Diktaturen. Und so war Toller einer der ersten, der das Anwachsen der faschistischen Tendenzen mit besonderer Aufmerksamkeit verfolgte. Das beweist schon seine dramatische Satire *Der entfesselte Wotan* von 1923, in der sich ein bankrotter Frisör, ein wildgewordener Kleinbürger à la Hitler, zum Volksverführer aufwirft und mit Unterstützung von alten Offizieren, Adligen und Bankiers eine ›arische‹ Kolonie in den brasilianischen Urwäldern gründen will, ja sogar anfangs einige Erfolge hat, bis das Ganze wie eine Seifenblase zerplatzt. In den späten Zwanziger Jahren wurde ihm die Lust an solchen Späßen allmählich vergällt. Denn jetzt ließ sich die ›braune Gefahr‹ nicht mehr als ein groteskes Zwischenspiel abtun, sondern verlangte eine viel breitere Gegenposition. Daß diese beim ›Bürgertum‹ nicht gegeben war, hatte Toller schon vor der Niederschrift von *Hoppla, wir leben!* erkannt. Doch wer sollte die ›Machtübernahme‹ der faschistischen Horden jetzt noch verhindern? Eine der linken Parteien?

Die Rechts- und Mehrheitssozialisten erschienen Toller als altem ›Unabhängigen‹ selbstverständlich von vornherein als kompromittiert. Ein Mann, der es mit Eisner, Landauer und Haase gehalten hatte, konnte unmöglich mit Scheidemann, Ebert und Noske sympathisieren.[60] Wie Tucholsky hat daher Toller die ›rechte‹ SPD-Spitze stets scharf angegriffen. Mit solchen »jämmerlichen« Bonzen wollte er nichts zu tun haben.[61] Besonders schmählich fand er ihr ständiges Streben nach der großen Koalition, um endlich ministerwürdig zu werden. Der beste Beweis dafür ist seine Kilman-Figur, von der sich dasselbe sagen läßt, was Tucholsky 1921 über August Winnig, den Oberpräsidenten von Ostpreußen, geschrieben hat: »Wie dieser Sozialdemokrat, kaum an die Macht gekommen, umschwenkte und all das verriet, was er jahrelang vertreten hatte, das zeigt uns wieder, wie man nicht ungestraft dicke Importen im Auto mit dem Gegner raucht.«[62] Ja, Tucholskys Lied »An einen Bonzen« könnte mit geringen Abänderungen in *Hoppla, wir leben!* geradezu als ›Kilman-Song‹ vorgetragen werden:[63]

Einmal waren wir beide gleich.
Beide: Proleten im deutschen Kaiserreich.
Beide in derselben Luft,
beide in gleich verschwitzter Kluft;
dieselbe Werkstatt – derselbe Lohn –
derselbe Meister – dieselbe Fron –
beide dasselbe elende Küchenloch ...
Genosse, erinnerst du dich noch?

Heute ist das alles vergangen.
Man kann nur durchs Vorzimmer zu dir gelangen.

Du rauchst nach Tisch die dicken Zigarren,
du lachst über Straßenhetzer und Narren.
Weißt nichts mehr von alten Kameraden,
wirst überall eingeladen.
Du zuckst die Achseln beim Hennessy,
du vertrittst die deutsche Sozialdemokratie.
Du hast mit der Welt deinen Frieden gemacht.

Hörst du nicht manchmal in dunkler Nacht
eine leise Stimme, die mahnend spricht:
Genosse, schämst du dich nicht – ?

Das bedeutet nicht, daß Toller in diesen Jahren für die SPD überhaupt nichts mehr übrig hatte. Ganz im Gegenteil. Schließlich sind die kleinen, mühsam arbeitenden Parteigenossen, wie Albert Kroll, Eva Berg und Mutter Mellen in *Hoppla, wir leben!*, durchaus positiv gesehen. Und so konnte Otto Bauer, ein Redaktionsmitglied der sozialdemokratischen Monatsschrift *Der Kampf*, die Figur des Kroll 1928 mit gutem Gewissen als die ideale Repräsentation einer ›vorbildlichen‹ politischen Haltung bezeichnen.[64]

Fast die gleiche Einstellung zeigt sich in Tollers Haltung der KPD gegenüber. Auch in diesem Fall neigt er nicht zu doktrinären Pauschalurteilen, sondern gibt sich große Mühe, eine klare Trennungslinie zwischen dem Echten und dem Unechten zu ziehen. So rügt er in seinen *Russischen Reisebildern*, bei aller Anerkennung der enormen Leistungen der jungen Sowjetrepublik, den übertriebenen Personenkult mit den Parteiführern und den kriecherischen Byzantinismus im Hinblick auf das Proletariat.[65] Ähnliche Urteile fällt er über die deutschen Kommunisten, vor allem nach 1925, als sich der allmähliche Stalinisierungsprozeß der Partei immer deutlicher abzuzeichnen beginnt. Doch so scharf, wie ihn die *Rote Fahne* angegriffen hat, hat Toller selber nie zurückgeschlagen. Während jene Kreise jeden ideologischen Kompromiß mit anderen Linksgruppen konsequent ablehnten, bemühte sich Toller um eine Volksfrontbewegung oder gesamtlinke Solidarität aller antifaschistischen Gruppen, was sich unter heutiger Perspektive als eine wesentlich klügere Haltung bezeichnen läßt. Denn nur einer solchen Einheitsfront wäre es in letzter Minute vielleicht noch gelungen, einen Mann wie Hitler von der Macht fernzuhalten.

Und so steht auch Tollers Dichtertum ganz im Zeichen einer gesamtlinken Parteilosigkeit. Er ist ein politischer, aber kein doktrinärer Poet. Sich wie die ›guten‹ Weimaraner im »Elfenbeintürmchen« einzuschließen und dort einer gepflegten Kalligraphie zu huldigen, konnte seine Sache nicht sein.[66] All das bezeichnete er als »spielerisches Bilden« oder bürgerliche Schönschreiberei. »Es gibt Zeiten«, heißt es in *Quer durch,* »in denen es verbrecherisch ist, nur Nuancen zu sehen.«[67] Doch nicht nur der faule Zauber des Ästhetizismus war Toller zuwider, sondern auch die geheuchelte Biedermannsmiene, mit der sich die ›Neue Sachlichkeit‹ auf ihre ›Objektivität‹ berief.[68] Vor allem die bloße Reportage erschien ihm, wie Tucholsky, als eine Flucht ins Statistische oder rein Additive. Als ebenso ›bürgerlich‹ empfand er jene modischen Intellektuellen und Salonbolschewisten, die wie die Züricher Dadaisten von 1917 aus reiner »Freude an der Bewegung« abwechselnd futuristische Kabaretts und politische Revolution betrieben.[69]

Überhaupt war Toller ein Mann, der nicht die »Geistigen«, sondern die »Massen« mit seinen Werken ergreifen wollte.[70] Dieser ideologische Anspruch brachte ihn selbstverständlich in ständige Auseinandersetzungen mit den Dichtern und Kulturfunktionären der bestehenden Parteien, die diese ›Massen‹ als ihr Eigentum oder zumindest Schulungsobjekt betrachteten. Als besonders eifersüchtig erwiesen sich dabei die Kommunisten, während die SPD schon seit 1900 auf ein ausgeprägtes Kulturprogramm verzichtet hatte und ihre Anhänger mit der Parole ›Wissen ist Macht‹ abspeiste. Doch trotz dieser Zwistigkeiten ist der Unterschied zwischen Toller und dem ›Marxisten‹ Brecht, ja selbst den Autoren der *Linkskurve* gar nicht so groß. Auch er fühlt sich als »Sprachrohr der aus der Zeit wirkenden Idee« und verdammt alles Ahistorische und Tendenzlose, wenn auch in einem weniger dogmatischen Sinn als seine ultralinken Kollegen.[71] Toller will weder lehrstückhaft noch agitatorisch auftreten. Nichts ist ihm mehr zuwider als das leninistische Konzept der direkten Parteiliteratur, nach der sich auch die Kunst absolut den »taktischen Schlagworten« und »täglichen Leitartikeln« der offiziellen Parteilinie unterzuordnen hat.[72] Ein solches Programm findet er einfach entwürdigend oder »proletbyzantinisch«.[73] An wen er sich wendet, sind nicht nur die Funktionäre, sondern alle »Bereiten«, »ganz gleich, welcher Gruppe oder Partei sie angehören«. Die »Idee« bedeutet ihm daher »mehr als die Tagesparole, der Mensch mehr als die Parteikarte«.[74] Statt sich in den Dienst einer dogmatisch verhärteten Partei zu stellen, will er mit menschheitlichem Elan und revolutionärem Schwung eine Bresche in die verhärteten Fronten sprengen und zu einer gesamtlinken Solidarität aufrufen. Überhaupt faßt Toller nie das Parteivolk, sondern stets das gesamte Volk ins Auge. Im Moment der höchsten Gefahr, als das witzige Motto vom ›Hitler ante portas‹ plötzlich eine grausige Realität zu werden drohte, versucht er noch einmal alles in Bewegung zu setzen, was von den revolutionären Impulsen der Jahre 1918/19 übrig geblieben ist. Und so behandelt denn sein letztes Stück vor der ›Machtübernahme‹, das Drama *Feuer aus den Kesseln* von 1930, abermals eine Revolution, diesmal die Kieler Matrosenrevolte von 1918, die zwar scheitert, aber wie der Aufstand der *Matrosen von Cattaro* von Friedrich Wolf den Sieg der gerechten Sache wenigstens ahnen läßt.

So gesehen, erweist sich Toller sogar im Hinblick auf das Phänomen der Revolution als ein recht konsequenter Denker. Nachdem er in seiner *Wandlung* erst einmal den Sprung in die Utopie versucht hatte, verrät er seit *Masse-Mensch* einen ungewöhnlich scharfen Blick für die innere Dialektik aller revolutionären Vorgänge, wie ihn im Bereich des Revolutionsdramas vorher nur Büchner und Hauptmann besessen haben. Ständig geht es ihm in seinen Werken um den inneren Zwiespalt zwischen Ethik und Politik, den er schon in einem Brief aus dem Jahre 1920 als einen »tragischen« bezeichnet.[75] »Manchmal sehe ich diesen Weg ins Dunkel münden«, schreibt er vier Jahre später, setzt jedoch allen diesen Versuchungen stets ein großgeschriebenes »Dennoch« entgegen.[76] Eine ähnliche Einstellung vertritt er in geschichtsphilosophischer Hinsicht. Auch auf diesem Gebiet kommen Toller häufig Zweifel, ob die »wahre Revolution« je gelingen werde. Immer wieder empfindet er die gesamte Historie als eine deprimierende Folge »niedergeschlagener Massenaufstände, eine Geschichte des unendlichen Leidens jahrtausendewährender Bedrückung und Ausbeutung«.[77] Doch auch hier gibt er sich nie völlig geschlagen. Es beschleicht ihn zwar manchmal eine leise Melancholie über all dieses tragische ›Umsonst‹, diese dialektische Verflochtenheit von Macht und Recht, reinem Opfer und blinder Gewalt, der er jedoch ständig das Postulat einer ›besseren Menschheit‹ entgegensetzt, die nicht mehr im Zustande geistiger und materieller Unfreiheit dahinvegetiert.

Auf Grund dieses tragischen Wissens um die grausame Härte aller geschichtlichen Umwälzungsprozesse hat Toller den »Banal-Optimismus« der »Ultralinken« zeit seines Lebens scharf abgelehnt.[78] Der Versuch der KPD, ein Vabanquespiel mit der Zukunft zu treiben, erschien ihm manchmal geradezu absurd. Überhaupt wurde er sich im Laufe der Jahre immer bewußter, daß die Linke alles vergessen und nichts hinzugelernt hatte, während die Rechte in den entscheidenden Fragen der Macht eine imponierende Solidarität an den Tag legte.[79] Und so wirkt denn sein Manifest *Deutsche Revolution*, das er am 8. November 1925 vor Berliner Arbeitern verlas, wie eine große Strafrede auf die doktrinären Theoretiker der SPD und KPD, die sich nicht zu einer gemeinsamen Politik entschließen konnten. Fast in jedem Absatz fallen hier harte Worte über den »Egoismus der Parteien, der Gruppen, der Personen«, über die »Revolutionäre im Feuilleton« oder die »Revolutionäre der proletarischen Feierstunde«.[80] »Heute«, schreibt Toller mit einem nostalgischen Rückblick auf den revolutionären Elan der Märzwochen des Jahres 1919, »sehen wir ein willensstarkes, seiner Ziele bewußtes, organisiertes Bürgertum und eine Arbeiterschaft, die Enttäuschungen, Not, Verrat lähmten, die nicht mehr ihren Willen spannt, die in gefährlicher Lethargie sich Recht um Recht nehmen läßt, die ihre eigenen Organisationen schwächt.«[81] Doch selbst in dieser bedrückenden Situation ist er weit davon entfernt, sich die Hoffnung auf eine neue Revolution endgültig nehmen zu lassen. Denn alle diese Zustände sind ja ›veränderbar‹, solange es Menschen gibt, die dagegen opponieren.

Damit ist ein ideologisches Konzept entwickelt, wie es 1927 in *Hoppla, wir leben!* dichterische Gestalt gewinnt. Dieses Stück gehört weder zur ›bürgerlichen‹, noch zur ›proletarischen‹ Kunst. Seine Größe liegt darin, daß es mehr sein will als bloße Propaganda, ohne sich andererseits in eine ›menschheitlich‹ klingende Phraseologie zu verlieren. Obwohl es in diesem Drama um einen Menschen geht, der in allen Dingen um das ›Absolute‹ ringt, wird dieser Totalitätsanspruch in einer politisch und sozial genau abschattierten Gesellschaft vorgetragen, die für den Zuschauer ständig kontrollierbar bleibt. Und so wird denn am Schluß jede »Tendenz zur Schwarz-Weiß-Zeichnung« [82] oder jedes »alberne Haussprüchlein« peinlichst vermieden.[83] Es handelt sich zwar um ein linkes, ja fast proletarisches Stück, aber doch mit »ewigen menschlichen Problemen«, das sich nicht damit begnügt, »irgendwelche Parteiresolutionen in die Massen zu werfen«, sondern auch die unleugbare Tragik oder innere Antinomie alles menschlichen Beginnens darzustellen versucht.[84] Wie sein Vorbild Henri Barbusse ist auch Toller ein Dichter, auf dem die »Melancholie des um die Menschenhistorie Wissenden« lastet und der sich doch in jedem seiner Werke »zum Dennoch, zum Trotzdem, zum Glauben an eine sinnvollere Gesellschaftsordnung« durchringt.[85] Literatur bedeutet für ihn eine »kämpferische Verpflichtung« [86] und zugleich ein Eingehen auf jene »kosmischen« Kräfte, die wir höchst unzulänglich mit Worten wie Geburt, Krankheit, Liebe, willensmäßiges Scheitern oder Tod bezeichnen.[87] In diesen Phänomenen sieht er ein ›erlebtes Schicksal‹, das sich einer thesenhaften Darstellung von vornherein entzieht und sich nur an »Beispielen« gestalten läßt.[88] Wie bewußt Toller diese Haltung war, beweist eine spätere Selbstinterpretation seiner *Maschinenstürmer*, die sich genausogut auf die politisch engagierten und doch höchst ambivalenten, ja fast tragischen Schlüsse von *Hoppla, wir leben!* anwenden läßt: »Man darf politische Dichtung nicht verwechseln mit Propaganda, die dichterische Mittel benutzt. Diese dient ausschließlich Tageszwecken, sie ist mehr und weniger als Dichtung. Mehr: weil sie die Möglichkeit birgt, im stärksten, im besten hypothetischen Fall den Hörer zu unmittelbarer Aktion zu treiben, weniger: weil sie nie die Tiefe auslotet, die Dichtung erreicht, dem Hörer die Ahnung vom tragisch-komischen Grund zu vermitteln. Mit anderen Worten: wenn Propaganda zehn ›Probleme‹ zeigt, hat sie als psychologische Voraussetzung, daß alle zehn lösbar sind, und sie hat das Recht, die Lösung aller zehn zu fordern. Dichtung wird, man kann es nur an einem vagen Beispiel ausdrücken, bei zehn Problemen die Lösbarkeit von neun gestalten und die tragische Unlösbarkeit des letzten aufzeigen. Ob sie das pathetisch, resigniert, pessimistisch oder mit der Forderung des Dennoch! tut, ist eine Frage der geistigen Haltung, des künstlerischen Temperaments, nicht des Kerns.«[89]

Eine solche Haltung war jedoch den Banausen aller Lager viel zu differenziert. Daß Toller nicht in ein hohles Pathos verfällt, sondern trotz seiner revolutionären Grundgesinnung auch das menschliche Einzelschicksal im Auge behält, wurde von seinen Gegnern meist als ›idealistisches‹ Rudiment verworfen. Wie souverän Toller einer solchen Kritik gegenüberstand, beweist schon ein Brief aus dem Jahre 1922, wo es unter anderem heißt: »In den Zeitungen werde ich von den Fanatikern von ›rechts‹ angepöbelt (das ist begreiflich) und von denen von ›links‹ – da muß man gelassen bleiben.«[90] Vielleicht wäre es angebracht, diese Haltung in Zukunft nicht mehr als trotzigen Subjektivismus zu interpretieren. Toller ist kein Dichter, der sich bemüht, im ›bürgerlichen‹ Sinne über den Parteien zu schweben. Wenn man ihn überhaupt eingruppieren will, gehört er zu jener kleinen Schar von politisch Unentwegten, die sich der Idee einer gesamtlinken Solidarität und damit Volksfront-Ideologie verschrieben. Es war nicht sein Ideal, »ein Mann zwischen den Stühlen zu sein«, wie Kurt Hiller einmal schreibt.[91] Daß er es trotzdem gewesen ist, spricht nicht gegen ihn, sondern gegen die Unwilligkeit der anderen, sich mit der Möglichkeit eines ›dritten Weges‹ auseinanderzusetzen.

Erik Reger: Union der festen Hand

(1931)

Als man nach 1945 begann, sich der ›Verschollenen und Vergessenen‹ zu erinnern, wurde auch Erik Regers *Union der festen Hand* wieder neu aufgelegt. Doch das Echo von 1946 war ein ganz anderes als das von 1931. Während sich damals alle antifaschistischen Kreise über die Bedeutung dieses Buches im klaren waren, Reger den Kleist-Preis erhielt und sein Verleger Rowohlt schon nach kurzer Zeit eine Zweitauflage herausbringen konnte, blieb es jetzt auffallend stumm um diesen Roman. Lediglich Wolfgang Harich äußerte sich zustimmend.[1] Überzeugte Marxisten wie Erich Winguth verurteilten dagegen die Thesen dieses Buches – wohl des bedeutendsten Industrieromans der Weimarer Republik – als politisch verzerrt und überholt.[2] Seitdem hat sich um dieses Werk und seinen Autor, der im Jahre 1954 gestorben ist, ein tödliches Stillschweigen verbreitet. Viele der jüngsten Lexika scheinen ihn überhaupt nicht mehr zu kennen. In anderen wird er mit einem Satz abgespeist.

Man fragt sich, wie es dazu kommen konnte? War das Antifaschistische inzwischen veraltet, oder empfand man das andere Thema dieses Romans, die ideologische Massenbeeinflussung von seiten der führenden Wirtschaftskreise, als nicht mehr aktuell genug? Mit der nötigen Ehrlichkeit kann man beide Fragen nur mit ›nein‹ beantworten. Der eigentliche Grund dieser Nichtbeachtung liegt wohl in der unbestechlichen Sachlichkeit dieses Buches, das sich nicht in den Dienst einer bestimmten Weltanschauung einspannen läßt. Die *Union der festen Hand* fiel daher in die Kategorie der ›unbequemen Literatur‹, in der man so manche Größen der späten Zwanziger Jahre eingesargt hat, um nicht mit gängigen Alternativen wie ›Links und Rechts‹ oder ›Ost und West‹ in Konflikt zu geraten. Während die kleinen Expressionisten und Dadaisten zwischen 1950 und 1960 allenthalben fröhliche Urständ erlebten und selbst die Opera von Carl Einstein, Gustav Sack und Reinhard Goering in ›Gesamtausgaben‹ erschienen, blieb es auf dem Sektor der mehr ›zeitbezogenen‹ Dichter relativ ruhig. Sowohl die Liberalen als auch die Konservativen und Mimikry-Ästheten gingen der bitteren Objektivität von Tollers *Hoppla, wir leben!* (1927), Zweigs *Grischa* (1927), Renns *Krieg* (1928), Horvaths *Italienischer Nacht* (1931) oder Regers *Union* sorgfältig aus dem Wege, da diese Werke so gar nicht zur Legende der ›tollen Zwanzigerjahre‹ passen. Man schien in dieser Hinsicht wieder bei dem Standpunkt Oscar Wildes gelandet zu sein: »Zola sits down to give us a picture of the Second Empire. Who cares for the Second Empire now? It is out of date. Life goes faster than Realism.«[3]

Was sich hinter dieser Haltung verbirgt, ist eine allgemeine Entpolitisierung, die sich der Forderung nach weltanschaulicher Überzeugungstreue und damit künstlerischer Inhaltsbezogenheit durch eine Flucht ins Abstrakte und Illusionäre zu entziehen versucht. Schließlich ist die geistige Abhängigkeit auf manchen Gebieten inzwischen so erdrückend geworden, daß man sich lieber mit konsequent privatisierten Problemen beschäftigt, die noch aus den psychologischen Gegebenheiten des ›bürgerlichen‹ Subjektivismus stammen, als sich mit der fortschreitenden Kollektivierung aller geistigen und materiellen Phänomene auseinanderzusetzen. Literarische Formen wie der ›Industrieroman‹, deren Hauptthema die steigende ›Entfremdung‹ der sogenannten ›zwischenmenschlichen Bezüge‹ ist, werden daher peinlich gemieden, als könne man die immer mächtiger anschwellende Industrialisierung durch ein bloßes Augenschließen überwinden. Doch durch die Anlage von Dachgärten auf Fabrikgebäuden wird sich dieses Problem schwerlich lösen lassen, und zwar weder in der Realität noch in der Literatur. Diese Sachkomplexe einfach zu übersehen, bedeutet daher heute fast: nicht mehr aktuell zu sein.

Wohl die wichtigste Frage, die sich dabei erhebt, ist die Frage, ob sich jene scheinbar so anonym funktionierenden Arbeitsvorgänge, für die man das Schlagwort der ›modernen Wirtschaftswelt‹ erfunden hat, überhaupt noch literarisch widerspiegeln lassen. Kann der Roman, der es bisher weitgehend mit Einzelfiguren zu tun hatte, eine solche Aufgabe wirklich leisten? Oder muß man bei einem Phänomen wie der Industrie, was in gleichem Maße für die moderne Kriegs- und KZ-Situation gilt, zu Darstellungsmitteln greifen, in denen auch formal das ›Kollektivistische‹ dieser Vorgänge zum Ausdruck kommt? Davon ist bisher wenig zu spüren. Nach wie vor werden auf diesem Gebiet, soweit man sich überhaupt mit ihm beschäftigt, erzählerische Mittel angewandt, die noch aus dem individualistisch denkenden ›bürgerlichen Realismus‹ stammen, der zwar schon die ›Gruppe‹, aber nicht die ›Masse‹ kannte.

Ein kurzer Rückblick auf die Geschichte des Industrieromans beweist das zur Genüge. Da sich die entscheidenden Prototypen dieses Genres in frühkapitalistischen Ländern wie England, Frankreich und den USA entwickelt haben, muß man zwangsläufig mit ihren Werken beginnen. Wie nicht anders zu erwarten, gibt es dabei von Anfang an zwei Möglichkeiten: die Vogelperspektive, das heißt den Arbeitgeberroman, und die Froschperspektive, das heißt den Arbeitnehmerroman. Weitaus beliebter war der erste Typ, wo man direkt an den bürgerlichen Familienroman anknüpfen konnte. Und zwar handelt es sich hier meist um dramatische Konstellationen rücksichtsloser Vatergestalten, ehrgeiziger Mütter, widerspenstiger Söhne und edelmütiger Bräute, während die geschäftlichen Machenschaften weitgehend im Hintergrund bleiben. Man denke an die stattliche Reihe von amerikanischen Industrieromanen, die sich von Theodore Dreisers *The Financier* (1912) und *The Titan* (1914) bis zu Taylor Caldwells *Dynasty of Death* (1938) hinzieht. So schildert Dreiser die Geschichte des Frank A. Cowperwood, der auf brutal-faszinierende Weise aus einer Börsenspekulation und Liebesaffaire in die andere taumelt, ohne daß das mathematisch Kalkulierbare seines Erfolges einsichtig wird. Auch Caldwell bleibt völlig im Bereich des Persönlichen, indem er seinen Ernest Barbour, einen skrupellosen Rüstungskönig, in eine ›rührende‹ Familiengeschichte verwickelt, die immer wieder ans Melodramatische grenzt. Dasselbe gilt für einige deutsche Romane, in denen solche Gründertypen behandelt werden. Schon *Der Mann ohne Gewissen* (1905) von

Max Kretzer – ein Grundstücksspekulant, der rücksichtslos über Leichen geht – enthält dieses Rattengift für den Dienstmädchengeschmack: die verstoßene Braut, das kranke Kind, die edelmütig verzeihende Gattin etc. Was hier noch mit gewissen Protestelementen verbunden ist, sinkt in Rudolf Herzogs *Die Stoltenkamps und ihre Frauen* (1917) auf das Niveau eines mühsam verbrämten Schundromans herab, in dem die Gestalt des ›Industrieheroen‹ zum Vorwand imperialistischer Stimmungsmache wird. Die Herren und Mannen dieses Buches sind nur auf den Ruhm der Stoltenkamps (Krupp) und auf Deutschlands Ehr' und Größe bedacht. Immer wieder liest man von ›Treue um Treue‹, von Schaffen und Gottvertrauen, von ›rüstigen‹ Veteranen und ›kernigen‹ Hausfrauen, als habe man es mit der Welt von Freytags *Soll und Haben* und nicht mit einem modernen Stahlwerk zu tun.

Für die andere Möglichkeit, nämlich den Blick von unten, lieferte Zolas *Germinal* (1885) das entscheidende Vorbild. Den historischen Hintergrund bildet hier der heroische Bergarbeiterstreik von 1869 im Loire-Distrikt, der zwar von Militär und Polizei blutig niedergeschlagen wurde, die Arbeiter jedoch in der Hoffnung auf einen neuen ›Germinal‹, den Keimmonat des französischen Revolutionskalenders, beflügelte. Inhaltlich ist das Ganze als Familienroman angelegt (die ›Maheus‹) und zieht seine romanhafte Spannung nicht nur aus den politischen Ereignissen, sondern auch aus der obligaten Liebeshandlung: dem Kampf zwischen Etienne und Chaval um Cathérine, der teilweise leicht sentimentale Züge annimmt. Ein ähnliches Strukturprinzip läßt sich in Upton Sinclairs *King Coal* (1917) beobachten, dem als Tatsachenmaterial der große Bergarbeiterstreik von 1913 in Colorado zugrunde liegt. Im Zentrum steht diesmal der junge Hal Warner, ein Sohn aus ›guter Familie‹, der als Nationalökonom nach North Valley geht, um sich über die Zustände in den dortigen ›camps‹ zu informieren. Auch hier kommt es zum Streik, der zwar ebenfalls zusammengeschlagen wird, jedoch ähnliche Hoffnungen wie in *Germinal* erweckt. Wieder dominiert das Familienprinzip: der Bruder Edward will ihn mit der bürgerlichen Jessie verbinden, während es Hal liebesmäßig mehr zu der proletarischen Mary zieht. Das gleiche gilt für seine späteren Industrieromane wie *Oil* (1927), wo Sinclair trotz aller historischen und sozialen Objektivität nie auf den Spannungsreichtum der üblichen Liebes- und Familienromane verzichtet. Im Bereich der deutschen Literatur wird dieses ›Genre‹ durch den Roman *Brennende Ruhr* (1929) von Karl Grünberg vertreten, der den Generalstreik im Ruhrgebiet und seine Niederwerfung durch die Noske-Armee im Frühjahr 1920 behandelt, was auch hier nur als vorläufiger Rückschlag der immer mächtiger werdenden Arbeiterbewegung aufgefaßt wird. Die Zentralfigur ist wiederum ein Außenstehender, der Werkstudent Ernst Sukrow, der erst mitmacht, dann Skrupel bekommt und sich wie Hal Warner ins ›bürgerliche‹ Leben zurückzieht. Auch er steht zwischen zwei Frauengestalten: der edelmütigen Proletarier-Mary und der ›dämonischen‹ Fabrikantentochter Gisela, um einen ›romanhaften‹ Zug in das Ganze zu bringen. Trotz des starken politischen Engagements führen daher die Handlungsfäden immer wieder ins Private zurück: zu Liebe, Zweifel und persönlicher Rache, wodurch die frescohaft geschilderten Vorgänge des Hauptgeschehens etwas an innerer Relevanz verlieren.

Dies sind die beiden Form- und Inhaltsmodelle, die dem Industrieroman über fünf Jahrzehnte sein Gepräge gaben. Beide kommen noch aus dem ›bürgerlichen Realismus‹, das heißt, besitzen eine ausgesprochen individualistische Struktur und bedienen sich als epischer Keimzelle meist der Familie (in der *Brennenden Ruhr* sind es die ›Ruckers‹) oder eines dramatisch zugespitzten Dreierverhältnisses. Eine Änderung dieser Situation tritt erst in den späten zwanziger Jahren ein, als sich neben dieser Erzählhaltung ein mehr ›kollektivistisch‹ eingestellter Romantyp entwickelt, der seine Hauptaufgabe in der Wiedergabe der Massenhaftigkeit aller sozialen, ökonomischen und politischen Erscheinungen sieht, und zwar entweder durch ein Nebeneinander exemplarischer Lebensläufe oder eine ins Unübersehbare anwachsende Vielfigurigkeit.

Am deutlichsten zeigt sich das in den Kriegsromanen dieser Ära. So wird Ernst Jüngers *In Stahlgewittern* (1920), das ›Tagebuch eines Stoßtruppführers‹, plötzlich durch Gesellschaftsschichtenromane wie *Der große Krieg der weißen Männer* (1928 ff.) von Arnold Zweig verdrängt, in denen wie in Renns *Krieg* (1927) oder Remarques *Im Westen nichts Neues* (1929) weniger das Persönliche als das Generations- und Gruppenmäßige im Vordergrund steht. Ebenso typisch für diese Wendung ins Sozialbestimmte ist Ernst Glaesers *Jahrgang 1902* (1928), der sich ganz bewußt mit ›allgemeinen‹ Zeiterlebnissen beschäftigt. Das gleiche gilt für den Berufsgruppenroman dieser Jahre, in dem man die Unbarmherzigkeit des scheinbar anonymen Verwaltungsmechanismus anzuprangern versucht. So bemüht sich Bruno Nelissen Haken in seinem *Fall Bundhund* (1930) um einen ›exemplarischen‹ Arbeitslosenroman. *Dritter Hof links* (1930) von Günther Birkenfeld und *Rosenhofstraße* (1931) von Willi Bredel schildern das proletarische Wohnungselend. Hans Fallada beschreibt in *Kleiner Mann – was nun?* (1932) das Schicksal eines ›kleinen Angestellten‹, der durch die Weltwirtschaftskrise erwerbslos wird. Überhaupt findet fast jede Branche in dieser Ära ihren Chronisten. Richard Euringer schreibt über die Bergarbeiter (*Die Arbeitslosen*, 1930), Werner Türk über die Verkäufer (*Konfektion*, 1932), Christa Anita Brück über die Stenotypistinnen (*Schicksale hinter Schreibmaschinen*, 1930), Gabriele Tergit über die Journalisten (*Käsebier erobert den Kurfürstendamm*, 1932). Ähnliches versucht Martin Kessel in seinem Büroroman *Herrn Brechers Fiasko* (1932), in dem trotz aller individuellen Proteste ein unbarmherziger Konformismus triumphiert. Noch ›massenhafter‹ wirkt das Schicksal des Franz Biberkopf in Döblins *Berlin Alexanderplatz* (1929), der als ehemaliger Zuchthäusler scheinbar ein Außenseiter bleibt und doch immer stärker in den Großstadtmechanismus hineingezogen wird, bis er schließlich im Anonymen untertaucht. Dieselbe Neigung zum Kollektivroman herrscht auf politischer Ebene. So behandelt Fallada in seinem Roman *Bauern, Bomben, Bonzen* (1929) den Landvolkprozeß in Neumünster, Anna Seghers in ihrem *Aufstand der Fischer von St. Barbara* (1928) die Hungerrevolte auf einer Kanalinsel. In beiden Werken wird dabei vor allem das ›Schichtenmäßige‹ der dargestellten Vorgänge betont. Wohl ihren Höhepunkt erlebt diese Vielfigurigkeit in den Seghersschen *Gefährten* (1932), deren Thema die Vereinzelung und doch Gemeinsamkeit der kommunistischen Emigranten in ihrem Kampf gegen die herrschenden Gewalten in Ungarn, Polen, Italien und Bulgarien ist, was in seiner mosaikartigen Technik bereits auf Theodor Plivier vorausweist.

Eigenartigerweise finden sich solche Züge im Industrieroman dieser Zeit, wo man das Kollektivistische noch viel stärker erwarten würde, nur in zaghaften Ansätzen. Völlig im Hintergrund bleibt es im Bereich der ›Science-Fiction‹, in dem die genialen Ingenieurstypen den Ton angeben. Das beweisen Kellermanns *Der Tunnel* (1913) und die späteren Dominik- und Hans-Richter-Romane. Etwas massenhafter wirken dagegen jene Werke, bei denen das Industrielle mit einer bestimmten Stadt verbunden wird. So schildert Kellermann in seiner *Stadt Anatol* (1932) eine Ölstadt in Rumänien, bleibt jedoch trotz mancher sozialen Schichtungsversuche in einem vielfigurigen Gesellschaftsroman stecken, der weniger das Industrielle als das Unterhaltsame im Auge hat. Etwas methodischer geht Dierk Seeberg in seinem Romanzyklus *Die Metallstadt* vor, obwohl auch er für ein ständiges Nebeneinander von Liebes- und Geschäftsaffairen sorgt. In der *Oberstadt* (1927) handelt es sich um die Welt der Industriellen, um ›Größen‹ wie Kirdorf, Thyssen und Krupp, die im Gegensatz zu Rudolf Herzog recht sachlich gesehen werden, ohne daß es Seeberg gelingt, sie aus ihrer privaten Vereinzelung herauszulösen und zu wirklich typenhaften Gestalten zu erheben. Dasselbe gilt für die *Zwischenstadt* (1927), wo er sich der Welt der Agenten und kleinen Kontore zuwendet. Die *Unterstadt* (1930) beschäftigt sich hauptsächlich mit dem Bergwerksmilieu, und zwar abermals in einer sehr handlungsreichen Dramatik, was bei einem solchen Thema, das eine durch die Konsequenz der Arbeitsgänge diktierte Sachlichkeit voraussetzt, notwendig zu Entgleisungen ins ominös ›Romanhafte‹ führen muß.

Das spezifisch Neue der modernen Großindustrie, nämlich die Konzentration des Kapitals und damit wachsende Anonymität der wirtschaftlichen und politischen Macht, bleibt in diesen Werken weitgehend unbewältigt. Alle diese Autoren denken noch bürgerlich gruppenhaft, anstatt das überindividuelle ›Getriebe‹ dieser Welt ins Auge zu fassen: die steigende Mechanisierung der Arbeitsprozesse, die Wirkung der Massenmedien, die innere Aushöhlung des bisherigen Liberalismus und die zunehmende ›Entfremdung‹ des Menschen von seinen vorindustriellen Lebensbedingungen. Und gerade dies ist der Punkt, wo Regers *Union der festen Hand* einen neuen Maßstab setzt. Denn hier wird zum erstenmal versucht,

Kollektivistisches auch kollektivistisch darzustellen, und zwar so sachlich wie möglich, indem sich Reger rein an das Organisatorische, Mechanische und Apparathafte hält.[4]

Er umgeht dabei zwei Gefahren, denen sich fast alle Kollektiv-Autoren gegenübersehen. Eine Möglichkeit wäre, das gesamte Gesellschaftsgefüge in eine unüberschaubare Menge von Einzelschicksalen aufzulösen, wie es Dos Passos in seinem Roman *Manhattan Transfer* (1925) versucht. Doch eine solche Methode – vor allem wenn sie als Protest gedacht ist – muß stets vordergründig bleiben, da auf diese Weise nie der innere Mechanismus der fortschreitenden Entfremdung aufgedeckt wird. Die zweite Möglichkeit bestände darin, im Sinne expressionistisch beeinflußter ›Arbeiterdichter‹ (Barthel, Bröger, Lersch) oder der ›Werkleute auf Haus Nyland‹ (Winckler, Kneip, Vershofen) ein ins Irrationale gesteigertes ›Gemeinschaftsbewußtsein‹ zu propagieren. Damit landet man jedoch meist bei einem ›Rausch des Schaffens‹, der allzu leicht der Gefahr unterliegt, ins Religiöse umzukippen. So glorifiziert etwa Heinrich Lersch in seinem Roman *Hammerschläge* (1931) eine von gleicher Inbrunst beseelte Nietkolonne, die im Laufe der Handlung zu einem »fünffachgekuppelten, tatlustdurchbrausten Mensch-Maschinen-Werk« zusammenwächst.[5] Auf diese Weise wird auch bei Lersch der Sachcharakter des beschriebenen Milieus gar nicht erfaßt und ein Werkbewußtsein verkündet, das bereits auf die Idee der ›schicksalsverbundenen Volksgemeinschaft‹ vorausweist.

Im Gegensatz zu diesen beiden Extremen hält sich Reger stets an eine klare Überschaubarkeit. Ihm geht es weder um das sinnlose Nebeneinander noch um eine falsche Verklärung des Kollektivs, sondern um den unheimlich perfekten Apparat dahinter: die ›Union der festen Hand‹. Er baut daher das Ganze in fünf Etappen auf, denen die politischen und ökonomischen Hauptereignisse zwischen 1918 und 1929 zugrunde liegen: Zusammenbruch, Revolution, Inflation, Stabilisierung und Weltwirtschaftskrise, wobei er an den Schluß der ersten vier Kapitel als ›offizielle‹ Interpretation jeweils den ›Bericht des Generalanzeigers‹ setzt und nur die Schlußfolgerung – den Sieg der Nazis – der Denkkraft des Lesers überläßt. Und zwar bedient sich Reger dabei einer exemplarischen Episodentechnik, mit der bestimmte politische und soziale Konstellationen geradezu röntgenhaft durchleuchtet werden. So schildert er gleich zu Anfang den unerwarteten Besuch Kaiser Wilhelms des Zweiten in der Geschoßdreherei III im Sommer 1918, wo es zu ›peinlichen‹ Zwischenfällen kommt, die dem bereits unsicher gewordenen Kaiser einen harten Schock versetzen. Andere konstruierte, aber ›typische‹ Szenen sind eine Aufsichtsratsitzung, ein Fabrikantenfrühstück, eine Arbeiterhochzeit, eine Arbeiter- und Soldatenversammlung, ein Streikumzug, die Beschreibung bestimmter Arbeitsvorgänge und ähnliche exemplarische, weil immer wiederkehrende Episoden aus dem Fabrikmilieu. Das Entscheidende dabei ist, daß Reger in diesen Szenen jede innere Anteilnahme vermeidet und sich streng an die Grenzen der realen Gegebenheiten hält. Er liefert einen Querschnitt, bei dem nicht die erzählerische Abrundung, sondern die Aufdeckung der ökonomischen Antriebskräfte den Ausschlag gibt. Und um diese Absicht noch klarer zu machen, warnt Reger den »Benutzer« dieses Werks bereits in der vorausgeschickten »Gebrauchsanweisung«, sich nicht etwa »dadurch täuschen zu lassen, daß dieses Buch auf dem Titelblatt als Roman bezeichnet ist« (6).

Doch was hatte er mit dem Ganzen eigentlich im Sinn, wenn nicht einen Roman? Um 1930 hätte man wahrscheinlich gesagt: eine ›Reportage‹. Denn schließlich handelt es sich in diesen Jahren um den Höhepunkt jener ›Neuen Sachlichkeit‹, deren literarisches Ideal vornehmlich darin besteht, die Realität für sich selber sprechen zu lassen.[6] Statt expressionistischer Engagiertheit, die sich oft genug ins Groteske und Absurde überschlagen hatte, bevorzugt man jetzt eine Tatsachenschilderung, deren aufrüttelnder Charakter allein in der Überzeugungskraft der behandelten Fakten liegt. Der Protest ist an sich der gleiche: nur die Mittel und Ziele sind wesentlich konkreter geworden. Daher bedeutet ›Neue Sachlichkeit‹ keine weltanschauliche Indifferenz, sondern eher eine Verschiebung des expressionistischen Menschheitsprotestes auf die Ebene der realistisch überprüfbaren Authentizität. Wie in der Aufklärung zielt man wieder aufs Praktische. Man will die Fakten klarstellen und nicht einen subjektiven Erguß dazu liefern, was zu einer tiefgehenden Skepsis gegenüber allen künstlerischen Ausdrucksformen führt, die in der bürgerlich-individualistischen Literatur tonangebend waren. So definiert etwa Joachim Maaß im Jahre 1932 den literarischen Stil von ›neusachlichen‹ Autoren wie Kesten, Reger, Glaeser, Fallada, Breitbach und Weiskopf als »antiindividualistisch, phantasiefeindlich, politisch«.[7] Das Ergebnis dieser Richtung sind daher meist sogenannte ›Wirklichkeitsberichte‹: Dokumentationen, Reportagen, Querschnitte, Diagramme oder Statistiken, deren Generalthema die soziale Determiniertheit aller menschlichen Handlungen ist. Die heutige »Revolutionierung der Literatur« wird durch das Schlagwort »Zustandsschilderung« gekennzeichnet, heißt es bei Hans Pflug,[8] wodurch der Roman »teilweise die Funktion der Reportage« übernehme, während sich die Reportage oft zu einem Roman auswachse.[9] Noch deutlicher drückte sich Siegfried Kracauer aus: »Seit mehreren Jahren genießt die Reportage die Meistbegünstigung unter allen Darstellungsarten, da nur sie, so meint man, sich des ungestellten Lebens bemächtigen könne... Die Dichter kennen kaum einen höheren Ehrgeiz als zu berichten; die Reproduktion des Beobachteten ist Trumpf.« [10] Aus diesem Grunde wird die gesellschaftliche Wirklichkeit oft völlig unliterarisch wiedergegeben. Man will Lebensromane schreiben, keine Buchromane. Und so sind denn die einzelnen Romancharaktere meist nur Symptome für das Typische bestimmter Gruppenverhältnisse. Immer wieder distanziert man sich sowohl von der »rührseligen Elendsgeschichte« als auch von der direkten »Parteianschauung«.[11] Nicht die großen Worte, sondern die dargestellten ›Fakten‹ sollen den Leser überzeugen. Beispielhaft dafür ist die Vorbemerkung zu Remarques *Im Westen nichts Neues:* »Dies Buch soll weder eine Anklage noch ein Bekenntnis sein ... Es soll nur den Versuch machen, über eine Generation zu berichten, die vom Kriege zerstört wurde – auch wenn sie seinen Granaten entkam.«

Die meisten beriefen sich dabei auf ein Werk wie den *Rasenden Reporter* (1924) von Egon Erwin Kisch.[12] Was Kisch hier schildert, sind durchaus typische Fälle, denen ein beachtliches Sachwissen zugrunde liegt. Er selber nennt es »Zeitaufnahmen«, die sich am besten in einem »Album« studieren ließen.[13] Ebenso vorbildlich empfand man seine inzwischen klassisch gewordene Definition des objektiven Reporters: »Der Reporter hat keine Tendenz und hat keinen Standpunkt. Er hat unbefangen Zeuge zu sein und unbefangen Zeugenschaft zu liefern, so verläßlich, wie sich eine Aussage geben läßt, – jedenfalls ist sie (für die Klarstellung) wichtiger als die geniale Rede des Staatsanwalts oder des Verteidigers ... Er ist kein Künstler, er ist kein Politiker, er ist kein Gelehrter ... und doch ist sein Werk vermöge des Stoffes sehr wichtig. Die Orte und Erscheinungen, die er beschreibt, die Versuche, die er anstellt, die Geschichte, deren Zeuge er ist, und die Quellen, die er aufsucht, müssen gar nicht so fern, gar nicht so selten und gar nicht so mühselig erreichbar sein, wenn er in einer Welt, die von der Lüge unermeßlich überschwemmt ist ... die Hingabe an sein Objekt hat. Nichts ist verblüffender als die einfache Wahrheit, nichts ist exotischer als unsere Umwelt, nichts ist phantasievoller als die Sachlichkeit.« [14]

Doch neben dieser bewußten Objektivität läßt sich im Bereich der Reportage auch eine deutlich ausgesprochene Parteilichkeit beobachten. So schreibt Johannes R. Becher im Vorwort zu Grünbergs *Brennender Ruhr* (1929): »Die Reportage ist die Avantgarde, der erste Vorstoß einer kommenden Dichtung in ein neues Diesseits«, in dem man nicht mehr an das Schicksal, sondern an die verändernde Kraft des menschlichen Willens glaubt.[15] Ebenso anfeuernd empfand man den ›dokumentarischen‹ Charakter der frühen Eisenstein-Filme oder die politische Prägnanz der Piscator-Bühne. Das gleiche gilt für die vielen ›Tatsachenberichte‹ aus dem damaligen Arbeiterleben. So nennt Walther Victor seine ›Romanreportage‹ *Einer von vielen* (1930) keine »Literatur«, sondern einen »Bericht«, und zwar »ohne mehr Tendenz als die Sache verlangt«, wie es auf dem Waschzettel heißt. Auch die Bücher *Zaren, Popen, Bolschewiken* (1926) und *Asien gründlich verändert* (1932) des mittleren Kisch oder die Rußland-Reportage *Staat ohne Arbeitslose* (1931) von Glaeser und Weiskopf sind nur an der Oberfläche reine ›Tatsachenberichte‹. Auf einer ähnlichen Linie liegen Werke wie *Deutschland heute* (1928) von Alfons Goldschmidt oder *Deutschland, Deutschland über alles* (1929) von Kurt Tucholsky, die sich um eine politische Physiognomik von Städten, Industrien und Parteien bemühen und dabei das vorgefundene Tatsachenmaterial mit sarkastischen Pointen vermischen. Was alle diese Reportagen verbindet, ist der Kampf gegen den Talmiglanz der ›Golden Twenties‹, gegen den politischen Zerfall, die kalte Genußsucht und wirtschaftliche Korruption der von innen ausgehöhlten ›Weimarer Republik‹, deren Lebenschancen man recht düster beurteilt.

Im Gegensatz zu diesen Sozialaspekten wendet man sich auf ›rechter‹ Seite mehr den nationalen Problemen zu. So glorifiziert Arnolt Bronnen in seiner Oberschlesien-Reportage *O. S.* (1928) den Einsatz der faschistischen Freikorps, und zwar in rein ›sachlicher‹ Manier mit Generalstabskarte und genauen Zahlenangaben. Heinrich Hauser gibt in seinem Buch *Wetter im Osten* (1932) eine Reportage über das ›Grenzland‹ Ostpreußen und ruft zu einer inneren Auseinandersetzung mit dem Slawentum auf. Ähnlich reaktionär gefärbt ist sein Bericht *Schwarzes Revier* (1932), wo er trotz aller typisierenden Tendenzen weitgehend im Impressionistisch-Skizzenhaften steckenbleibt. Die Industrie des Ruhrgebiets wird hier als der »Gigant im Westen« bezeichnet, dessen »grauenhafte Schönheit« ihn geradezu fasziniert.[16] Er gibt zwar zu, daß das Leben in diesem Milieu »kaum menschenwürdig« sei, tröstet sich jedoch mit einem vagen Blick in die Zukunft.[17] Wie versöhnlerisch seine Grundeinstellung ist, beweist eine Bemerkung über das Kitschige und Anachronistische der meisten Arbeiterwohnungen, die er als geradezu malerisch empfindet: »Es ist gut, daß es das alles noch gibt, es sollte nichts daran geändert werden.«[18]

Im Rahmen dieser Aufsplitterung in rechts und links wirkt Reger eher wie ein Vertreter der ›Mitte‹, der sowohl der kommunistischen als auch der nationalistischen Engagiertheit aus dem Wege geht. Nichts ist bei ihm rohe Wirklichkeit oder unverblümte Tendenz. Selbst da, wo er sich um eine möglichst authentische Erfassung konkreter Situationen bemüht, bedient er sich stets einer ›verschlüsselten‹ Form. So liefert er gleich zu Anfang eine Schilderung der Stadt Essen im Jahre 1918, in der das Wort ›Essen‹ überhaupt nicht vorkommt. Die Krupp-Werke sind bei ihm die Risch-Zander-Werke. Villa Hügel taucht nur als ›die Villa‹ auf. Die Realität wird also nie verlassen und doch nie direkt beim Namen genannt. Das bedeutet nicht, daß Reger etwas ›vertuschen‹ will. Ganz im Gegenteil. Denn auf diese Weise wird die dargestellte Wirklichkeit noch bedrängender, noch anonymer und geht so aus dem Zufälligen immer stärker ins Exemplarische über.

Schon die ersten Seiten – mit ihrer Schilderung des krebsartig wuchernden Fabrikmilieus, das selbst den letzten Grashalm mit einer verrußten Staubschicht bedeckt – lassen alles Feuilletonistische weit hinter sich. Zwar herrscht auch hier für kurze Zeit ein von Kisch übernommener Reportagestil, der jedoch mit Otto Dixscher Intensität angereichert ist. Anstatt gemüthaft vom ›Kohlenpott‹ zu reden, das Ganze als die ›Waffenschmiede des Reiches‹ hinzustellen oder von der ›grandiosen Scheußlichkeit des Schwarzen Reviers‹ zu schwärmen, gebraucht Reger lediglich den Begriff ›Ruhrgebiet‹. Im Gegensatz zu Hauser interessiert er sich weniger für die ›stählernen Giganten‹ oder die ›malerischen‹ Schwarz-in-Grau-Effekte als für das sozial genau abgestufte Durch- und Nebeneinander von »burgenhaften Fabrikfassaden«, »Villen in Barockmanufaktur«, »Siedlungen im Schwarzwälder Puppenstil« und »proletarischen Mietskasernen« (10). Welche Exaktheit auf diese Beschreibungen angewandt wird, läßt sich kaum genug loben. Hier werden keine journalistischen Impressionen widergespiegelt, sondern sorgfältig studierte ›Sachkomplexe‹ aneinandergereiht. Reger bemüht sich ausdrücklich, den gesamten ökonomischen und sozialen Radius dieser Welt zu erfassen: vom Lebensstil der Großindustriellen, den Arbeitsvorgängen in den Eisenwalzwerken bis zu den trostlosen Reihenhäusern der Arbeitersiedlungen, wo das Elend zur »lieben Gewohnheit« geworden ist (209). Alles, was hierfür exemplarisch sein könnte, und seien es die verstaubten Geranienstöcke und handgeschnitzten Windfahnen auf den Taubenschlägen, wird als sozialer Beweis angeführt. Die Siedlung ›Flammende Scholle‹, die manche Ähnlichkeit mit der ›Schwarzhaldenstraße‹ in Seebergs *Unterstadt* aufweist, erscheint daher in derselben Detailliertheit wie die gründerzeitliche Pracht der ›Villa Hügel‹. Beides sind reine Sachkomplexe, bei denen man den Eindruck typisierter Photographien hat.

Die ›Oberstadt‹ wird durch die Kohlenbarone und Stahlmagnaten vertreten. Wie die Städte und Konzerne sind auch ihre Namen verschlüsselt, und zwar nicht aus Gründen der Tarnung, sondern um sie als überindividuelle Kaste zu charakterisieren. Obenan steht der Freiherr Risch-Zander (Gustav Krupp von Bohlen und Halbach), der mit Familie und Schwiegermutter in der ›Villa‹ thront. Anstatt ihn in übler Agitpropmanier als Blutsauger oder kapitalistisches

Schreckbild zu zeichnen, ist Regers ›Freiherr‹ von der »Echtheit seiner Phrasen« völlig durchdrungen (157). Er fühlt sich noch als Patriarch und gibt sich die größte Mühe, alle sozialen Härten sorgfältig zu übersehen. »Die sinnlosen Aufzüge verblendeter Menschen erschüttern mich jedesmal«, bekennt er anläßlich einer Arbeiterdemonstration (177). Die Welt, an die er glaubt, beruht auf der Heiligkeit des Besitzes und der Unanfechtbarkeit der Moral. Ähnliches gilt in modifizierter Form für die anderen Vertreter dieser Besitzaristokratie: für Schellhase sen. und jun. (Thyssen und Sohn), Wirtz (Stinnes), Alfons Hachenpoot (Hugenberg) und den ›nordischen Schiffahrtspräsidenten‹ (Ballin), die sich mit einiger Kenntnis der Verhältnisse leicht identifizieren lassen. Andere Figuren deuten auf Schacht, Brüning und Spengler hin. Sie sind es, in denen Reger die eigentliche ›Union der festen Hand‹ erblickt. Dagegen spielt die Gründung der ›Vereinigten Stahlwerke‹ und des ›Langnam-Vereins‹, auf die so häufig hingewiesen wird, nur eine untergeordnete Rolle. Schon daß Risch-Zander diesen Gründungen gar nicht beitritt, deren Endziel ein monopolkapitalistischer Konzern aller Bergwerke, Hochöfen, Stahlwerke und chemischen Fabriken sein sollte, spricht gegen eine rein wirtschaftspolitische Deutung dieses Begriffs. Überhaupt wird der Druck dieser ›Union‹ bei aller ökonomischen Machtzusammenballung vorwiegend als meinungsbildender Faktor betrachtet. Und dies ist der Punkt, wo auch Risch-Zander, der sich aus allen Kartellbindungen freizuhalten versucht, mit den anderen völlig übereinstimmt.

Als das Zentralthema dieses Werkes ließe sich daher die ideologische Beeinflussung der Arbeiter und Angestellten mit einer immer stärker ›faschisierten‹ Demagogie bezeichnen. Denn auf diesem Gebiet verfügte Erik Reger (eigentlich Hermann Dannenberger), der bis 1927 Techniker, Buchhalter, Bilanzkritiker und Pressereferent bei den Krupp-Werken war, über die größten Sachkenntnisse. Und so verwendet er den Begriff ›Union der festen Hand‹ meist als Synonym für das, was wir heute als ›Bewußtseinsindustrie‹ oder ›massenpsychologische Betreuung der Arbeiterschaft‹ umschreiben würden. Die Hauptphrase ist dabei das Schlagwort von der ›schicksalsverbundenen Werkgemeinschaft‹, mit der man einen längst überholten Patriarchalismus aufrechtzuerhalten sucht. Bei Risch-Zander soll man sich nicht als Arbeiter, sondern als ›Rischianer‹ fühlen. Es wird darum von oben her alles versucht, den einzelnen das Gefühl der Zusammengehörigkeit, aber nicht der sozialen Mitverantwortung zu geben. Eine große Rolle spielen in dieser Hinsicht die werksverwalteten Siedlungen mit ihren werkseigenen Konsumläden und die werksgesteuerte Vereinsmeierei, die eine »filzige Lethargie« verbreiten sollen (564). So haben die Arbeiterfrauen mittwochs ihr Kaffeekränzchen, die Männer freitags ihren Kegelabend. Die Angestellten werden in dem Verein ›Unter uns‹ zusammengeschlossen. Vor 1918 gab es sogar einen Werkverein für »friedliche Arbeit und Treue zum angestammten Herrscherhaus« (17). Es braucht sich also niemand verlassen zu fühlen und sich sozialpolitischen Überlegungen hinzugeben. Alle bilden eine große ›Familie‹, was besonders bei den vielen Betriebsjubiläen herausgestrichen wird, wo man den Arbeitern den nötigen Brei um den Mund zu schmieren versucht. Und zwar verwendet man dabei Phrasen wie ›im Dienste ergraut‹, ›unsere Werktätigen‹ oder ›Veteranen der Arbeit‹, um so an das ›naturgegebene‹ Gemeinschaftsgefühl zu appellieren. Dieselbe Absicht verbirgt sich hinter Zechennamen wie »Gewalt und Gottvertraut«, »Friedlicher Nachbar«, »Sonnenschein«, »Unverhofft« oder »Gott hilft gewiß«, die Hauser in seinem *Schwarzen Revier* aufzählt.[19] Ihren Höhepunkt erreichen diese Tendenzen bei der mit äußerster Prachtentfaltung durchgeführten Jahrhundertfeier der Risch-Zander-Werke. In allen Ansprachen ist hier von der großen ›Werkgemeinschaft‹ die Rede, werden goldene Uhren oder das Bild der Familie Zander verteilt, das bereits die nötige Vertikogröße besitzt, um seinen ideologischen Einfluß bis in die ›guten Stuben‹ der Arbeiterwohnungen auszudehnen.

Anstatt sich nach dem alten Herr-im-Hause-Standpunkt auf die nackte Gewalt zu verlassen, wendet man in diesen Jahren – mit wesentlich besseren Erfolgen – die ›weiche‹ Methode an. Nicht entlassen, sondern befördern, ist das neue Rezept, worin der Taktiker Wirtz einen »Sieg des Raffinements« erblickt (227). Statt sich also gegen die Betriebsräte zu stellen, versucht man, sie in ein Instrument der Werksleitung umzufunktionieren. Genauso verfährt man mit den Gewerkschaften, die man in gefügige Unternehmergewerkschaften verwandelt, was in vielen Fällen keine großen Schwierigkeiten bereitet. Überhaupt vermeidet man es mehr und mehr, den ›Besitzer‹ zu spielen, tarnt sich hinter undurchschaubaren Konzernen oder gibt sich lediglich als ›Industriekapitän‹ aus, um nicht als ›kapitalistischer‹ Schlotbaron zu gelten. Wenn es dennoch zu sozialen Spannungen kommt, weicht man meist ins Patriotische aus. Vor 1918 waren es der ›Werkverein‹ und der ›Jugend-Wehrverein‹, mit denen man den nötigen Chauvinismus aufrechterhielt. Nach 1918 fällt diese Aufgabe den vielen Werkzeitungen zu, die mit sentimentaler Phraseologie den ›deutschen Gemeinschaftssinn‹ propagieren.[20] Die gesamte Nachkriegsmisere wird von diesen Winkelgazetten einfach den ›Roten‹ in die Schuhe geschoben und der Abbau der Rüstungsindustrie als eine Schwächung der nationalen Interessen hingestellt. Wer für die ›Roten‹ eintritt, verliert seinen Arbeitsplatz, heißt es hier mit unverschämter Demagogie, um die Liebknecht- und Luxemburg-Anhänger als schnöde Vaterlandsverräter abzustempeln.

Doch die Hauptkritik dieser hektischen Propagandatätigkeit wendet sich gegen das Prinzip der ökonomischen ›Sachlichkeit‹, das heißt der gerechten Profitverteilung und damit materiellen und geistigen Unabhängigkeit der Arbeitermassen. All das wird – je nach momentaner Stimmung oder lokaler Anwendbarkeit – als krasser Materialismus, englische Krämermoral, Bolschewismus oder jüdische Zersetzung angeprangert. Als wahrhaft deutsch gilt in diesen Kreisen nicht die ›mechanische‹ Gesellschaft, sondern nur die ›organische‹ Gemeinschaft, für die bereits Tönnies und Sombart eingetreten waren. Und zwar wird dabei dem Arbeiter als ideologisches Zugeständnis die Fata morgana eines ›nationalen Sozialismus‹ vorgespiegelt, die jedoch das Wort ›Sozialismus‹ bloß als Köder oder »Firmenschild« verwendet, wie Schellhase jun. einmal zynisch behauptet (328).

Ein erster Vorstoß in diese Richtung ist die Gründung des ›Nationalen Arbeiterbundes‹, der das Schlagwort ›Gemeinnutz geht vor Eigennutz‹ propagiert, das später zur Kernphrase der ›Deutschen Arbeitsfront‹ wurde. Als noch effektvoller erweist sich der von Hachenpoot gegründete ›Ring nationaler Zeitungen‹, der ebenfalls einen ausgesprochen präfaschistischen Kurs vertritt. Reger meint damit Scherl-Zeitungen wie *Die Woche*, den *Wegweiser*, die *Filmwelt*, den *Berliner Lokal-Anzeiger*, *Der Adler* und *Die Gartenlaube*, die seit 1918 unter dem direkten Einfluß Hugenbergs standen. Neben den Juden sind hier vor allem die Bolschewisten das große Schreckbild. So verbreitet man Meldungen, daß die »Tscheka politische Gegner nackt in der Erde verscharre und die Rotgardisten den Bauern große Stücke Fleisch aus dem Gesäß schneiden« (443). Aus den Franzosen macht man gehässige Neidhammel, die den Deutschen möglichst viele ›Sozialisten‹ auf den Hals wünschen, um sie innerlich auszuhöhlen, – und ähnliche Greuelmeldungen mehr. Als die ›Union der festen Hand‹ gegründet wird, verpflichtet man einen völkischen Propagandaredner, der sich in seiner Festansprache für den »schöpferischen Glauben an den Mythos Volk« einsetzt (257). Zum Geschäftsführer wird ein alter General bestellt, während man einen berühmten Kulturphilosophen mit dem nötigen Pessimismus (Spengler) zum Chefideologen ernennt. Auf derselben Linie liegt die Gründung der ›Ida‹, des ›Instituts für deutsche Arbeiterbeseelung‹,[21] das dem Arbeiter wieder seine »bluthafte Volkheit« zum Bewußtsein bringen soll (553). Ja, Schellhase und Hachenpoot ziehen sogar die Nazis zu ihren Zwecken heran. Die Braunhemden treten dabei, trotz ihres unaufhörlichen Gefasels von der ›Rassenseele‹ und vom ›Mythos des 20. Jahrhunderts‹, als äußerlich recht biedere Gestalten auf, die sich wie Hitler beim Scheringer-Prozeß ständig auf die »Legalität« ihrer Partei berufen (450). Auf diese Weise erreichen die schwerindustriellen Führungsschichten schließlich eine »sozialfaschistische« Einheitsfront, welche den linken Gegenkräften mehr und mehr den Wind aus den Segeln nimmt. Schellhase jun. kann daher am Vorabend der ›Machtübernahme‹ ebenso heuchlerisch wie einst Wilhelm II. beim Ausbruch des ersten Weltkrieges behaupten: »Ich kenne keine Gewerkschaften mehr, ich kenne nur noch Arbeiter« (549).

Die ›Union der festen Hand‹ besteht also weniger in einer äußeren Kartellbindung als in einer sorgfältig geplanten Massenbeeinflussung, deren höchstes Ziel die uneingeschränkte ›Herrschaft der Phrase‹ ist. Konkret gesehen, handelt es sich um eine ideologische Interessengemeinschaft, die schon unter Wilhelm II. bestand, die ›Weimarer Republik‹ nur zu finanziellen Hilfestellungen mißbraucht und angesichts der Weltwirtschaftskrise skrupellos mit der radikalen ›Rechten‹ paktiert. Die Mächtigkeit dieser Gruppe zeigt sich darin, daß sie trotz aller äußeren Wechselfälle ihre dominierende Position nicht nur behaupten, sondern weiter ausbauen kann. Reger meint damit jene Kreise, die so weit über allen Systemen und Regierungen stehen, daß sie die sogenannten ›Machthaber‹, die sich auf der politischen Vorderbühne bewegen, als bloße Marionetten betrachten. Ihr Bündnis mit bestimmten Organisationen hat daher lediglich einen taktischen Wert. Ob Sozialdemokraten, Deutschnationale oder Nazis: alle haben für sie nur die Bedeutung, die man ihnen von seiten der Industrie zugesteht. Denn ihr eigentliches Ziel besteht gar nicht darin, eine politische Partei an die Macht zu bringen, sondern die Herrschaft der allesverwirrenden ›Phrase‹ aufrechtzuerhalten, um sich nie in einen echten Dialog über die Besitzfrage einlassen zu müssen.

Alle jene, die diesem ideologischen Druck auf Grund ihrer mangelnden Bildung und finanziellen Rückversicherung wehrlos ausgeliefert sind, erscheinen deshalb auf den ersten Blick als ›Masse‹. Reger schreibt: »Die Menschen glichen sich, wie sich die Fenster glichen. Es waren immer dieselben vom Luftentzug vergilbten Kindergesichter und immer dieselben von Bewegungslosigkeit aufgeschwemmten Frauenkörper, die eine ununterbrochene Schwangerschaft durchzumachen schienen« (11). Das gleiche trifft auf die Männer zu. Die meisten sind so verbraucht oder systematisch verdummt, daß ihre Hauptsorge der Erhaltung ihres Arbeitsplatzes gilt. Fast alle haben sich dem »hierarchischen System der Selbstentäußerung zugunsten der festen Lebensstellung unterworfen« (16). Dennoch wäre es falsch, sie nur als ›Masse‹ anzusehen. Wie in der Schilderung der Arbeitgeberkreise herrscht auch hier eine gewisse Typenbildung, die das Exemplarische bestimmter Haltungen hervorheben soll. Da gibt es etwa den ›Schläger‹ Walkowiak, den Radikalen um jeden Preis, der erst im Arbeiter- und Soldatenrat die große Schnauze führt, dann im Kriminellen untertaucht und schließlich SA-Mann wird. Der Betriebsrat Fries vertritt den typischen Mehrheitssozialisten, der als »berufsmäßiger Vermittler zwischen Proletariat und Bourgeoisie« ständig zu Kompromissen rät (435). Sein Sohn Helmut ist ein gefeierter ›Arbeiterdichter‹, dessen bekanntestes Gedicht mit den Zeilen beginnt: »Hei – mein Brikett! Wie schwarz es funkelt, / Gepreßt in Schmerzen und in Not« (375). Außerdem hat er die Firmenhymne der Rischianer, die ›Symphonie der Arbeit‹, geschrieben und bekommt dafür eine Werkspension. Friedrich Bilgenstock stellt den typischen Opportunisten dar. Bis 1918 betätigt er sich als Denunziant, dann verschwindet er für eine Weile, taucht jedoch später wieder als Nationalbolschewist auf und geht schließlich zu den Faschisten über. Jakob Kalinna wird als exemplarischer ›Veteran der Arbeit‹ porträtiert, der sich in keiner Situation von seiner ›Werkverbundenheit‹ abbringen läßt. Dagegen wirkt der Sattler und Polsterer Heinrich Dopslaff wie der Typ des systematisch Verblödeten: mit seinem wöchentlichen Besäufnis, seinem Kinderreichtum und seiner völligen Uninteressiertheit an allem, was über den Horizont seiner Wohnung oder Werkstatt hinausgeht. Außer diesen Figuren gibt es noch den typischen Schreiberling, den ehrgeizigen Buchhalter, den eifrigen Betriebsassistenten oder einen Werkstudenten, der seine Fabriktätigkeit als eine »nette Episode« empfindet (294).

Alle diese Gestalten haben den Charakter typisierter Photographien, die man durch eine unmerkliche Retusche ins Exemplarische erhoben hat. In diesem Punkt berührt sich Reger sehr eng mit dem üblichen Reportagestil dieser Jahre, zu dessen Hauptzielen die Schilderung bestimmter Berufsgruppen gehört. Ein gutes Beispiel dafür ist das Buch *Die Angestellten* (1930) von Siegfried Kracauer, das auf unzähligen Interviews und Meinungsumfragen beruht. Eine ähnliche Absicht liegt dem Photobuch *Antlitz der Zeit* (1929) von August Sander zugrunde, dessen 60 Aufnahmen deutscher Menschen eine Art politisches Lehrbuch der Fauna Germanica zwischen 1914 und 1929 darstellen. Das Vorwort zu diesem Bande stammt von Döblin, der vor allem die Abflachung der Gesichter durch die »Kollektivkraft« der jeweiligen »Klasse« oder »Kulturstufe« hervorhebt.[22] Sander ist für ihn ein Photograph, der wie kaum ein anderer einen Blick dafür habe, ›Typen‹ zu realisieren. Jeder Mensch: ob Handwerker, Bauer, Kleinbürger, Proletarier, Werkstudent, Wandervogel, Ingenieur, Kaufmann, Abgeordneter, Arbeitsloser oder Putzfrau stehe hier für Zehntausende, Hunderttausende, Millionen, und zwar ohne irgendein Attribut, rein als

Typ, in dem sich die Grundhaltung einer bestimmten Spezies der sozialen Rangabstufung manifestiere. Die gleiche Hochachtung hegte Tucholsky vor dieser »photographierten Kulturgeschichte unseres Landes«, da man in ihr Menschen begegne, die so sehr ihren Stand, ihre Kaste repräsentieren, daß »das Individuum für die Gruppe genommen werden darf«.[23]

All das versucht Reger auch, zum Teil mit derselben Eindringlichkeit, derselben realistischen Prägnanz, derselben Optik für das Wesentliche. Doch in einem Buch von fast 600 Seiten müssen neben das rein ›Kollektivistische‹ auch bestimmte Formkräfte treten, wenn das Ganze nicht in einem unübersehbaren Chaos versinken soll. Und zwar greift Reger dabei zu zwei Mitteln, die auf den ersten Blick ›traditionell‹ erscheinen und doch keinen Rückfall ins ›Romanhafte‹ bedeuten. Erstens: die bereits erwähnten Modellsituationen, mit denen er den sozialpolitischen Mechanismus bloßzulegen versucht. Zweitens: die durchgehend ›berichteten‹ Erlebnisse des Kranführers Adam Griguszies, worin sich der idealtypische Verlauf der politischen Resignation des Arbeiterbewußtseins zwischen 1918 und 1929 widerspiegelt. Griguszies ist in gewissem Sinne eine epische Trägerfigur, die allerdings aus den üblichen ›familiären‹ Verwicklungen weitgehend herausgehalten wird. Welchen Raum nimmt dagegen die Liebeshandlung in Grünbergs *Brennender Ruhr* (1929), der *Stimme aus dem Leunawerk* (1930) von Walter Bauer, *Einer von vielen* (1930) von Walther Victor oder den *Arbeitslosen* (1930) von Richard Euringer ein! Mit solchen Werken verglichen, wirkt Regers *Union* eher wie ein ›Roman für Puritaner‹, der jeder sentimentalen Verwischung der sozialen Probleme sorgfältig aus dem Wege geht. Griguszies ist erst Spartakist, dann Kommunist, schließlich bloß noch ›politisch‹ denkender Arbeiter. Anfänglich greift er überall ein, wo die Belange des Proletariats auf dem Spiel stehen: rüttelt auf, reißt mit, bekennt sich zur revolutionären Vernunft – scheitert aber immer wieder. Daher tritt er im Verlauf der Handlung zusehends in den Hintergrund. Von allen Seiten wird er attackiert und endlich aufgerieben: von seiner Familie, von anderen Kommunisten, von den Arbeitern selbst. Genau gesehen, ist es weniger die Werksleitung, an der er zugrunde geht, als die ›Union der festen Hand‹, die klischeehaft gewordene Macht der Phrase, der sich sogar die Arbeiter, die ›Rischianer‹, die Versorgungsfritzen und Sparbuchinhaber nicht entziehen können. Was er im Auge hat, ist dagegen ein »klares Verhältnis von Arbeit, Lohn und Profit«, das weder auf falschen Gefühlen noch auf der üblichen »Wohlfahrtsmogelei« beruht, sondern sich allein auf die sachbezogene Leistung stützt (86). Aus diesem Grunde kämpft er unerbittlich gegen die Phrase von der ›Werksgemeinschaft‹, mit der man die Arbeiter an der Nase herumzuführen versucht. Leider kommt er dabei zu der bitteren Erkenntnis, wie mühsam ein solcher Kampf gegen die gemeinsame Front der alten Ideologien ist, deren Zähigkeit sich oft erst nach Generationen aufzulockern beginnt. Ebenso schmerzlich ist für ihn die Einsicht, daß selbst die Sozialdemokratie kein politisches Gegengewicht darstellt und weniger die »Befreiung« als die »Verbürgerlichung der Arbeiterschaft« begünstigt und damit die Misere verewigt (22).

Von allen diesen Skrupeln gepeinigt, wird er schließlich zum »Grübler« (130), der sich halb willentlich, halb unbewußt von den Stellenjägern und Funktionärstypen überrunden läßt. Er bleibt zwar ›links‹, verwandelt sich aber aus einem Klassenkämpfer in einen skeptischen Räsoneur, da er einsieht, daß die Arbeiter selbst in ihrer »revolutionären Geste« noch »königlich preußische Beamte« sind (78). Man fühlt sich in diesen Szenen fast an Sternheim erinnert, wo ebenfalls der ewige ›Burschwa‹ triumphiert. Anderes gemahnt an Tollers Wiedergabe von Arbeitergesprächen, in denen die grenzenlose Verhetzung durch Schule, Kirche, Militär und Lehrjahre zum Ausdruck kommt. Als man hört, daß bei den Nazis sogar die Söhne des Kaisers mitmachen, sagen Regers Arbeiter: »Da kann es doch nichts Schlechtes sein« (428). Griguszies ist ehrlich genug, schließlich auch den ›Bürger‹ in sich selbst zu erkennen (435). Er legt daher seine Betriebsratsstelle nieder, wird arbeitslos und verrichtet »Notstandsarbeiten an den städtischen Friedhöfen« (587). Von überall sieht er die Lawine auf sich zurollen, sagt den Sieg der Nazis und damit den abermaligen Triumph der ›Union der festen Hand‹ voraus, rebelliert aber nicht mehr, sondern läßt die »Dopslaff ihr Schwätzchen halten« (588). Seine letzten Worte sind: »Die Arbeiter? Erwachendes Deutschland? Soldaten der roten Armee? Du lieber Gott. Du lieber Gott« (588).

Damit fällt dieses Buch in eine Kategorie, die man weder als Reportage noch als Roman abstempeln kann. Und doch enthält es Elemente von beiden. Die Reportage liefert den unmittelbaren Wirklichkeitscharakter, ohne daß Reger dabei der Gefahr des bloß Statistischen oder Photographischen erliegt, die mit diesem Genre so oft verbunden ist. »So kann jeder, der nicht kann«, bemerkt Tucholsky einmal über die sogenannte ›Reportahsche‹, die sich ein bestimmtes »Milljöh« vornimmt und dann in einen »mittelkräftigen Bandwurm« ausartet.[24] Reger läßt sich daher als Autor weder mit Kracauer noch mit Hauser vergleichen. Etwas näher steht er Kisch, der schon in seinem *Rasenden Reporter* recht exakte Berichte über Essen, die Krupps und Generalversammlungen der Ruhrindustriellen liefert. Eine ähnliche Nähe spürt man zu einem Buch wie *Das Leben der Autos* (1930) von Ilja Ehrenburg, das sich ganz eng an das vorgefundene »Rohmaterial« hält und dies zu einer »Chronik der Zeit« zu verarbeiten sucht.[25] Auch hier werden große Konzerne geschildert: Ford, General Motors, Mercedes und Citroën, wobei sich Ehrenburg allerdings immer wieder zu journalistischen Entgleisungen hinreißen läßt.

Ebenso auffällig sind die vielen Verwandtschaftsverhältnisse, die Regers *Union* mit den Romanen dieser Jahre verbinden. Das gilt vor allem für den Gesellschaftsschichten- oder Panoramaroman, wie ihn Musils *Mann ohne Eigenschaften* (1930 ff.) und Brochs *Schlafwandler* (1931 ff.) vertreten, die ebenfalls einen reichen Gebrauch von exemplarisch konstruierten Typen, zeitgenössischen Zitaten und geistigen Lageberichten machen. Beide, Musil und Broch, operieren mit einem sozial genau abgestuften Nebeneinander verschiedener Lebensläufe, beide verwenden eine historisch fundierte Parallelaktion, beide stellen den Verfall älterer Wertsysteme dar und beide enden wie Reger mit einer bitteren Prognose. Broch exemplifiziert das in seinem *Huguenau oder die Sachlichkeit* an einem Heilsarmeemädchen, dem Maurer Gödicke, dem Leutnant Jaretzki, dem Oberstabsarzt Kuhlenbeck und der Frau eines Staatsanwaltes, die alle eine bestimmte ideologische Situation umreißen. Musil verwendet Typen wie den Industriellen Arnheim (Rathenau), den Philosophen Meingeist (Klages), den Pädagogen Hagauer (Kerschensteiner), den Dichter Feuermaul (Werfel), die verzückte

Clarisse (Nietzsche-Epigonentum), den Verbrecher Moosbrugger, den Stabsoffizier Stumm von Bordwehr oder den Präfaschisten Sepp, bei denen man nur selten das Gefühl psychologisch erfaßter Charaktere hat. Wie bei den Ida-Sitzungen in Regers *Union* entwickelt sich auch in Diotimas Salon ein Bündnis der hohen Offiziere mit der Industrie, das auf den späteren Sieg der Nazis vorausweist, obwohl sich dieser Vorgang auf einer rein geistig-philosophischen Ebene abzuspielen scheint, die eher den Streit der Ideologien als der sozio-ökonomischen Kräfte reflektiert. Und zwar bedient sich Musil dabei einer Schlüsseltechnik, wie sie zu gleicher Zeit Lion Feuchtwanger in seinem Roman *Erfolg* (1930) verwendet, in dem Hitler als Kutzner und die Nazis als die ›wahrhaft Deutschen‹ auftreten. Ähnliches gilt für die Romane von Arnold Zweig, vor allem für die *Einsetzung eines Königs* (1937). In allen diesen Werken wird der Zerfall des wilhelminischen Reiches und zugleich die gärende Hefe der neuen Zeit geschildert, die aufs engste mit dieser Dekomposition verbunden ist. In diesem Punkte steht also Reger mit den besten Romanciers seiner Jahre durchaus in einer Reihe. Was ihn jedoch von Broch, Musil und Zweig unterscheidet, ist der konsequente Verzicht auf alles ›Kalligraphische‹. Sprache und Aufbau sind bei ihm nur ein Mittel zum Zweck, kein Zweck in sich selbst, wodurch er altmodischer und zugleich moderner wirkt. Reger sieht sein Ziel nicht mehr darin, einen ›Roman‹ zu schreiben, was selbst Musil und Broch trotz aller Mischung aus Sachlichkeit, Zeitkritik und Essayismus immer noch im Auge behalten, sondern die »Wirklichkeit einer Sache und eines geistigen Zustandes« zu schildern, wie es in der kurzen »Gebrauchsanweisung« heißt (6). Daher ist seine Montagetechnik nicht artistisch, sondern bitter ernst. Er will die ›Sachen‹, das heißt den eigentlichen Mechanismus der Zeit, erfassen und nicht den subjektiven Eindruck eines unablässig reflektierenden Geistes widerspiegeln. Aus diesem Grunde handelt es sich bei den vielen eingestreuten Reden um »tatsächliche Äußerungen führender Geister der Nation«, vor allem dann, wenn sie »besonders unwahrscheinlich klingen« (6), wie Reger sarkastisch hinzufügt.

Was dadurch entsteht, wirkt wie ein dokumentarischer Bericht, den er selbst als eine »Vivisektion der Zeit« bezeichnet.[26] Den Einwand, ob sich eine solche Absicht nicht ebensogut durch »einfache Geschichtsschreibung« erreichen lasse, versucht Reger mit der Behauptung zu widerlegen, daß man jedes Sozialgemälde stets mit den »Schicksalen« derjenigen »Menschen und Gruppen« verbinden müsse, die von diesen Zuständen geprägt worden sind.[27] Man fühlt sich hier unwillkürlich an Tollers *Feuer aus den Kesseln* (1930) oder Pliviers *Der Kaiser ging, die Generäle blieben* (1932) erinnert, bei denen man ebenfalls zwischen Dichtung und Wahrheit kaum unterscheiden kann. Das Ergebnis dieser Haltung gleicht einem Panoptikum der Realität, das sich wie die *Letzten Tage der Menschheit* von Karl Kraus in eine überwältigende Demonstration der allesbeherrschenden Phrase auswächst. Im Gegensatz zu Musil und Broch ist dabei Regers Methode nicht philosophisch kommentierend, sondern hat einen Belegcharakter, der auf jede literarische Überhöhung oder Ironie verzichtet. Während diese Autoren trotz aller Zeitkritik häufig zum Artistischen neigen, was auch für Döblin gilt, bleibt Regers Blick immer auf die innere Konsequenz geheftet. Er beschäftigt sich mit Realitäten und nicht mit Themata. Daher ist das Ergebnis kein Roman, der einem solchen Stoff gar nicht angemessen wäre, sondern ein sozialer Querschnitt. Statt sich in der Welt der Literatur und ihres vorgespiegelten ›Scheins‹ zu bewegen, liefert Reger einen Zustandsbericht, eine Lagekarte der Zeit, die mit Begriffen wie ›Tatsachenroman‹ oder ›Reportage mit Figuren‹ nur notdürftig umschrieben ist. »Man läßt sich nicht ästhetisch treiben. Man ordnet ein«, charakterisiert Ernst Glaeser diese Art von Schriften, »es geht hier um Meinungen, die sich auf Kenntnisse stützen, nicht um die landesüblichen Erzählungen und Romane. Das Kontrollrecht des Lesers ist auf keiner Seite durch Metaphern beschränkt. Die Zeit ist vorhanden, denn es wird über sie nachgedacht.«[28]

Doch soll man sich bei einem solchen Thema wirklich jeder privaten Meinung enthalten? Ist es richtig, sich so stark auf die Sache selbst zu beschränken, daß schließlich zwischen ›Fiction‹ und ›Non-Fiction‹ überhaupt kein Unterschied mehr besteht? Damit wird die uralte Frage aufgeworfen, was eine größere Wirkung erzielt: die Parteilichkeit oder die Objektivität? Die Antwort darauf hängt weitgehend vom Thema ab. Wenn es sich um einen Zeitroman handelt, kann eine ›sachliche‹ Einstellung oft viel kritischer sein als ein bloßes Pamphlet, da das Subjektive im Zuge der fortschreitenden Kollektivierungsprozesse zusehends an Gewicht verliert. Aus diesem Grunde wirkt sowohl das bloß Parteiliche als auch das rein Ästhetische immer antiquierter. Herrscht nicht heute überall die Anschauung, sich nur von Fakten überzeugen zu lassen? Warum nicht auch im Bereich der Kunst, wo man ständig der Gefahr erliegt, ins Romantische oder Irrationale auszuweichen. Ein Sozialtheoretiker wie Arnold Hauser charakterisiert daher die eigentliche ›Moderne‹ nicht als die Ära des Absurden und der abstrakten Malerei, sondern als das Zeitalter des Films und der Reportage, in denen eine deutliche Absage an das »Kunstwollen des letzten Jahrhunderts« mit seiner Freude an konstruierten »Fabeln« und »psychologisch differenzierten Helden« zum Ausdruck komme.[29] Er schreibt: »Das Ansehen des Ästhetischen erscheint in unseren Tagen stark kompromittiert. Der Dokumentarfilm, die Photographie, die Reportage, der journalistische Zeitroman sind keine Kunst im alten Sinne mehr. Gerade die vernünftigsten und begabtesten Vertreter dieser Gattungen bestehen gar nicht darauf, daß man ihre Geistesprodukte als ›Kunstwerke‹ qualifiziert; sie bekennen sich vielmehr zu der Ansicht, daß die Kunst immer nur ein Nebenprodukt gewesen und im Dienste eines weltanschaulich bedingten Zieles entstanden sei.«[30]

Vielleicht ist die *Union der festen Hand* ein Ansatz in dieser Richtung. Wohlgemerkt: ein Ansatz. Denn statt sich auf diesen Bahnen weiter zu bewegen, neigt man auch heute noch zu einer weitgehenden Verzerrung der Wirklichkeit durch Groteskes, Absurdes und damit zu einer merklichen Verharmlosung der geistigen und politischen Realität. Falls die Literatur aus dieser »marginal position« herauskommen will, wie sie Edgar Wind einmal zutreffend nennt,[31] muß sie sich wieder zu einem Inhalt bekennen, wieder eine Funktion übernehmen. Sonst besteht die Gefahr, daß sie vom Sachbuch widerstandslos überrundet wird, da dort der Leser einfach mehr Aussagekraft findet. Es gibt bereits genug ehemalige Romanleser, die sich in dieser Richtung entschieden haben. Eine Möglichkeit, dieses Dilemma zu überwinden, wäre, neue, vielleicht sogar bessere ›Tatsachenromane‹ als die *Union der festen Hand* zu schreiben, in denen das geleistet wird, was weder die Geschichtsschreibung noch der Journalismus erreichen kann: nämlich die authentische Verlebendigung einer gesellschaftlichen Situation, die bereits im Zeichen des Massenhaften, Anonymen und Sozialbedingten steht, jedoch zu ihrer künstlerischen Überzeugungskraft einer gewissen epischen Verknüpfung bedarf. Damit wäre man wieder bei dem, was den Leser wirklich packt, bei der Realität und zugleich bei einer neuen Funktion der Literatur. Denn jede »Wahrheit« ist gleichbedeutend mit »potentieller Kritik und Auflehnung«, wie Kisch einmal schreibt.[32] Doch bis dahin wird noch ein weiter Weg zurückzulegen sein.

Hermann Kant: Die Aula

(1965)

Daß ein ostdeutscher Roman, wie Hermann Kants *Die Aula* (1965), fast im selben Jahr bei Rütten und Loening (Ost-Berlin) und Rütten und Loening (München) herauskommen konnte, ist im Rahmen des lauwarmen Krieges zwischen der BRD und der DDR nicht gerade etwas Alltägliches. Noch ungewöhnlicher ist, daß man dieses Werk auf beiden Seiten relativ einstimmig als eine bedeutende Leistung akklamierte. Ja, manche maßen ihm im Bereich des ostdeutschen Romanschaffens eine ähnliche Wichtigkeit zu, wie sie die *Blechtrommel* (1959) einmal für das westdeutsche hatte. Man stutzt und fragt sich unwillkürlich, ob einer solchen Einhelligkeit des Urteils nicht notwendig ein Mißverständnis zugrunde liegen muß? Wie kommt es zu dieser begrüßenswerten, aber merkwürdigen Koexistenz? Spielt etwa dieses Werk nur auf der Ebene der sogenannten ›allgemein-menschlichen‹ Probleme, die sich einer ideologischen Interpretation von vornherein entziehen? Oder dreht es sich hier um einen reinen Intelligenzroman, wie sein Titel anzudeuten scheint?

Nichts von alledem. Seine Handlung ist so politisch, wie sie nur sein kann. Robert Iswall, ein ehemaliger Elektriker-Lehrling, der sich als ABF-Student und SED-Genosse bis zum journalistischen Mitarbeiter am *Neuen Deutschland* hochgearbeitet hat, wird von Jochen Meibaum, seinem zuständigen Parteifunktionär aufgefordert, die Abschlußrede bei der Schließung der ehemaligen Arbeiter- und Bauernfakultät an der Universität Greifswald zu halten. Dieser rein vordergründige ›Auftrag‹ erweist sich im Verlauf des Romangeschehens als ein höchst komplizierter Abstieg in die Vergangenheit, zu den schweren, aber von manchen bildungshungrigen Arbeiter- und Bauernsöhnen mit geradezu ›idealistischem‹ Elan miterlebten Anfängen des DDR-Regimes, und zwar ständig vor dem Hintergrund der bereits leicht saturierten Atmosphäre von 1965, wo man seine Freunde des abends nicht mehr zum Bier einlädt, sondern zu einem Glase Wein bittet. Als Iswall endlich die Unmöglichkeit einer solchen Rede eingesehen hat, da sie bei rücksichtsloser Aufrichtigkeit neben vielen Erfolgen auch manches menschliche Versagen aufdecken würde, läßt ihn die Partei wissen, daß eine derartige Retrospektive den »festlichen« Charakter des Ganzen nur stören würde (401). Jetzt ist bloß noch von einem allgemein gehaltenen Grundsatzreferat und einem geselligen Beisammensein die Rede, wodurch das mit ständigen Rückblenden und Erinnerungsfragmenten durchsetzte Romangeschehen – rein episch betrachtet – wie ein Kartenhaus zusammenfällt.

Eine solche Fabel wirkt weder attraktiv noch besonders aufregend. An der ›Handlung‹ kann also der Erfolg dieses Buches nicht gelegen haben. Doch wie so oft ist auch hier nicht das ›Was‹, sondern das ›Wie‹ das Entscheidende. Denn der nur als ›kümmerlich‹ zu bezeichnende Handlungsstrang wird in diesem Roman in eine geradezu überwältigende Fülle von novellistischem Rankenwerk, anekdotischen Pointen und satirischen Einzelzügen eingebettet, die im Leser das wohltuende Gefühl einer epischen Getragenheit erzeugen. Statt sich von einem westlich-modischen Nihilismus-Gerede anstecken zu lassen oder einem östlich-automatischen Optimismus zu huldigen, weicht Kant allen dürren intellektuellen Schemata aus und konfrontiert sich mit altmodischer Naivität und zugleich höchst geschickter Arrangierfähigkeit mit jener welterzeugenden Lebensfülle, die nun einmal zu allen großen Romanen gehört. Und hierin muß man wohl die Hauptwirkung dieses Werkes sehen, wenn auch diese epische ›Heiterkeit‹ auf beiden Seiten der deutschen Grenze sehr verschieden ausgelegt wurde.

Wie zu erwarten, machte man es sich dabei recht bequem und suchte sich aus diesem Buch lediglich das jeweils ›Passende‹ heraus. Im Westen sprach man in den üblichen Zeitungsfeuilletons meist von einer gelungenen Satire auf den SED-Apparat, vom ›Wolf im Schafspelz‹ oder einem ironischen In-Frage-Stellen des gesamten

›mitteldeutschen‹ Regimes, wobei man dem jungen Autor in westdeutscher Onkelmanier gönnerhaft auf die Schulter klopfte.[1] Im Osten ließ man sich nicht entgehen, Kant für das Erreichen neuer Bewußtseinshöhen, die überlegene Heiterkeit des sozialistischen Denkens oder das erzählerische Weltniveau zu rühmen.[2] Doch mit einer so klischeeartigen Eingruppierung, die nur die Alternative ›Ost und West‹ zu kennen scheint, tut man diesem Buch zutiefst Unrecht. Es ist wesentlich vielschichtiger, als der hier skizzierte Zeitungskrieg vermuten läßt. In diesem Roman geht es weder um eine simple Laudatio auf die DDR noch um den Ausdruck einer auf ›bürgerliche‹ Freiheitsprivilegien drängenden Untergrundgesinnung. Was Kant in erster Linie interessiert, ist die Frage, was sich hinter der Fassade dieser Alternative verbirgt.

Es empfiehlt sich daher, mit dem ›Satirischen‹ zu beginnen, das auf den ersten Blick reichlich vordergründig erscheint und doch zur Kernzone dieses Werkes gehört. Einmal ganz grob gesprochen, gibt es bei Kant zwei Arten von Satire: die an dem anderen Deutschland, der BRD, und die an dem eigenen Deutschland, der DDR. Die an dem anderen Deutschland, der sogenannten ›Bundesrepublik‹, ist relativ einfach zu isolieren, da sie nur eine Handlungsepisode umfaßt. Und zwar reist Iswall im Laufe des Romans einmal nach Hamburg, das für ihn den Charakter einer »absurden Fremde« hat (101), um sich als Journalist über die Folgen einer dortigen Hochwasserkatastrophe zu informieren. Von besonderem Interesse sind dabei seine Gespräche im D-Zug-Coupé. Auf der Hinreise sieht er sich einem Dörrobst-Vertreter ausgesetzt, der ihm erklärt, wie man auch höchst unscheinbaren Produkten, wie verschrumpelten Backpflaumen, ein kommerziell blendendes Image geben kann. Geschäftig, wie alle Handelsvertreter und Profitjäger des ›Westens‹, würde dieser smarte Businessman mit seinen aalglatten Phrasen selbst den größten Dreck an den Mann zu bringen verstehen. Auf der Rückreise sitzt Iswall mit einem überspannten Schauspieler im Coupé, der mit einer Katze und fünf weißlackierten Köfferchen reist. In dieser Figur wird in satirischer Übertreibung jener spleenige Subjektivismus karikiert, den man hierzulande gern als das Recht auf eine private Ausbildung der ›persönlichen‹ Eigenheiten verteidigt.[3]

Zwischen diesen beiden Typen liegt der Raum Hamburg, der bezeichnenderweise völlig aus der Perspektive der ›Reeperbahn‹ gesehen wird. Iswall hat hier einen Schwager, den unsympathischen Hermann Grieper, eine fett gewordene »Kanalratte« (83), wie es heißt, der das Lokal ›Zur scharfen Ecke‹ besitzt und dort Bombengeschäfte macht. »Dreißig Jahre nur Kriminelles und keinen Tag Zet!«, lautet seine stolze Maxime (83). Auch ein ehemaliger Freund, den Iswall besucht, besitzt eine Kneipe, die sich ›Zum toten Rennen‹ nennt. Was also von Hamburg und damit stellvertretend von der BRD ins epische Blickfeld gerät, ist weitgehend das »versoffene Desperado« (197), der Mahagonny- oder Dreigroschenoper-Westen, mit seinen Knastbrüdern und Dirnen, seiner Profitgier und seinem billigen Amüsierbetrieb, was nicht unwahr, aber ideologisch überbelichtet wirkt.

Doch vielleicht sollte man mit solchen Urteilen etwas vorsichtiger sein. Wie sehen denn die anderen DDR-Autoren den ›Westen‹? Wenn sie ihn überhaupt wahrnehmen, dann meist in ein einziges Klischee gepreßt, in den Nylon- und Neonröhren-Westen des Kurfürstendamms, auf dem man sich nur mit ein paar amerikanischen Brokken verständigen kann. So wird der Sägemüller Julian Ramsch, der irrlichternde Bösewicht in Strittmatters *Ole Bienkopp* (1963), als er nach ›entsagungsvollen‹ Jahren in der DDR endlich wieder den ›Duft der weiten Welt‹ genießt, von seinen alten Freunden auf dem Kurfürstendamm mit dem Ausruf begrüßt: »Hallo, Ramsch, old boy, lebst du noch?« Und er antwortet als strammer Feind der SED: »You see. Du siehst es.«[4] Kurze Zeit später hat er sich bereits zu einem dollarschweren Hula-Hoop-Vertreter gemausert. Fast die gleiche Perspektive herrscht in Christa Wolfs *Der geteilte Himmel* (1963), obwohl hier der Gesamtcharakter mehr ins ›Lyrische‹ tendiert. Ein Leben im ›Westen‹ ist für die Heldin dieses Romans, die junge Rita, von vornherein sinnlos. Als sie einmal für wenige Stunden nach Berlin W kommt, um mit ihrem entflohenen Verlobten zusammenzusein, überprüft sie sofort ihr ideologisches Gewissen: »Was tat man in seinen traumhaft schönen Wohnungen? Wohin fuhr man in diesen straßenbreiten Wagen? Und woran dachte man in dieser Stadt, ehe man einschlief bei Nacht?«[5] Für Rita ist die einzige Antwort darauf: das ›Nichts‹. Und so erscheint ihr der Moment, als auf dem Kurfürstendamm die ›giftigen‹ Neonreklamen aufflackern, in guter nihilistischer Tradition als die »Stunde zwischen Hund und Wolf«.[6] Damit verglichen, verfährt Kant zweifellos differenzierter, wenn auch immer noch einschichtig genug. Doch was bedeutet hier ›einschichtig‹? Wo gibt es denn in ›unseren‹ Romanen ein wahrhaft differenziertes Bild der DDR? Genauer gefragt, bemüht man sich überhaupt darum?

Wesentlich anschauungsgesättigter und treffender erweist sich dagegen bei Kant die umgekehrte Satire: der Blick auf die eigenen Verhältnisse. Eine rein negative Entwertung oder Bausch- und Bogenverurteilung war hier von vornherein unmöglich. Denn Kant ist als überzeugter DDR-Bewohner auf einen gewissen Rahmen angewiesen, den er schlechterdings nicht überschreiten kann und wohl auch nicht zu überschreiten gedenkt. Was er sich jedoch innerhalb dieser Begrenzungen leistet, ist erstaunlich genug. Und zwar bringt er seine satirischen Seitenhiebe listigerweise meist so, als seien damit die Anfangsschwierigkeiten, die sogenannten ›Kinderkrankheiten des Sozialismus‹ gemeint, die man inzwischen längst überwunden habe. Darunter fällt etwa die Kritik am Stalin-Kult, am abgesetzten Gott, der oft nur in den Großbuchstaben ER erscheint (351). Ebenso kritisch gemeint ist die ständige Berufung auf Stalins Motto: »Die Kader entscheiden alles« (27). Das gleiche gilt für die hemmungslose Sucht nach großen Worten, das heißt alles ›Roter Oktober‹ oder ›Leuchtender Hammer‹ zu nennen, was häufig mit einem übertriebenen Kult der SU verbunden ist. Überhaupt wendet sich Kant gern gegen die unentwegten »Transparentler« und »Vorwärtsler« mit ihren von der kommunistischen Vergangenheit geheiligten Agitprop-Versen: »Tragt über die Länder, tragt über die Meere / Die Fahne der Arbeitermacht!« (258). In diesem Punkte gibt er sich derselben Lust am Satirischen hin, der schon Strittmatter in seinem *Ole Bienkopp* frönt. »Jeder Hammerschlag für den Plan«, behauptet dort einer der hundertfünfzigprozentigen Genossen, »ist ein Nagel zum Sarge der Kriegstreiber!!!«[7] Aber selbst hier sollte man nicht nur schmunzeln, sondern in ideologischer Simultaneität an die blöden oder bewußt provozierenden Reklamesprüche denken, mit denen ›wir‹ ständig umgeben sind. Wer wirken will, muß stets zu kraß vergröbernden Banalitäten greifen.

Nun gut, könnte man sagen, all das spielt sich in der Vergangenheit ab. Doch auch die Partei von 1965 muß viele Haare lassen. Immer wieder finden sich Stellen, wo Kant gegen den scheinbar ungebrochenen parteiamtlichen Schematismus, das Angeberische und Hochtrabende des üblichen Verordnungsstils polemisiert. Besonders zuwider sind ihm jene Funktionäre mit der »Jetzt-haben-wires-ja-Haltung« (236), die »Bürokraten neuen Typs« (208), die Leute mit dem ›personengebundenen‹ Dienstwagen, die von einem Kongreß zum anderen reisen und von Milovan Djilas nicht zu Unrecht als die Vertreter der ›neuen Klasse‹ bezeichnet werden. Ebenso scharf springt er mit jenen um, denen jede ideologische »Koexistenz« ein Dorn im Auge ist (16) und die nur das für richtig halten, was bis in das letzte I-Tüpfelchen dem Sowjetmodell entspricht. Das beste Beispiel dafür ist die Haiduck-Episode, in der ein bewährter Spanienkämpfer und Parteifunktionär zeitweilig kalt gestellt wird, weil er sich zu einem »besonderen deutschen Weg zum Sozialismus« bekennt (310).

Doch andererseits wird gerade diese Servilität und zugleich Wichtigtuerei als etwas spezifisch ›Deutsches‹ hingestellt. So wendet sich Kant an einer Stelle höchst satirisch gegen die immer weiter umsichgreifende Angebermanier, sich Forstrat, Studienrat oder Volkswirtschaftsrat zu nennen, als sei das der besondere »deutsche Weg zur Räterepublik« (262). Bei den meisten dieser ›Räte‹ handelt es sich um Funktionäre, die auf Grund ihrer Machtstellung ein enormes Ego ausgebildet haben, dauernd in der Zeitung stehen wollen und diese Haltung auf alles, selbst auf die Literatur, übertragen. Man denke an jenen Parteibeamten, der heimlich Karl May liest, aber zu Hause indigniert über seine Frau den Kopf schüttelt, weil sie nicht mit dem *Stillen Don* zu Rande kommt. Geradezu ein Prototyp dieser undifferenzierten ›Vorwärtsler‹ ist Meibaum, der nicht nur Iswalls Rede zur »Vorzensur« einsehen will (207), sondern bei jeder passenden und unpassenden Gelegenheit großsprecherische Richtlinien für das gesamte literarische Schaffen von sich gibt. So verkündet er einmal im besten Parteichinesisch: »Die neue Literatur, die muß optimistisch sein, das ergibt sich doch aus unserer neuen Gesellschaftsordnung; das ist, möchte ich sagen, gesetzmäßig« (234).

Wie in manchen anderen DDR-Romanen der frühen sechziger Jahre wird damit der SED ein Spiegel vorgehalten, der die alten Stalinisten recht erbittert haben muß. Denn hier wird nicht nur den ›Großkopfeten‹, sondern auch den kleinen Genossen das Recht auf eine eigene Meinung zugestanden und damit das alte Parteikonzept im Sinne eines ›demokratischen Zentralismus‹ bis in seine untersten Ränge aufgesprengt. Nicht die ›Anderen‹ sind jetzt die Partei, sondern auch der kleine Piefke aus Bumsdorf. Dafür spricht folgende Szene aus dem *Ole Bienkopp*, der in dieser Frage ein Exempel setzte. Als Bienkopp in seinem Dorf auf eigene Faust einen neuen Kolchoseplan verwirklichen will, fährt ihm der Parteisekretär Wunschgetreu barsch über den Mund: »Was vorwärts und was rückwärts ist, bestimmt, dächt ich, noch immer die Partei. Willst du sie belehren?« Worauf Bienkopp zitternd, aber bestimmt antwortet: »Ich stell mir die Partei bescheidener vor, geneigter anzuhören, was man liebt und fürchtet. Ist die Partei ein selbstgefälliger Gott? Auch ich bin die Partei!«[8] Ein ähnlicher Querkopf ist der Parteisekretär Horrath in Erik Neutschs *Spur der Steine* (1964), der sich mit Karrieristen wie dem Genossen Bleibtreu und einem bloßen Opportunisten wie Trutmann herumschlagen muß, bis er als bedingungsloser Idealist den Kürzeren zieht und von der Partei zum Zementsackschleppen abgestellt wird. Hier wirkt die Kritik an der SED, vor allem auf moralischem Gebiet, wo geradezu inquisitorische Methoden angewandt werden, fast noch schärfer. Von den ideellen Aspekten des Kommunismus bleibt in diesem Milieu nicht viel übrig. Alle denken nur an das ›Wirtschaftliche‹ und lachen über Horrath, der einmal behauptet: »Wißt ihr, was Lenin dazu sagte? Eine der größten Sünden der Partei ist es, wenn sie ihre Aufgaben auf das Niveau der wirtschaftlichen Tagesinteressen herabdrückt.«[9]

Und so nimmt auch Kant kein Blatt vor den Mund, wenn es gilt, auf die Schwächen der ›alten‹ Parteistruktur hinzuweisen. Nichts ist ihm mehr zuwider als eine einseitig ›dogmatische‹ Haltung, wie sie vor dem XX. Parteitag der sowjetischen KP gang und gäbe war. Er wird daher nicht müde, ständig auf falsche Verhärtungen und Erstarrungen hinzuweisen. »Kant erbringt in der *Aula* den Beweis«, schreibt Werner Neubert, »daß es ein ›Tabu‹ für die sozialistische Literatur und in ihr für die Satire tatsächlich nicht gibt.«[10] Das mag leicht übertrieben sein. Denn ein Ulbricht darf auch in diesem Roman keinen Fehler begehen. Auch seine Minister nicht. Trotzdem wirkt diese Form der Satire nicht unbedingt ›inhibiert‹, sondern hat Spielraum genug, ihre ›Feinde‹ mit wohlgesetzten Worten zur Strecke zu bringen. Daß sich Kant dabei vorwiegend die Partei zur Zielscheibe wählt, beweist, wie ernst ihm diese Absicht ist. Und so tauchen neben den harmlosen Vorwärtslern und Karrieristen ständig jene dumm-dreisten Stalinisten und Machiavellisten des Kommunismus auf, die ohne Rücksicht auf das Menschliche alles nur nach dem Erfolg bemessen. Ihr Motto lautet: »Verluste sind keine, wo gesiegt worden ist« (266), was in dem ganzen Roman als inhumane Anmaßung hingestellt wird. Nicht ganz so scharf springt er mit den biederen Wohlstandsspeck-Genossen um, die lediglich auf die Erhaltung des Status quo bedacht sind. Wen er damit meint, zeigt ein Gedicht wie ›Sozialistisches Biedermeier‹ aus dem Bändchen *Zugluft* von Kurt Bartsch, das 1968 beim Aufbau-Verlag erschien:

Zwischen Wand- und Widersprüchen
machen sie es sich bequem.
Links ein Sofa, rechts ein Sofa,
in der Mitte ein Emblem.

Auf der Lippe ein paar Thesen,
Teppiche auch auf dem Klo.
Früher häufig Marx gelesen.
Aber jetzt auch so schon froh.

Denn das ›Kapital‹ trägt Zinsen:
eignes Auto. Außen rot.
Einmal in der Woche Linsen.
Dafür Sekt zum Abendbrot.

Und sich noch betroffen fühlen
von Kritik und Ironie.
Immer eine Schippe ziehen,
doch zur Schippe greifen nie.

Immer glauben, nur nicht denken
und das Mäntelchen im Wind.

Wozu noch den Kopf verrenken,
wenn wir für den Frieden sind?

Brüder, seht die rote Fahne
hängt bei uns zur Küche raus.
Außen Sonne, innen Sahne –
nun sieht Marx wie Moritz aus.

Dieselbe Funktion hat die breit angelegte Satire an den Angebern, Schmarotzern und Opportunisten in den parteiamtlichen Schriftstellerkreisen. Was Kant hier mißfällt, sind vor allem die Titel mit der ›progressiven‹ Luftbewegung wie *Kein Sturm, der uns die Träume nimmt* oder sozialistische Knüller wie *Der Puls schlägt hoch im Halse, Zucker und Hammer* und *Geld stürzt den Kronen nach* (299). Da gibt es eine SED-Courths-Mahler wie Frau Tuschmann, eine Schriftstellerin wie Gertrude Buchhacker, die in schematischer Auslegung des ›Bitterfelder Weges‹ gerade ein Buch über Hermann Friedrich Schwabe konzipiert, der einen wichtigen »Anteil an der Entwicklung unserer Speiseölindustrie« hatte (297), oder einen Dramatiker, der immer nur Stücke über die gerade von der Partei als aktuell herausgegebene Maxime schreibt und daher bei jeder Premiere bereits einen Schritt nachhinkt.

Eine solche Haltung kann man nicht als Satire an den ›Kinderkrankheiten des Sozialismus‹ abtun. Dazu ist sie viel zu umfassend. Und doch läßt sich Kant nie zu einer einseitigen Verdammung hinreißen. Wohin man auch blickt, werden diese karikierenden Elemente stets mit ironischen Zwischentönen, psychologischer Relativierung und menschlicher Verständnisbereitschaft angereichert. Denn schließlich geht es dem Autor der *Aula* nicht um ein negatives Gegenbild, sondern um die Aufrichtung eines neuen Ideals, das den Leser, in bester marxistischer Tradition, zur kritischen Distanz an den Widersprüchen der eigenen Gegenwart erziehen soll. Mit den sprachlichen Mitteln eines Heine, Gogol, Thomas Mann, Tucholsky, Brecht und Kant wird hier zur Reflexion angeregt, die nicht nur die anderen, die Faschisten und Westler, sondern auch die Genossen im sozialistischen Lager betrifft.

Und so wird denn im Rahmen dieser ironisch ›gebrochenen‹ Satire immer wieder Kants eigene Sache verhandelt: der Ort des DDR-

Bürgers, Schriftstellers, Genossen, Journalisten, Ehemanns und subjektiv empfindenden Mitmenschen Robert Iswall, der sich keines der parteiamtlich verordneten Rezepte ohne ein kritisches Fragezeichen aneignen will. Auf diese Weise kommt es im Verlauf der Handlung ständig zu antinomischen Spannungen wie Staat und Einzelbewußtsein, Utopie und Realität, Reiz des Anfangs und sozialistischer Alltag, jugendliches Hoffen und unabweisliches Älterwerden. Fast auf jeder Seite werden die verschiedensten Ebenen des Erträumten, Erinnerten und Erlebten gegeneinander ausgespielt, miteinander konfrontiert oder dialektisch aufeinander bezogen, um sich dieser Spannung bewußt zu bleiben und nicht der Gefahr der Orthodoxie, der Verhärtung oder Stagnierung zu verfallen. Neben der streckenweise höchst satirisch gesehenen ›Wirklichkeit‹ wird daher stets das nötige ›Prinzip Hoffnung‹ aufrechterhalten und zugleich auf die unleugbaren menschlichen Unvollkommenheiten hingewiesen, die sich der Realisierung dieses Traumes immer wieder entgegenstellen.

Und darin liegt auch der Sinn seiner ›Satire‹ gegen die Partei und ihre Funktionäre. Gerade auf diesem Gebiet wird eine ungewöhnliche Differenziertheit entfaltet. Wo es sich nur um menschliche Schwächen handelt, bleibt es bei einer humorigen Verulkung oder einem nachsichtigen Lächeln. Wo man jedoch bewußt ›schematisch‹ verfährt, geht Kant sofort schärfer vor. Das gilt vor allem für seine Kritik an jenen Funktionären, die einen flachen Zweckoptimismus propagieren, alle objektiven Schwierigkeiten sorgfältig vertuschen, ja überhaupt nichts anerkennen, was sich nicht in einem vulgärmaterialistischen Sinne »erklären« läßt (38). Für solche Genossen hatte Brecht stets die listige Frage auf Lager: »Ich habe bemerkt, daß wir viele abschrecken von unserer Lehre dadurch, daß wir auf alles eine Antwort wissen. Könnten wir nicht im Interesse der Propaganda eine Liste von Fragen aufstellen, die uns ganz ungelöst erscheinen?« [11] Im gleichen Sinne zieht auch Kant gern über jene Pharisäer des Sozialismus her, die alles, was ihnen nicht in den Kram paßt, von vornherein als »westlich« oder »bürgerlich« abstempeln (114). So spricht er einmal von Funktionären, die das Phänomen ›Liebe‹ lediglich als eine Mischung aus Biologie und historischer Konvention erklären oder ›Eifersucht‹ als bereits überwundenes bourgeoises Restelement dekadenter Moralvorstellungen des 19. Jahrhunderts bezeichnen. Und hier kommt neben Scherz, Satire, Ironie die eigentliche, die ›tiefere Bedeutung‹ des Ganzen zum Durchbruch. Denn damit stößt Kant zwangsläufig zu der höchst ›unbequemen‹ Frage vor: gibt es im Rahmen des Typischen nicht auch individuelle Varianten, die sich selbst bei einem ›fortgeschrittenen‹ sozialistisch-marxistischen Bewußtsein nicht ›ändern‹ lassen?

Und zwar wird dieses Problem an den beiden anderen Hauptfiguren des Romans, an Iswalls Freunden Riek und Trullesand, durchexerziert. Trullesand, der Drollige und Blondgelockte, der alle Mädchenherzen im Sturm erobert, wirft im Verlauf der Handlung auch einmal ein Auge auf Vera, für die sich Robert gerade ›interessiert‹. Blind vor Eifersucht läßt Iswall auf der nächsten Parteisitzung scheinbar beiläufig die Frage fallen, ob man Trullesand nicht für das siebenjährige Studienstipendium in Peking vorschlagen soll, ja verheiratet ihn auf dem Weg über die Partei schnell mit Rose Paal, da es die chinesischen Genossen am liebsten sähen, wenn ein Ehepaar nach Peking käme. Alle stimmen begeistert für diesen Vorschlag und Gerd und Rose, die sich mit höchst gemischten Gefühlen in ihr Schicksal fügen, werden von einer Delegation zum Flugplatz gebracht. Als ihn Robert zehn Jahre später, im Rahmen seiner ›Suche nach der verlorenen Zeit‹, in Jena wiedersieht, angelt er auf höchst kafkaeske Weise in einem stinkigen Kanal, obwohl es dort keine Fische gibt. Von den politischen Ansichten, die er ab und zu verzapft, heißt es höchst lapidar, daß sie in einem »Referat über einige Entwicklungsmomente in der internationalen Arbeiterbewegung« wahrscheinlich etwas deplaciert gewesen wären (390). Er ist zwar Assistent im sinologischen Institut geworden, aber China selbst hat ihn sehr enttäuscht. »Sie schicken seit dem neuesten alles nach Hause«, sagt er resigniert, »was nicht an den Papiertiger glaubt. Ein Mist ist das« (388). Die gebrochene Freundschaft zwischen Gerd und Robert wird so wieder ›eingerenkt‹, ohne daß es zu der alten Herzlichkeit kommt.

Noch problematischer ist der ›Fall Riek‹, eines überzeugten Parteigenossen, Mathematikers und Organisationsgenies, der sich nach dem bestandenen Examen an der ABF in den ›Westen‹ absetzt und dort Kneipier wird. Im Falle des jungen Fiebach weist Kant eindeutig nach, daß die Engstirnigkeit der Partei zu seiner ›Republikflucht‹ führte. Doch bei Riek werden uns solche Gründe verschwiegen. Iswall hat zwar ein Gespräch mit ihm, das aber völlig ins Leere stößt. Den einzigen Aufschluß bietet Rieks Bemerkung, daß Iswalls Verhalten bei der fraglichen Parteisitzung, als man das Schicksal Trullesands verhandelt habe, ein gutes »Prophylaktikum« gegen Heimweh sei (174). Sonst bleibt dieser Fall bewußt ungeklärt, um auch die unberechenbaren, impulsiven, irrationalen Züge der menschlichen Psyche ins Spiel zu bringen, die sich selbst mit dem besten Erklärungssystem nicht hinweginterpretieren lassen.[12]

Iswall schafft sich daher bei der Beschreibung dieser Vorgänge keine Maschine an, die das epische Erfahrungsmaterial in »Typisches« und »individuellen Abfall« sortiert (13), wie es einmal ironisch heißt, sondern geht trotz seines spürbaren Engagements für eine historisch-marxistische Deutbarkeit aller menschlichen Verhaltensweisen immer wieder dem Unerklärlichen nach, in dem sich, nach seiner Meinung, ebenfalls ein spezifisch ›humanes‹ Element verbirgt, das von parteiamtlicher Seite ungebührlich vernachlässigt werde. So gesehen, rückt selbst Rieks ›Republikflucht‹ in den Rahmen rein menschlicher Probleme. Er ist nicht der typische Versager, wie wir ihn aus vielen anderen DDR-Romanen kennen, sondern eine höchst achtbare Variante dieses Typs. Überhaupt gewinnt durch solche Elemente das ›Individuelle‹ in diesem Roman ein bedeutsames Eigengewicht. Schon der Prozeß des Erinnerns, der das ganze Werk durchzieht, schafft von vornherein ein eminent persönliches Erzählerklima. Manches wirkt dabei fast individueller als die erinnernde Erzählweise in Frischs *Stiller* (1954) oder Grassens *Blechtrommel* (1959), in denen die einseitige Befangenheit in einer bestimmten selbstgewählten Perspektive notwendig zu einer gewissen Undurchschaubarkeit des ›Ganzen‹ führt.

Im Gegensatz zu diesen Autoren geht Kant nicht von einem gefängnishaften oder sanatorienbedingten Blickwinkel aus, sondern bemüht sich um das Aufsuchen jener Rolle, die ihn als sozialbedingtes Wesen im Rahmen eines klar durchschaubaren gesellschaftlichen, bildungsmäßigen und politischen Prozesses schließlich zu dem gemacht hat, der er momentan, im Augenblick des Niederschreibens, wirklich ist. Damit soll keine absolute Identität zwischen Autor und

Romanfigur angedeutet werden, so sehr sich eine solche auch anbietet. Wenn es überhaupt eine solche Identität gibt, liegt sie eher in dem Bemühen, keine willkürlich ›erfundene‹ Fabel aufzustellen, sondern auf die vielberufene Relevanz des Wirklichen hinzuweisen. Kant und damit auch sein Iswall suchen nicht in solipsistischer Verkrampfung nach einem ›eigenen Weg‹, sondern stellen ihre Ich-Erkenntnis in den Rahmen genau definierbarer Faktoren, die jeder Leser mit gesellschaftsgeschichtlicher Kenntnis Schritt für Schritt nachprüfen kann. Daß eine solche Optik den Prozeß der persönlichen Individuation oft viel schärfer sichtbar macht als der Glaube an einen rein aus der Seele gesteuerten Entwicklungsprozeß, läßt sich wohl kaum bestreiten. Schließlich wird sich nur derjenige seiner persönlichen Eigenart wirklich bewußt, der auch den Gegenpol des ›Allgemeinen‹ kennt. Wer dagegen ständig bloß aus sich selbst heraus zu leben versucht, wird entweder kauzig oder zu einem unbewußten Automaten der um ihn herum existierenden Gesellschaftsnormen.

Es wäre daher falsch, dieses erfreuliche Hervorheben des Individuellen, wie es neben Kant auch Strittmatter, Neutsch, Christa Wolf und andere der jüngsten Romanciers der DDR ad exemplum demonstrieren, à la Wilhelm Emrich als eine geheime Rebellion gegen Partei und Kollektivismus zu deuten.[13] Doch andererseits sollte man sich mit derselben Ehrlichkeit davor hüten, in dieser steigenden Individualisierung eine neue ›Bewußtseinshöhe‹ zu sehen und damit den Vorrang der DDR-Literatur gegenüber den Schriftstellern der Bundesrepublik zu betonen, wie das manche Kant-Freunde tun. So sprechen die Schlenstedts einmal hoffnungsfreudig von der verändernden Rolle auch der »kleinen Aktivität« im Rahmen der kommunistischen Gesellschaft und berufen sich dabei nachdrücklich auf die Iswall-Figur.[14] Das »Miteinander von kritisch-individuellem Erleben und klassenrepräsentativer Positivität« ist nach ihrer Meinung allein auf »sozialistischer Position und in sozialistischen Umständen möglich«, da sich der ›westliche‹ Schriftsteller ständig in eine ›fetischisierte‹ Dingwelt hineinmanövriere, an deren ungedeuteter Faktizität jede Individualperspektive von vornherein zuschanden gehe.[15] In eine ähnliche Kerbe haut Heinz Plavius, der dem »Roman nouveau« eines Robbe-Grillet und der »Kritik an der Verkleinbürgerlichung der Gesellschaft von kleinbürgerlichen Positionen aus«, wie man sie bei Grass und Böll verfolgen könne, die wachsende Bedeutung des ›Einzelnen‹ im sozialistischen Romanschaffen entgegenhält und sich dabei ebenfalls auf Kant beruft.[16]

Doch stimmen diese Berufungen überhaupt? Das mit der höheren ›Bewußtseinsstufe‹ ließe sich eventuell noch zugeben, jedenfalls im Rahmen der DDR-Literatur. Denn trotz mancher inhaltlichen Spannungselemente sinkt etwa ein Roman wie der *Ole Bienkopp* neben der Kantschen *Aula* tatsächlich ins Triviale und damit ins Bewußtseinsbeschränkte herab. Dort ist der Held ein ›Einzelner‹ im alten Sinne: ein Querkopf und Spökenkieker, dessen Ahnenreihe bis zu Raabes *Hungerpastor* und Frenssens *Jörn Uhl* zurückreicht. Ob es Kant um eine solche Liberalisierung des ›Ich‹ zu tun war, sei dahingestellt. Jedenfalls nicht in ›bürgerlicher‹ Perspektive, so abgegriffen dieser Ausdruck auch ist. Und so verirrt er sich bei aller notwendigen Individuation nie ins Hinterweltlerische. Privatseelchen sind ihm ebenso gleichgültig wie Privatmeinungen. Wenn er überhaupt als ›Psychologe‹ auftritt, dann nur, um auf seelische Konstellationen hinzuweisen, in denen trotz aller äußeren, historisch oder gesellschaftlich bedingten Wandlungen ein bißchen von jener menschlichen ›Urseele‹ zum Vorschein kommt, deren Existenz man auch dann zugeben muß, wenn man nicht extensiv in Freud herumgelesen hat. So heißt es einmal über die Eifersuchtsaffaire zwischen Iswall und Trullesand mit aller nur wünschenswerten Deutlichkeit: »Es war vielleicht die millionste Wiederholung eines Ur-Stückes im Menschentheater« (274). Das gleiche gilt für die häufigen Analysen von Iswalls Gefühlsapparat, über das »Äffische« seines Wesens (381). Ja, einmal fällt sogar das Wort vom inneren »Neandertaler«, der in jedem Menschen steckt (398).

Auf diese Weise entsteht eine ganz andere ›Realistik‹, als wenn sich Iswall lediglich der bereits erwähnten, ominösen Maschine bedient hätte, um der ›Typik‹ des historischen Entwicklungsganges gerecht zu werden. Bei einem solchen Selektionsprozeß wäre das Individuelle zwangsläufig unter den Tisch gefallen. Wie würde sich der Genosse Meibaum in dieser Situation verhalten haben? Er wäre sicher der Losung ›Erstürmt die Höhen der sozialistischen Kultur‹ gefolgt und hätte darin einen geradezu ›gesetzmäßigen‹ Vorgang gesehen. Doch Iswall bewahrt in diesen Dingen eine vorsichtige Distanz. Er bleibt beim Beobachten der wirklichen Vorgänge, anstatt jedes Detail sofort ins Allgemeine zu transzendieren. Dazu paßt, daß Kant den modernen Romancier auch theoretisch als einen Autor definiert, dessen Hauptgeschäft nicht die »großen Antworten«, sondern die »Ansichten« sind.[17] »Romane schreiben«, sagt er einmal, »ist die Summe ziehen; weniger erfinden, als Gefundenes richtig verwenden«.[18] Ja, an einer Stelle heißt es noch entschiedener: »Ich glaube, daß dieser Großanspruch, Grundfragen beantworten zu können, eine gefährliche Sache ist.« [19]

Und so sieht man, wie er in seiner *Aula* jeder Form des Pseudototalen sorgfältig aus dem Wege geht. Nicht die Parteilinie ›73‹ interessiert ihn, die morgen oder übermorgen von der Parteilinie ›74‹ oder ›72‹ abgelöst werden kann, je nachdem sich die Verhältnisse entwickeln, sondern das komplizierte Ineinander von Mustern des menschlichen Grundverhaltens und der durch die allmähliche Sozialisierung veränderten Gesellschaftsverhältnisse. Durch die Nüchternheit dieses Ansatzes vermeidet er jeden falschen Heroismus, der zu den echten ›Kinderkrankheiten‹ der sozialistischen Bewegung gehört. Bei ihm wird nicht der Kampf als solcher glorifiziert oder die radikale Überwindung der Vergangenheit gepriesen, sondern ständig betont, wie unendlich mühsam jener schon von Hegel beschworene Prozeß der menschlichen ›Selbstrealisierung‹ ist. Seine Weltanschauung deckt sich völlig mit den Zeilen Brechts: »Die Mühen der Gebirge liegen hinter uns;/Vor uns liegen die Mühen der Ebenen.« [20]

Eine solche Haltung sollte man weder ›tragisch‹ nennen noch mit den Martern des Sisyphos vergleichen, wie sie Camus unter existentialistischer Perspektive beschreibt. Sie ist lediglich ein Korrektiv, nicht der Gefahr der falschen und damit blinden Affirmation zu verfallen. Zwar gibt es auch bei Kant Momente, wo er wie die junge Katrin in der *Spur der Steine* am liebsten aufstöhnen würde: »Das ›wirkliche Leben‹ schien ohne Verheißung, es war weder romantisch noch heroisch, nichts von alledem, was man gelernt hatte.« [21] Doch anstatt daraus eine nihilistische Pose zu machen und ständig mit der Sinnlosigkeit alles menschlichen Tuns zu kokettieren, bleibt er bei einem vernünftigen ›quand même‹. Er weiß, daß auch im Sozialismus nicht ›alle Blütenträume reifen‹ und lobt daher einen Mann wie den braven Filter, der als Forstrat und Genosse ohne Überspanntheit seine Pflicht erfüllt, selbst wenn er es dabei nicht zu überdurchschnittlichen Leistungen bringt. Wie jeder junge Idealist hatte sich auch der ABF-Student Filter das Leben ganz anders vorgestellt. An sich wäre er lieber mit der Büchse durch den Wald geschritten. Doch auch als Hauptabteilungsleiter im Forstwirtschaftsministerium fühlt er sich nicht völlig fehl am Platze. »Mein Traum ist es nicht«, sagt er einmal, »aber es hat doch einen Sinn« (311). Und darin wird zugleich die Haltung Iswalls zu dieser neuen Gesellschaftsform umrissen.

Durch dieses hohe Maß an Realistik erreicht Kant eine innere Freiheit, die das Heine-Motto auf der Titelseite seines Romans gar nicht so blasphemisch erscheinen läßt. Als guter Germanist und Hegelianer zitiert er hier die berühmten Zeilen: »Der heutige Tag ist ein Resultat des gestrigen. Was dieser gewollt hat, müssen wir erforschen, wenn wir zu wissen wünschen, was jener will.« Wer sich solche Dialektik wirklich zu eigen macht, bleibt an sich gegen jede ideologische Blindheit von vornherein gefeit. Daher bewährt sich Kant in fast allen Episoden seiner *Aula* durch seine historisch-ironische Überlegenheit und zugleich nachsichtige Melancholie als ein echter ›Mann der Bewegung‹, der keiner der ständig drohenden orthodoxen Erstarrungen erliegt. Was für Heine die ›Vormärzler‹ waren, sind für ihn die ›Vorwärtsler‹, die Fanatiker und Unfreien, die sich zwangsläufig der Intoleranz schuldig machen, weil sie zu sehr an ihre eigene Meinung gebunden sind. Wer sich immer nur auf den ›Zinnen der Partei‹ bewegt, wie es Herwegh einmal forderte, neigt stets zum Orthodoxen, da er sich von vornherein an bestimmte Denkmodelle hält und daher die Realität des Lebens meistens verfehlt.

Und so ist gerade die Satire, der man so gern etwas ›Zersetzendes‹ nachsagt, eine der konstruktivsten Dichtungsformen überhaupt. Denn nur ein Dichter, der über Witz und Ironie verfügt, erhält sich die Bereitschaft, auch den eigenen Standpunkt in Frage ziehen zu können und uns alle aus jener drohenden Imitationshaltung zu befreien, die sich gegen den revolutionären Anspruch der ›neuen Wirklichkeiten‹ zu sperren versucht. Kant wird daher nie müde, über die notwendige Funktion des Humoristischen zu sprechen. »Humor ist eine natürliche Gabe und eine unbewußte Haltung«, heißt es in der *Aula* einmal, »wird man sich ihrer bewußt und wendet sie bewußt an, dann wandelt sie sich wahrscheinlich in etwas, worüber wir lieber nicht reden wollen« (210). Auch bei den üblichen Podiumsgesprächen äußerte sich Kant höchst unwillig darüber, daß man den Lesern von Romanen leider schon in der Schule durch das »bloße Nachweisen der soziologischen Äquivalenz« den eigentlichen »Spaß an der Sache« verderbe.[22] Einen ähnlichen Standpunkt vertraten Neubert und zum Teil auch die Schlenstedts, die ihm in dieser Hinsicht eine gewisse Schützenhilfe leisteten, indem sie die »verbreitete übergroße Ernsthaftigkeit« der DDR-Literatur auf ein »im Grunde schon unangemessenes Verwickeltsein vieler poetischer Gestalten in die Schwere des Lebens« zurückzuführen versuchten, das endlich von einer ›heiteren‹ Bewußtseinshöhe abgelöst werden müsse.[23]

Doch so weit würde sich Iswall wahrscheinlich gar nicht versteigen. Ihm geht es nicht um die heitere Höhe, sondern um die innere Dialektik zwischen der Größe menschlicher Intentionen und der ebenso menschlichen Schwäche, sie zu verwirklichen. Genau betrachtet, ist daher seine *Aula* zwar eine positive Negierung der Negation, aber zugleich auch ein Mahnmal, das den Leser zu einer ständigen geistigen Wachheit aufzurufen versucht, indem sie ihm die unablässige Bedrohung aller humanen und fortschrittlichen Ideen vor Augen führt. Da Kant hierbei seinen Blick auf das ganz Reale und Konkrete lenkt, bleibt ihm jene vulgärmaterialistische Illusion erspart, als sei der Fortschritt etwas automatisch durch die Geschichte Schreitendes. Er weiß, wie unbequem solche Erkenntnisse sind, die so gar nicht ins Schema einer im vornherein programmierten Gesellschaft passen. Daher sind alle ›Saturierten‹ gemeint, die westlichen Wohlstandskapitäne und die östlichen Funktionäre, wenn er gegen Schluß einmal sagt: »Sicherheit macht Unsicherheit vergessen, bis zur nächsten Gefährdung.«

Anhang

Anmerkungen

Das Kapitel zu Erik Regers *Union der festen Hand* erschien bereits als Aufsatz in *Monatshefte* 57 (1965), S. 113–133, das zu Jean Pauls *Seebuch* im *Euphorion* 60 (1966), S. 91–109. Beide wurden für diesen Band gründlich überarbeitet. Die Studie über Glaßbrenner berührt sich an manchen Stellen mit meinem Nachwort zu der Glaßbrenner-Anthologie *Der politisierende Eckensteher*, Reclams Universal-Bibliothek Nr. 5226–28 (Stuttgart 1969), S. 231–243. Alle anderen Kapitel erscheinen hier zum ersten Mal.

Die im Text angeführten Seitenzahlen beziehen sich weitgehend auf die Erstausgaben der betreffenden Werke. Lediglich bei Jean Paul wurde die von Eduard Berend herausgegebene historisch-kritische Gesamtausgabe zugrunde gelegt. Der *Pojaz* wird nach dem Berliner Neudruck von 1949, die *Aula* nach der Münchner Ausgabe von 1966 zitiert.

Mein Dank geht wiederum an Elisabeth Hermand, die das Namenregister, die Korrekturen und die letzte Textrevision besorgte.

Kategoriale Vorüberlegungen

1. Gottfried Keller an Hermann Hettner (26. Juni 1854).

2. Vgl. zu diesem Gedankengang auch meine Ausführungen in *Synthetisches Interpretieren. Zur Methodik der Literaturwissenschaft*, ›sammlung dialog‹ 27 (München 1968), S. 216 ff.

3. Kurt Tucholsky, *Gesammelte Werke* (Reinbek bei Hamburg 1961), Bd III, S. 366.

Carl Ignaz Geiger:

Friedrich II. als Schriftsteller im Elysium

1. Richard Schwarz, *Friedrich der Große im Spiegel des literarischen Deutschlands von der Aufklärung bis zur Romantik* (Diss. Leipzig 1934), S. 34 ff.

2. Schubart, *Gedichte* (Leipzig 1884), S. 167, 177.

3. Schwarz, S. 97 ff.

4. Vgl. Wilhelm Görisch, *Friedrich der Große in den Zeitungen* (Diss. Berlin 1907), S. 7 f.

5. *Berlinische Monatsschrift* 8 (1786), S. 280 ff.

6. Johann Pezzl, *Faustin oder das philosophische Jahrhundert*, 3. Aufl. (o. O. 1785), S. 289.

7. Vgl. Elisabeth Frenzel, *Stoffe der Weltliteratur* (Stuttgart 1962), S. 193.

8. Vgl. Emmy Allard, *Friedrich der Große in der Literatur Frankreichs* (Halle 1913), S. 1, 21, 101.

9. Vgl. Heinrich Stümcke, *Hohenzollernfürsten im Drama* (Leipzig 1903), S. 59 ff.

10. Goethe, *Sämtliche Werke* (Stuttgart 1854), Bd II, S. 231.

11. Ebd. Bd IV, S. 87.

12. Hermann Hettner, *Geschichte der deutschen Literatur im 18. Jahrhundert* (Berlin 1961), Bd I, S. 348.

13. Franz Mehring, *Die Lessing-Legende* (Stuttgart 1893), S. VII.

14. Vgl. Karl Biedermann, *Friedrich der Große und sein Verhältnis zur Entwicklung des deutschen Geisteslebens* (Braunschweig 1859), S. 21.

15. *Die Werke Friedrichs des Großen*, hrsg. von Gustav Volz (Berlin 1913), Bd VIII, S. 65 ff.

16. Ebd. S. 76. 17. Ebd. S. 77.

18. Vgl. Werner Langer, *Friedrich der Große und die geistige Welt Frankreichs* (Hamburg 1932), S. 110 ff. und Gertrud Jagdhuhn, *Die Dichtungen Friedrichs des Großen*, Romanische Forschungen 50 (1936), S. 153.

19. *Werke*, Bd. VIII, S. 5. 20. Ebd. Bd. VIII, S. 4.

21. Langer, S. 189.

22. Klopstock, *Oden* (Leipzig 1798). Bd II, S. 72. Vgl. auch Moritz Türk, *Friedrichs des Großen Dichtungen im Urteile des 18. Jahrhunderts* (Berlin 1897 f.).

23. Ebd. Bd II, S. 73.

24. Johann Kaspar Riesbeck, *Briefe eines reisenden Franzosen über Deutschland* (o. O. 1784), Bd II, S. 154.

25. Schiller, *Insel-Ausgabe* (Leipzig o. J.), Bd IV, S. 316.

26. Vgl. Theodor Heinsius, *Friedrich der Zweite und sein Jahrhundert, in Bezug auf Sprache und Literatur, Schule und Volksbildung* (Berlin 1840), S. 88 ff.; Erich Kästner, *Die Erwiderungen auf Friedrichs des Großen Schrift ›De la littérature allemande‹* (Diss. Leipzig 1925); Leopold Magon, ›De la littérature allemande‹ und die Gegenschriften. In: *Acta litterarum* 2 (1959), S. 317–346.

27. Friedrich Ludwig Jahn, *Deutsches Volkstum* (Lübeck 1810), S. 18.

28. Schwarz, S. 77 ff.

29. Herder, *Sämtliche Werke*, hrsg. von Bernhard Suphan (Berlin 1887) Bd V, S. 581.

30. *Gerhard Anton von Halems Selbstbiographie nebst einer Sammlung von Briefen an ihn* (Oldenburg 1840), S. 88.

31. Ebd. S. 148.

32. Heinse, *Sämtliche Werke*, hrsg. von Albert Leitzmann (Leipzig 1925), 2. Abtl., Bd VIII, S. 244.

33. Ebd. S. 244 f.

34. Vgl. Johannes Rentsch, *Lucianstudien* (Plauen 1895), S. 42 f.

35. *Werke*, Bd V, S. 234–240. 36. Ebd. Bd V, S. 246 f.

37. Ebd. S. 247.

38. Rentsch klammert diesen Bereich merkwürdigerweise aus. Dagegen gibt Stümcke wenigstens ein paar Hinweise (S. 79–85).

39. Stümcke, S. 80.

40. Friedrich der Zweite und Lessing: ein Totengespräch. In: *Neues deutsches Museum* 3 (1790), S. 1048–1052.

41. *Werke*, Bd VIII, S. 165.

42. *Gesinnungen eines Theologen über den Schriftsteller Friedrich* (o. O. 1789), S. 8.

43. *Gesinnungen eines Rechtsgelehrten über Friedrichs Werke* (o. O. 1789), S. 27.

44. Vgl. mein Nachwort zu der Neuausgabe seiner *Reise eines Erdbewohners in den Mars*, Sammlung Metzler 61 (Stuttgart 1967), S. 20 ff.

45. *Oberdeutsche allgemeine Literaturzeitung* (1789), Nr. 55, vom 8. Mai, Sp. 874, 880.

46. Ebd. Sp. 874.

47. *Nürnbergische gelehrte Zeitung* (1789), S. 309 f.

48. *Allgemeine deutsche Bibliothek* 96 (1790), S. 299 f.

49. Ebd. S. 301.

50. Adolph. Ein Beitrag zur Gelehrten-Geschichte unsres Zeitalters. In: *Der neue deutsche Zuschauer* 7 (1791), S. 165.

51. Ebd. S. 166.

52. *Reise eines Engelländers durch einen Teil von Schwaben* (Amsterdam 1789), S. 25.

53. Ebd. S. 20. 54. Ebd. S. 23.

55. *Laster ist oft Tugend* (Frankfurt 1791), S. 18.

56. Stümcke, S. 84.

57. Jean Paul, *Historisch-kritische Gesamtausgabe*, hrsg. von Eduard Berend (Weimar 1933), 1. Abtl., Bd VIII, S. 443.

58. *Sind die Kaiserl. Königl. Strafgesetze der Politik und dem Staats- und Naturrechte gemäß?* (o. O. 1788), S. 5, 42.

59. Adolph, S. 186f.

60. *Reise eines Erdbewohners in den Mars* (Frankfurt 1790), S. 84.

61. Vgl. *Von deutscher Republik. 1775–1795*, hrsg. von Jost Hermand, Sammlung Insel 41 (Frankfurt a. M. 1968).

Jean Paul: Des Luftschiffers Giannozzo Seebuch

1. Weitere Hinweise bei Eduard Berend in seiner Einleitung zum 8. Band der historisch-kritischen Gesamtausgabe (S. XCII).

2. Ebd. S. XCII f., 533–542.

3. Vgl. Carl von Klinckowstroem, Luftfahrten in der Literatur. In: *Zeitschrift für Bücherfreunde*, N. F. 3 (1911/12), S. 250–264, der hauptsächlich den Zeitraum von 1638 bis 1783 behandelt.

4. Eine von Wilhelm Christlob Mylius übersetzte und gekürzte Version dieses Romans erschien 1784 in Leipzig unter dem Titel *Der fliegende Mensch*.

5. Vgl. Jacob Minor, Die Luftfahrten in der deutschen Literatur. In: *Zeitschrift für Bücherfreunde*, N. F. 1 (1909/10), S. 64–73.

6. Walter Muschg, Der fliegende Mensch in der Dichtung. In: *Neue Schweizer Rundschau*, N. F. 7 (1939), S. 390.

7. Vgl. Helene Jacobius, *Luftschiff und Pegasus. Der Widerhall der Erfindung des Luftballons in der zeitgenössischen Literatur* (Halle 1909), S. 39ff. Unvollständige Stoffsammlung, die Jean Pauls *Giannozzo* nicht erwähnt.

8. Vgl. *Berlinische Monatsschrift* 3 (1784), S. 130ff., *Das graue Ungeheuer* 3 (1884), S. 191ff. Die *Allgemeine deutsche Bibliothek* brachte im 57. Bande (1786) eine eigene Rubrik ›Luftkugeln‹, um den vielen Schriften zu diesem Thema gerecht zu werden.

9. Vgl. Rolf Denker, Luftfahrt auf montgolfierische Art in Goethes Dichten und Denken. In: *Jahrbuch der Goethe-Gesellschaft* 26 (1964), S. 181–198.

10. *Maximen und Reflexionen.* Aus den Heften zur Morphologie. Band 1, Heft 4, Nr. 12.

11. Hans Dahler, *Jean Pauls Siebenkäs. Struktur und Grundbild.* Basler Studien 26 (Bern 1962), S. 16.

12. Peter Michelsen, *Laurence Sterne und der deutsche Roman des 18. Jahrhunderts.* Palaestra 232 (Göttingen 1962), S. 393.

13. Vgl. noch August Wilhelm Zachariae, *Geschichte der Luftschwimmkunst von 1783 bis zu den Wendelsteiner Fallversuchen* (Leipzig 1823).

14. Paul Nerrlich, *Jean Paul. Sein Leben und seine Werke* (Berlin 1889), S. 415.

15. Walther Harich, *Jean Paul* (Leipzig 1925), S. 547.

16. Max Kommerell, *Jean Paul,* 3. Aufl. (Frankfurt a. M. 1957), S. 320.

17. Muschg, Der fliegende Mensch, S. 449.

18. Walter Höllerer im Nachwort zum 3. Band der Hanserschen Jean-Paul-Ausgabe (München 1961), S. 1141.

19. Horst Dahmann, *Jean Pauls Luftschiffer Giannozzo als Humorist* (Diss. Göttingen 1959, masch.), S. 11. Die Grundthesen dieser Studie, die sich in weitgehender Abstrahierung mit der Figur des Humoristen an sich beschäftigt, beruhen sowohl auf Kommerell als auch auf der Vogel-Merops-Theorie in Wolfgang Kaysers *Das Groteske* (Oldenburg 1957), S. 56 ff.

20. Gerhart Baumann, Des Luftschiffers Giannozzo Seebuch. In: *Die Wissenschaft von deutscher Sprache und Dichtung.* Festschrift für Friedrich Maurer (Stuttgart 1963), S. 422.

21. Vgl. Wolfgang Harich, *Jean Pauls Kritik des philosophischen Egoismus* (Frankfurt a. M. 1968), S. 15 ff.

22. *Jean Pauls Persönlichkeit,* hrsg. von Eduard Berend (Berlin 1956), S. 71.

23. Dasselbe gilt für seine kleine Schrift *Über die erfundene Flug-Kunst*

von Jakob Degen in Wien (1808), in der das Flugmotiv als reines Kuriosum behandelt wird (Bd XVII, S. 173–178).

24. Vgl. *Von deutscher Republik. 1775–1795*, hrsg. von Jost Hermand, Sammlung Insel 41 (Frankfurt a. M. 1968), Bd I, S. 20 ff.

25. So zeigt Rolf Denker a. a. O., wie sich beim alten Goethe das Bild des Luftballons allmählich zum Symbol der Kunst verwandelt, die den Menschen über das ›Gemeine‹ erhebt.

26. Theodor Mundt, *Kritische Wälder* (Leipzig 1833), S. 180.

Adolf Glaßbrenner: Berlin wie es ist und – trinkt

1. Fontane, *Der Stechlin* (Berlin 1918), S. 342.

2. *Berliner Volksleben* (Leipzig 1847–51), Bd II, S. 200.

3. Vgl. H. H. Houben, *Verbotene Literatur* (Berlin 1924), Bd I, S. 205 ff.

4. Ebd. S. 207. 5. Ebd. S. 209. 6. Ebd. S. 209.

7. Vgl. *Der deutsche Vormärz*, hrsg. von Jost Hermand, Reclams Universal-Bibliothek 8794–98 (Stuttgart 1967), S. 360 ff.

8. Houben, S. 215 ff.

9. Zit. in Robert Rodenhauser, *Adolf Glaßbrenner. Ein Beitrag zur Geschichte des Jungen Deutschland und der Berliner Lokaldichtung* (Berlin 1912), S. 14.

10. Houben, S. 221.

11. *Altes, lustiges Berlin*, hrsg. von Wilhelm Müller-Rüdersdorf (Berlin 1920), S. 11.

12. Rodenhauser, S. 55.

13. Vgl. sein Vorwort zu Ernst Toller, *Prosa Briefe Dramen Gedichte* (Reinbek bei Hamburg 1961), S. 7.

14. Heinrich von Treitschke, *Deutsche Geschichte im 19. Jahrhundert*, 3. Aufl. (Leipzig 1879–1894), Bd V, S. 382.

15. So nannte ihn ein preußischer Ministerialbeamter der fünfziger Jahre. Vgl. Houben, S. 221.

16. *Berliner Volksleben*, Bd III, S. 163.

17. Börne, *Briefe aus Paris* (Hamburg 1832–34), Bd I, S. 226.

18. Laube, *Erinnerungen* (Wien 1875), Bd I, S. 218 ff.

19. Vgl. Karl von Holteis Posse *Der Berliner Droschkenkutscher* (1828) und den *Strahlower Fischzug* (1821) von Julius von Voß.

20. *Die Berliner Gewerbe-Ausstellung* (Leipzig 1844), Bd II, S. 70.

21. Ebd. S. 70.

22. Eine weitere Ausnahme in diesem Zusammenhang bildet das *Trauerspiel in Berlin* (1832) von Holtei. Vgl. die Analyse dieses Dramas bei Peter Hacks, *Das Theaterstück des Biedermeier* (Diss. München 1951, masch.), S. 118.

23. Franz Diederich, Adolf Glaßbrenner. Ein Volksdichter aus der Zeit der deutschen Revolution. In: *Unterm Brennglas* (Berlin 1912), S. 62.

24. Rodenhauser, S. 51. 25. Diederich, S. 62.

26. Rodenhauser, S. 67.

27. Vgl. die Bemerkungen im Vorwort zu *Deutsche Revolutionsdramen*, hrsg. von Reinhold Grimm und Jost Hermand (Frankfurt a. M. 1969), S. 9.

Carl Fischer: Denkwürdigkeiten und Erinnerungen eines Arbeiters

1. Vgl. Eugen Diederichs, *Selbstzeugnisse und Briefe von Zeitgenossen* (Düsseldorf 1967), S. 135.

2. Vgl. Richard Hamann / Jost Hermand, *Stilkunst um 1900*, Deutsche Kunst und Kultur von der Gründerzeit bis zum Expressionismus IV (Berlin 1967), S. 46 f.

3. Frau Dr. Wettstein-Adelt ließ es sich nicht nehmen, den redlichen

Göhre in ihrem Buch *Dreieinhalb Monate Fabrikarbeiterin* (1893) um eine Nasenlänge zu schlagen.

4. Vgl. Richard Hamann / Jost Hermand, *Naturalismus*, Deutsche Kunst und Kultur von der Gründerzeit bis zum Expressionismus II (Berlin 1959), S. 241.

5. Paul Göhre, *Drei Monate Fabrikarbeiter und Handwerksbursche* (Leipzig 1891), S. 222.

6. Derselbe, *Die evangelisch-soziale Bewegung, ihre Geschichte und ihre Ziele* (Leipzig 1896), 200 S.

7. Ebd. S. 177. 8. Ebd. S. 196 f.

9. Vgl. *Stilkunst um 1900*, S. 28. Wie stark sich Göhre nach dem ersten Weltkrieg vom SPD-Kurs abgewandt hat, beweisen seine Schriften *Der unbekannte Gott. Versuch einer Religion des modernen Menschen* (1920) und *Deutschlands weltpolitische Zukunft* (1925). In dem letzten wird Deutschland als »geistiges« Erdballzentrum und damit Geburtsstätte des künftigen »Weltübermenschen« gefeiert (S. 176).

10. Diederichs in einem Brief an Göhre vom 24. September 1903. Vgl. *Selbstzeugnisse*, S. 135.

11. Fischer nennt sie in einem Brief an Diederichs vom 16. Dezember 1903 einfach »Mein Lebenslauf«. Vgl. *Selbstzeugnisse*, S. 136.

12. Ebd. S. 138. 13. Ebd. S. 136.

14. Göhre und Diederichs betonen dagegen immer wieder den Haß, den Fischer auf die »Sozialdemokraten« habe. Vgl. *Selbstzeugnisse*, S. 138.

15. Vgl. *Der deutsche Vormärz*, hrsg. von Jost Hermand (Stuttgart 1967), S. 385.

16. In seinem Vorwort zu Brommes *Lebensgeschichte* stellt Göhre die Sozialdemokratie als eine Bewegung hin, die sich »organisch« aus dem »Mutterboden des Volkes« entwickelt habe (S. VIII).

17. Theodor Klaiber, *Die deutsche Selbstbiographie* (Stuttgart 1921), S. 270 f.

18. Cecilia A. Trunz, *Die Autobiographien von deutschen Industriearbeitern* (Diss. Freiburg 1934), S. 38.

Karl Emil Franzos: Der Pojaz

1. Fritz Martini begnügt sich in seiner *Deutschen Literatur im bürgerlichen Realismus. 1848–1898*, 2. Aufl. (Stuttgart 1964) auf 900 Seiten mit der bloßen Namensnennung (S. 487).

2. Vgl. Jost Hermand, Zur Literatur der Gründerzeit. In: *DVjs* 41 (1967), S. 202–232.

3. *Sämtliche Werke* (Frankfurt a. M. 1879), S. CXIX, CXXIII.

4. *Aus Halb-Asien*, 5. Aufl. (Stuttgart 1914), Bd I, S. XIII.

5. Ebd. Bd I, S. XVII.

6. Was sich aus dem Vorwort entnehmen läßt.

7. Weitere Parallelen bringt die Arbeit von Emma Suschitzky, *Karl Emil Franzos als Erzähler* (Diss. Wien 1935, masch.), S. 99 ff.

8. *Die Geschichte des Erstlingswerks* (Berlin 1894), S. 230.

9. Vgl. Joannes Stoffers, *Juden und Ghetto in der deutschen Literatur bis zum Ausgang des Weltkrieges* (Graz 1939), S. 200–249.

10. Vgl. Ernst Kohn-Bramstedt, *Aristocracy and the Middle-Classes in Germany* (London 1937), S. 133 ff. und George L. Mosse, The Image of the Jew in German Popular Culture: Felix Dahn and Gustav Freytag. In: *Year Book of the Leo Baeck Institute* (London 1957), S. 218–227.

11. Vgl. Stoffers, S. 250–426 und Mary Lynne Martin, *Karl Emil Franzos: His Views of Jewry, as reflected in his Writings on the Ghetto* (Diss. Wisconsin 1968, masch.), S. 16–37.

12. Über das Verhältnis von Dorfgeschichte und Ghettonovelle vgl. Martin, S. 38–50.

13. Kompert, *Geschichten einer Gasse* (Berlin 1865), S. 1 f.

14. Mina Schiffmann, *Die deutsche Ghettogeschichte* (Diss. Wien 1931, masch.), S. 78.

15. Peter Schkilniak, *Galizien bei Karl Emil Franzos* (Diss. Innsbruck 1946, masch.), S. 134.

16. *Die Juden von Barnow*, 5. Aufl. (Berlin o. J.), S. 68.

17. Ebd. S. 52. 18. Ebd. S. IX.

19. Ludwig Geiger, *Die deutsche Literatur und die Juden* (Berlin 1890), S. 263.

20. Vgl. Franz Kratter, *Briefe über den itzigen Zustand in Galizien* (Leipzig 1786).

21. David Friedländer, *Über die Verbesserung der Israeliten im Königreich Polen* (Berlin 1819), S. XLVII.

22. Ebd. S. 23, 38. 23. Ebd. S. IV, LIII. 24. Schkilniak, S. 13.

25. *Die Juden von Barnow*, S. 277.

26. *Aus Halb-Asien*, Bd I, S. XVIII.

27. Ebd. Bd I, S. XVIII. 28. Ebd. Bd V, S. 200.

29. *Die Juden von Barnow*, S. 167 f.

30. *Die Geschichte des Erstlingswerks*, S. 221.

31. Vgl. Richard Thurber, *The Cultural Thought of Karl Emil Franzos* (Diss. Michigan 1954, masch.), S. 201.

32. Ebd. S. 201.

33. Hermand, Zur Literatur der Gründerzeit, S. 216 f.

34. In Rußland soll der *Pojaz* 1894 in der Zeitschrift *Woschod* in wesentlich abgeänderter Form erschienen sein.

35. Vgl. Kurt Wawrzinek, *Die Entstehung der deutschen Antisemitenparteien. 1873–1890* (Berlin 1927) und Richard Hamann / Jost Hermand, *Stilkunst um 1900* (Berlin 1967), S. 72 ff.

Ernst Toller: Hoppla, wir leben!

1. Otto Wirth, Ernst Toller: Der Mensch in seinem Werk. In: *Monatshefte* 31 (1939), S. 339–348.

2. William A. Willibrand, *Ernst Toller. Product of Two Revolutions* (Norman, Oklahoma 1941), S. 28.

3. Walter Sokel, Ernst Toller. In: *Deutsche Literatur im 20. Jahrhundert*, hrsg. von Hermann Friedmann und Otto Mann, 4. Aufl. (Heidelberg 1961), Bd II, S. 301.

4. Vgl. sein Standardwerk aller künftigen Toller-Forschung: *Ernst Toller and his Critics. A Bibliography* (Charlottesville, Virginia 1968), 919 S.

5. John M. Spalek, Ernst Toller: The Need for a New Estimate. In: *German Quarterly* 39 (1966), S. 581–598.

6. Ernst Toller, *Prosa Briefe Dramen Gedichte*, hrsg. von Kurt Hiller (Reinbek bei Hamburg 1961), 493 S.

7. Ernst Toller, *Ausgewählte Schriften*, hrsg. von Bodo Uhse und Bruno Kaiser (Berlin 1959), 370 S.

8. Ebd. 2. Aufl., S. 353. 9. Ebd. S. 355.

10. Martin Reso, *Der gesellschaftlich-ethische Protest im dichterischen Werk Ernst Tollers* (Diss. Jena 1957, masch.) und: Die Novemberrevolution und Ernst Toller. In: *Weimarer Beiträge* 5 (1959), S. 387–409.

11. Hans Marnette, *Untersuchungen zum Inhalt–Form–Problem in Ernst Tollers Dramen* (Diss. Potsdam 1963, masch.).

12. Hiller, S. 19. 13. Reso, Die Novemberrevolution, S. 400.

14. Der einzige Neudruck nach der Erstausgabe von 1927 findet sich in: *Hoppla, wir leben! Feuer aus den Kesseln*, hrsg. von Alfred Klein, Reclams Universal-Bibliothek 9141–43 (Leipzig 1962).

15. Vgl. *Deutsches Schriftstellerlexikon*, hrsg. von Kurt Böttcher u. a. 2. Aufl. (Weimar 1962), S. 570 f.

16. Erwin Piscator, *Das politische Theater* (Reinbek bei Hamburg 1963), S. 147.

17. Vgl. Spalek, *Toller and his Critics*, S. 879 ff. Nach 1945 wurde *Hoppla, wir leben!* lediglich von Giorgio Strehler im Piccolo Teatro in Mailand (1951) und von José Valverde im Gérard-Philipe-Theater in St. Denis (1966) inszeniert.

18. *Die Literatur* 30 (1927), S. 39 f.

19. Felix Holländer, *Lebendiges Theater* (Berlin 1932), S. 157 f.

20. Herbert Jhering, *Von Reinhardt bis Brecht* (Berlin 1959), Bd II, S. 276.

21. *Die Weltbühne* 23 (1927), S. 373.

22. Erich Metzger, *Kreuzzeitung* (1927), Nr. 417, vom 5. September.

23. *Deutsche Zeitung* (1927), Nr. 270 B, vom 5. September.

24. *Preußische Jahrbücher* 210 (Oktober 1927), S. 120 f.

25. *Deutsche Rundschau* 54 (1927/28), S. 84.

26. Paul Fechter, *Deutsche Allgemeine Zeitung* (1927), vom 6. September; Hugo Kubsch, *Deutsche Tageszeitung* (1927), Nr. 417, vom 5. September; Otto Schabbel, *Hamburger Nachrichten* (1927), Nr. 410, vom 2. September; Ludwig Sternaux, *Berliner Lokal-Anzeiger* (1927), Nr. 419, vom 5. September.

27. *Die Rote Fahne* (1927), Nr. 210, vom 7. September.

28. Ebd. Nr. 212, vom 9. September. 29. Ebd.

30. Ebd. Nr. 210, vom 7. September.

31. *Leipziger Volkszeitung* (1927), Nr. 228, vom 29. September.

32. Vgl. Spalek, *Toller and his Critics*, S. 609 ff.

33. Piscator, *Das politische Theater*, S. 146 f.

34. Vgl. Wirth, S. 339 ff.; Willibrand, S. 40.

35. Soergel / Hohoff, *Dichtung und Dichter der Zeit vom Naturalismus bis zur Gegenwart* (Düsseldorf 1964), Bd II, S. 295.

36. Arbeiten. In: *Quer durch* (Berlin 1930), S. 291 f.

37. *Hoppla, wir leben!* (Potsdam 1927), S. 16.

38. Vgl. Sokel, S. 299. 39. *Quer durch*, S. 293 f.

40. Vgl. *Das politische Theater*, S. 148.

41. Spalek, S. VII.

42. *Das politische Theater*, S. 154. 43. Ebd. S. 154.

44. Ebd. S. 148. 45. Ebd. S. 152. 46. Ebd. S. 148.

47. Vgl. die Rezensionen von Erich Gottgetreu ›Hoppla, wir leben! umgeformt‹ im *Vorwärts* (1927), Nr. 478, vom 9. Oktober, und von Heinz Eisgruber in der *Leipziger Volkszeitung* (1927), Nr. 237, vom 10. Oktober.

48. Vgl. Reinhold Grimm, Marxistische Emblematik. In: *Wissenschaft als Dialog*, hrsg. von Renate von Heydebrand und Klaus Günther Just (Stuttgart 1969), S. 377.

49. *Quer durch*, S. 292. 50. Sokel, S. 299 f.

51. *Ausgewählte Werke*, S. IV.

52. Walther Victor, Erinnerung an Ernst Toller. In: *Heute und Morgen* 5 (1948), S. 339.

53. Spalek, The Need for a New Estimate, S. 591.

54. *Quer durch*, S. 208.

55. *Briefe aus dem Gefängnis* (Amsterdam 1935), S. 111.

56. Ebd. S. 83. 57. Vgl. *Quer durch*, S. 9–78. 58. Ebd. S. 253.

59. *Berlin, letzte Ausgabe!* Harvard Library, Signatur 51792.51.760, S. 49 f.

60. Vgl. Tollers Bemerkungen über die »Exzellenzen« Scheidemann und Bauer in *Eine Jugend in Deutschland*, 2. Aufl. (Amsterdam 1936), S. 127.

61. *Briefe aus dem Gefängnis*, S. 145, 216.

62. Tucholsky, *Gesammelte Werke* (Reinbek bei Hamburg 1960), Bd I, S. 844.

63. Ebd. S. 1125. 64. *Der Kampf* 21 (1928), Nr. 1, S. 1–4.

65. *Quer durch*, S. 81–186.

66. Ebd. S. 295. 67. Ebd. S. 269. 68. Ebd. S. 281.

69. Ebd. S. 189. 70. *Briefe aus dem Gefängnis*, S. 233.

71. *Quer durch*, S. 278. 72. Ebd. S. 288.

73. *Briefe aus dem Gefängnis*, S. 246.

74. Ebd. S. 247. 75. Ebd. S. 63. 76. Ebd. S. 247.

77. Ebd. S. 212. 78. *Quer durch*, S. 284.

79. Vgl. *Briefe aus dem Gefängnis*, S. 256.

80. *Deutsche Revolution* (Berlin 1925), S. 8, 10. 81. Ebd. S. 11.

82. *Quer durch*, S. 287. 83. Ebd. S. 291.

84. *Briefe aus dem Gefängnis*, S. 153.

85. Vgl. Tollers Vorwort zu Henri Barbusse, *Tatsachen* (Berlin 1929), S. 9.

86. Ebd. S. 8. 87. *Quer durch*, S. 283. 88. Ebd. S. 296.

89. Ebd. S. 287 f. 90. *Briefe aus dem Gefängnis*, S. 138.

91. *Prosa Briefe Dramen Gedichte*, S. 10.

Erik Reger: Union der festen Hand

1. Wolfgang Harich, Union der festen Hand. Einsicht und Konsequenz. In: *Aufbau* 2 (1946), S. 808 ff.

2. Erich Winguth, Erik Reger – oder die Grenzen bürgerlicher Gesellschaftskritik. In: *Einheit* 1 (1946), S. 402 ff.

3. Oscar Wilde, *Works* (New York 1954), S. 931.

4. Die zeitgenössische Sekundärliteratur verhält sich zu diesen Problemen meist konservativ. So überwiegt bei Werner Oellers, Das Ruhrgebiet in der erzählenden Literatur. In: *Der Gral* 28 (1933), S. 534 ff., die Frage nach den katholischen Elementen, während sich Arthur Mendt, Die Technik in der deutschen Dichtung der Gegenwart. In: *Zeitschrift für deutsche Bildung* 10 (1934), S. 545 ff., mehr auf das ›Völkische‹ beschränkt.

5. Heinrich Lersch, *Hammerschläge* (Hamburg 1931), S. 261.

6. Vgl. Horst Denkler, Die Literaturtheorie der Zwanziger Jahre: Zum

Selbstverständnis des literarischen Nachexpressionismus in Deutschland. In: *Monatshefte* 59 (1967), S. 305–319.

7. Joachim Maaß, Junge deutsche Literatur. In: *Die Tat* 24 (1932), S. 801.

8. Hans Pflug, Der soziale Roman. Literatur und Wirklichkeit. In: *Die Tat* 24 (1932), S. 695.

9. Ebd. S. 695.

10. Siegfried Kracauer, *Die Angestellten*, 3. Aufl. (Allensbach 1959), S. 9.

11. Pflug, S. 696.

12. Vgl. Robert Neumann, Zum Problem der Reportage. In: *Die Literatur* 30 (1927), S. 3–6.

13. Egon Erwin Kisch, *Der rasende Reporter*, Neuausgabe (Berlin 1930), S. 10.

14. Ebd. S. 9f.

15. Karl Grünberg, *Brennende Ruhr* (Rudolstadt 1929), S. 10. Über die lebhafte Diskussion zwischen Lukács, Bredel und Ottwald, die sich daran in der *Linkskurve* anschloß, vgl. Dieter Schlenstedt, *Die Reportage bei Egon Erwin Kisch* (Berlin 1959), S. 92–99.

16. Heinrich Hauser, *Schwarzes Revier* (Berlin 1930), S. 125.

17. Ebd. S. 101. 18. Ebd. S. 146. 19. Ebd. S. 126.

20. Vgl. dazu auch Regers höchst entlarvenden Essay ›Die wirkliche Arbeiterpresse‹. In: *Fazit. Ein Querschnitt durch die deutsche Publizistik*, hrsg. von Ernst Glaeser (Hamburg 1929), S. 151–166.

21. Reger meint damit wahrscheinlich die ›Dinta‹, das ›Deutsche Institut für technische Arbeiterschulung‹, dessen Werkzeitungen hauptsächlich kapitalistisches Ethos, Wandervogelkult, Sportbegeisterung, Religion und Nationalismus predigten. In seinem Aufsatz ›Die wirkliche Arbeiterpresse‹ heißt es über diese Blätter: »Ein paar Überschriften: Divisions-Tagesbefehl 1917; Unter den Fremdenlegionären; Wie halte ich gute Nachbarschaft?; Politischer Rundfunk; Mutterpflicht und Mutterglück; Das neue Heldenehrenmal in Gustavsburg; Die Grubenfahrt; Dem deutschen Helden Schlageter; Wie verarbeite ich einen abgelegten Herrenhut zu einem

hübschen Kinderhäubchen? Dazwischen: Jubiläen, mit Photos und faksimilierten Hindenburgbriefen; Familiennachrichten; Vereinsecke; moralische Schlagzeilen: ›Geh Sonntag abend früh nach Haus, dann läuft die Montagsschicht gut aus‹, oder: ›Der Mensch ist geboren zum Arbeiten wie der Vogel zum Flug‹; Witze; Kochrezepte; ›Praktische Winke‹ für die Hausfrau; Kleine Anzeigen« (S. 157).

22. August Sander, *Antlitz der Zeit* (München 1929), S. 10.

23. Kurt Tucholsky, *Gesammelte Werke* (Reinbek bei Hamburg 1960), Bd III, S. 392.

24. Ebd. Bd III, S. 430.

25. Ilja Ehrenburg, *Das Leben der Autos* (Berlin 1930), S. 9.

26. Erik Reger, *Das wachsame Hähnchen. Polemischer Roman* (Leipzig 1932), S. 7.

27. Ebd. S. 7. 28. Glaeser, *Fazit*, S. 7.

29. Arnold Hauser, *Sozialgeschichte der Kunst und Literatur* (München 1953), Bd II, S. 515.

30. Ebd. Bd II, S. 516.

31. Edgar Wind, *Art and Anarchy* (London 1963), S. 60.

32. Egon Erwin Kisch, *Marktplatz der Sensationen* (Berlin 1956), S. 9.

Hermann Kant: Die Aula

1. Etwas kritischer äußern sich Marcel Reich-Ranicki, Ein Land des Lächelns, In: *Die Zeit* (1966), Nr. 14, vom 1. April, S. 28; Rolf Becker, Mutmaßungen über Quasi. In: *Der Spiegel* 20 (1966), Nr. 12, S. 126; Günther Zehm, Die Aula der neuen Klasse. Zu Hermann Kants Roman vom arrivierten Proletarier. In: *Die Welt der Literatur* 3 (1966), Nr. 4, S. 7. Eine ausgezeichnete Analyse dieser Pressestimmen bietet demnächst Heinrich Mohr in seinem Aufsatz ›Gerechtes Erinnern. Untersuchungen zu Thema und Struktur von Hermann Kants Roman *Die Aula* und einige

Anmerkungen zu bundesrepublikanischen Rezensionen‹ in *Basis. Jahrbuch für deutsche Gegenwartsliteratur* 2 (1971).

2. Vgl. Werner Neubert, Komisches und Satirisches in Hermann Kants ›Aula‹. In: *Weimarer Beiträge* 12, 1 (1966), S. 15–26 und Silvia Schlenstedt/Dieter Schlenstedt, Modern erzählt. Zu Strukturen in Hermann Kants Roman ›Die Aula‹. In: *Neue deutsche Literatur* 13, 12 (1965), S. 5–34. Eine wesentlich orthodoxere Haltung bezieht Hermann Kähler in seinem Aufsatz ›Die Aula – Eine Laudatio auf die DDR‹. In: *Sinn und Form* 18 (1966), S. 267–273. Anstatt das »Antidogmatische« oder die »formale Modernität« zu loben, ist für ihn die *Aula* ein mit »sozialistischem Pathos« geschriebener »Ausdruck der selbstbewußten, von der Partei erzogenen und gebildeten Jugend« (269). Während die Schlenstedts auch das Ästhetische gebührend heranziehen, liest man hier nur von »Parteilichkeit in dem genauen Leninschen Sinn der direkten Verbundenheit *mit* und bewußten Einordnung *in* die revolutionäre Praxis der Partei der Arbeiterklasse« (269).

3. Neubert charakterisiert diese Szene noch eindeutiger als eine »Parodie auf die spätbürgerliche Pseudo- und Narrenfreiheit des Individuums« (21).

4. Strittmatter, *Ole Bienkopp* (Berlin 1963), S. 168.

5. Wolf, *Der geteilte Himmel* (Halle 1963), S. 276. 6. Ebd. S. 294.

7. *Ole Bienkopp*, S. 187. 8. Ebd. S. 194.

9. Neutsch, *Spur der Steine*, 10. Aufl. (Halle 1966), S. 180.

10. Neubert, S. 20.

11. Brecht, *Prosa* (Frankfurt a. M. 1965), Bd II, S. 113.

12. Wie ›unbequem‹ diese Riek-Figur ist, beweisen die Versuche einiger DDR-Kritiker, ihn in einen kommunistischen Geheimagenten umzuinterpretieren, wofür sich im Text selber kein Anhaltspunkt bietet. »Vielleicht hat Riek einen Auftrag erhalten«, schreiben die Schlenstedts, »der notwendig, aber keinem sehr angenehm ist« (27). Kähler spricht noch eindeutiger von der »Mission« Rieks, die leider nicht klar genug hervortrete (271). Als im Frühjahr 1969 im ›Deutschen Theater‹ zu Berlin unter der Regie von Ute Birnbaum eine Bühnenfassung der Kantschen *Aula* über die Bretter ging, war Riek bereits zu ›unserem Mann im Westen‹ avanciert.

13. Wilhelm Emrich in: *Die Welt der Literatur* 1 (1965), Nr. 1, S. 9. Dasselbe schreibt jetzt, wahrscheinlich mit etwas mehr Berechtigung, Marcel Reich-Ranicki über Christa Wolfs Roman *Nachdenken über Christa T.* In: *Die Zeit* (1969), Nr. 21, vom 27. Mai, S. 14.

14. Schlenstedt, S. 19. 15. Ebd. S. 28.

16. Heinz Plavius, Romanschreiben heute. In: *Neue deutsche Literatur* 16, 5 (1968), S. 13.

17. Ebd. S. 34. 18. Ebd. S. 35. 19. Ebd. S. 53.

20. Erik Neutsch setzt diesen Spruch seinem Roman *Spur der Steine* geradezu als Programm voraus.

21. Neutsch, S. 88.

22. Romanschreiben heute, S. 38. 23. Schlenstedt, S. 20.

Namenverzeichnis

Weitere Arbeiten von Jost Hermand:

Heines frühe Kritiker

In: Der Dichter und seine Zeit –
Politik im Spiegel der Literatur.
Drittes Amherster Kolloquium zur modernen deutschen Literatur 1969.
Herausgegeben von Wolfgang Paulsen.
1970. Seite 113-133.

Der ›neuromantische‹ Seelenvagabund

In: Das Nachleben der Romantik in der modernen deutschen Literatur.
Zweites Amherster Kolloquium zur modernen deutschen Literatur 1968.
Herausgegeben von Wolfgang Paulsen.
1969. Seite 95-115.

Im Lothar Stiehm Verlag · Heidelberg